유머로 배우는 한국어

bahasa Indonesia(인도네시아어)
edisi terjemahan(번역판)

- 유머 (nomina) : humor
  tindakan atau perkataan yang membuat orang lain tertawa

- 로 : dengan
  partikel yang menyatakan cara atau tata cara suatu pekerjaan

- 배우다 (verba) : belajar
  mendapat pengetahuan baru

- -는 : yang
  akhiran untuk membuat kata di depannya berfungsi sebagai pewatas dan menyatakan kejadian atau tindakan terjadi sekarang

- 한국어 (nomina) : bahasa Korea
  bahasa yang digunakan orang Korea

※ 이 책의 폰트는 '함초롬 바탕체'를 사용하였습니다.

< 저자(penulis) >

㈜한글2119연구소

• 연구개발전담부서

• ISO 9001 : 품질경영시스템 인증

• ISO 14001 : 환경경영시스템 인증

• 이메일(surat elektronik) : gjh0675@naver.com

< 동영상(video) 자료(data) >

HANPUK_bahasa Indonesia(penerjemahan)
https://www.youtube.com/@HANPUK_Indonesian

HANPUK

제 2024153361 호

연구개발전담부서 인정서

1. 전담부서명: 연구개발전담부서

   [소속기업명: (주)한글2119연구소]

2. 소　재　지: 인천광역시 부평구 마장로264번길 33
   　　　　　　상가동 제지하층 제2호 (산곡동, 뉴서울아파트)

3. 신고 연월일: 2024년 05월 02일

과학기술정보통신부

「기초연구진흥 및 기술개발지원에 관한 법률」 제14조의

2제1항 및 같은 법 시행령 제27조제1항에 따라 위와 같이

기업의 연구개발전담부서로 인정합니다.

2024년 5월 13일

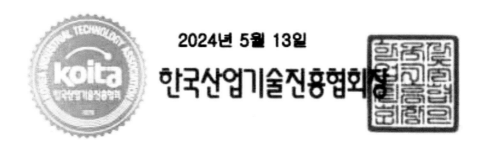

한국산업기술진흥협회장

< 목차(daftar) >

< 1 단원(bagian) >

제목 : 깜짝 놀라서 티브이(TV) 전원을 꺼 버렸지.

● 본문 (tulisan utama)

할머니께서 드라마를 보시다가 갑자기 티브이(TV) 전원을 꺼 버렸습니다.

그리고 며칠 후 초등학교 동창회에 참석하셨습니다.

거기서 할머니는 가장 친한 친구에게 티브이(TV)를 갑자기 끈 이유를 말했습니다.

할머니 : 갑자기 배우 한 명이 기침을 하잖아.

　　　　깜짝 놀라서 티브이(TV) 전원을 꺼 버렸지.

할머니 친구 : 바보야, 티브이(TV)를 왜 꺼.

　　　　　　얼른 마스크를 쓰면 되지.

할머니 : 맞네.

　　　　그런 기막힌 방법이 있었네.

● 발음 (pelafalan)

할머니께서 드라마를 보시다가 갑자기 티브이(TV) 전원을 꺼 버렸습니다.
할머니께서 드라마를 보시다가 갑짜기 티브이(TV) 저눠늘 꺼 버렫씀니다.
halmeonikkeseo deuramareul bosidaga gapjagi tibeui(TV) jeonwoneul kkeo beoryeotseumnida.

그리고 며칠 후 초등학교 동창회에 참석하셨습니다.
그리고 며칠 후 초등학꾜 동창회에 참서카셛씀니다.
geurigo myeochil hu chodeunghaggyo dongchanghoee chamseokasyeotseumnida.

거기서 할머니는 가장 친한 친구에게 티브이(TV)를 갑자기 끈 이유를 말했습니다.
거시서 할머니는 가장 친한 친구에게 티브이(TV)를 갑자기 끈 이유를 말핻씀니다.
geogiseo halmeonineun gajang chinhan chinguege tibeui(TV)reul gapjagi kkeun iyureul malhaetseumnida.

할머니 : 갑자기 배우 한 명이 기침을 하잖아.
할머니 : 갑짜기 배우 한 명이 기치믈 하자나.
halmeoni : gapjagi baeu han myeongi gichimeul hajana.

　　　　깜짝 놀라서 티브이(TV) 전원을 꺼 버렸지.
　　　　깜짝 놀라서 티브이(TV) 저눠늘 꺼 버렫찌.
　　　　kkamjjak nollaseo tibeui(TV) jeonwoneul kkeo beoryeotji.

할머니 친구 : 바보야, 티브이(TV)를 왜 꺼.
할머니 친구 : 바보야, 티브이(TV)를 왜 꺼.
halmeoni chingu : baboya, tibeui(TV)reul wae kkeo.

　　　　얼른 마스크를 쓰면 되지.
　　　　얼른 마스크를 쓰면 되지.
　　　　eolleun maseukeureul sseumyeon doeji.

할머니 : 맞네.
할머니 : 만네.
halmeoni : manne.

　　　　그런 기막힌 방법이 있었네.
　　　　그런 기마킨 방버비 이썬네.
　　　　geureon gimakin bangbeobi isseonne.

● 어휘 (kosa kata) / 문법 (pelajaran tata bahasa)

할머니+께서 드라마+를 보+시+다가 갑자기 티브이(TV) 전원+을 끄(끄)+<u>어 버리</u>+었+습니다.

그리고 며칠 후 초등학교 동창회+에 참석하+시+었+습니다.

거기+서 할머니+는 가장 친하+ㄴ 친구+에게 티브이(TV)+를 갑자기 끄+ㄴ 이유+를 말하+였+습니다.

할머니 : 갑자기 배우 한 명+이 기침+을 하+잖아.

　　　　　깜짝 놀라+(아)서 티브이(TV) 전원+을 끄(끄)+<u>어 버리</u>+었+지.

할머니 친구 : 바보+야, 티브이(TV)+를 왜 끄(끄)+어.

　　　　　얼른 마스크+를 쓰+면 되+지.

할머니 : 맞+네.

　　　　　그런 기막히+ㄴ 방법+이 있+었+네.

> 할머니+께서 드라마+를 보+시+다가 갑자기 티브이(TV) 전원+을 <u>끄(ㄲ)+[어 버리]</u>+었+습니다.
> **꺼 버렸습니다**

- **할머니 (Nomina)** : 아버지의 어머니, 또는 어머니의 어머니를 이르거나 부르는 말.
nenek
panggilan untuk menyebutkan ibu dari ayah atau ibu

- **께서** : (높임말로) 가. 이. 어떤 동작의 주체가 높여야 할 대상임을 나타내는 조사.
Tiada Penjelasan Arti
(dalam sebutan hormat) partikel yang menyatakan subjek yang menjadi pelaku suatu tindakan yang ditinggikan

- **드라마 (Nomina)** : 극장에서 공연되거나 텔레비전 등에서 방송되는 극.
drama, sinetron
drama yang ditampilkan di teater atau disiarkan di televisi dsb

- **를** : 동작이 직접적으로 영향을 미치는 대상을 나타내는 조사.
Tiada Penjelasan Arti
partikel yang menyatakan objek dari suatu gerakan yang secara langsung memberikan pengaruh

- **보다 (Verba)** : 눈으로 대상을 즐기거나 감상하다.
menonton, menyaksikan
menikmati atau menyaksikan sesuatu dengan mata

- **-시-** : 어떤 동작이나 상태의 주체를 높이는 뜻을 나타내는 어미.
Tiada Penjelasan Arti
akhiran kalimat yang menyatakan arti meninggikan subjek atau topik suatu tindakan atau keadaan

- **-다가** : 어떤 행동이나 상태 등이 중단되고 다른 행동이나 상태로 바뀜을 나타내는 연결 어미.
lalu, kemudian
akhiran penghubung untuk menyatakan bahwa suatu tindakan atau keadaan dsb terhenti dan diubah menjadi tindakan atau keadaan lain

- **갑자기 (Adverbia)** : 미처 생각할 틈도 없이 빨리.
tiba-tiba
tanpa ada waktu untuk berpikir, sangat cepat di luar dugaan

- **티브이(TV) (Nomina)** : 방송국에서 전파로 보내오는 영상과 소리를 받아서 보여 주는 기계.
TV
mesin yang menerima gambar atau suara yang dikirim dengan gelombang dari statiun penyiaran kemudian memperlihatkannya

- **전원 (Nomina)** : 전기 콘센트 등과 같이 기계 등에 전류가 오는 원천.
  sumber tenaga listrik
  sumber tenaga listrik yang mengalir ke alat listrik seperti soket listrik

- **을** : 동작이 직접적으로 영향을 미치는 대상을 나타내는 조사.
  Tiada Penjelasan Arti
  partikel yang menyatakan objek dari suatu gerakan yang secara langsung memberikan pengaruh

- **끄다 (Verba)** : 전기나 기계를 움직이는 힘이 통하는 길을 끊어 전기 제품 등을 작동하지 않게 하다.
  mematikan, memadamkan
  memutuskan jalan tenaga yang menggerakkan listrik atau mesin kemudian membuat produk elektronik berjalan

- **-어 버리다** : 앞의 말이 나타내는 행동이 완전히 끝났음을 나타내는 표현.
  sudah, telah
  ungkapan yang menyatakan bahwa tindakan dalam kalimat yang disebutkan di depan benar-benar selesai

- **-었-** : 어떤 사건이 과거에 완료되었거나 그 사건의 결과가 현재까지 지속되는 상황을 나타내는 어미.
  sudah, pasti, yakin
  akhiran kalimat yang menyatakan sebuah peristiwa sudah selesai di masa lampau atau menyatakan keadaan di mana hasil peristiwa tersebut terus berlangsung hingga sekarang

- **-습니다** : (아주높임으로) 현재의 동작이나 상태, 사실을 정중하게 설명함을 나타내는 종결 어미.
  Tiada Penjelasan Arti
  (dalam bentuk sangat hormat) kata penutup final yang menyatakan menjelaskan tindakan, keadaan, atau kenyataan di masa kini dengan sopan

---

그리고 며칠 후 초등학교 동창회+에 <u>참석하+시+었+습니다</u>.
참석하셨습니다

- **그리고 (Adverbia)** : 앞의 내용에 이어 뒤의 내용을 단순히 나열할 때 쓰는 말.
  lalu, kemudian
  kata untuk memperlihatkan kata yang disampaikan sebelumnya memiliki fakta dan keterkaitan dengan kata yang disampaikan berikutnya

- **며칠 (Nomina)** : 몇 날.
  beberapa hari
  sejumlah hari

• 후 (Nomina) : 얼마만큼 시간이 지나간 다음.

　setelah, sesudah

　setelah beberapa waktu berlalu

• 초등학교 (Nomina) : 학교 교육의 첫 번째 단계로 만 여섯 살에 입학하여 육 년 동안 기본 교육을 받는 학교.

　sekolah dasar (SD)

　tingkat sekolah paling dasar yang bisa dimasuki pertama kali oleh anak berumur 6 tahun dan pendidikannya berjalan selama 6 tahun

• 동창회 (Nomina) : 같은 학교를 졸업한 사람들의 모임.

　pertemuan alumni, reuni

　pertemuan orang-orang yang lulus dari sekolah yang sama

• 에 : 앞말이 어떤 장소나 자리임을 나타내는 조사.

　di, pada

　partikel yang menyatakan kalimat di depan adalah tempat atau lokasi

• 참석하다 (Verba) : 회의나 모임 등의 자리에 가서 함께하다.

　hadir, menghadiri

　pergi ke tempat rapat atau pertemuan dan berada bersama

• -시- : 어떤 동작이나 상태의 주체를 높이는 뜻을 나타내는 어미.

　Tiada Penjelasan Arti

　akhiran kalimat yang menyatakan arti meninggikan subjek atau topik suatu tindakan atau keadaan

• -었- : 어떤 사건이 과거에 완료되었거나 그 사건의 결과가 현재까지 지속되는 상황을 나타내는 어미.

　sudah, pasti, yakin

　akhiran kalimat yang menyatakan sebuah peristiwa sudah selesai di masa lampau atau menyatakan keadaan di mana hasil peristiwa tersebut terus berlangsung hingga sekarang

• -습니다 : (아주높임으로) 현재의 동작이나 상태, 사실을 정중하게 설명함을 나타내는 종결 어미.

　Tiada Penjelasan Arti

　(dalam bentuk sangat hormat) kata penutup final yang menyatakan menjelaskan tindakan, keadaan, atau kenyataan di masa kini dengan sopan

거기+서 할머니+는 가장 친하+ㄴ 친구+에게 티브이(TV)+를 갑자기 끄+ㄴ 이유+를 말하+였+습니다.
친한 　　　　　　　　　　　　　　　　　**끈** 　　**말했습니다**

• 거기 (Pronomina) : 앞에서 이미 이야기한 곳을 가리키는 말.

　di sana, sana

　kata untuk menunjukkan tempat yang diceritakan di depan

• 서 : 앞말이 행동이 이루어지고 있는 장소임을 나타내는 조사.
di
partikel yang menyatakan bahwa kata di depannya adalah tempat tindakan terjadi

• 할머니 (Nomina) : 아버지의 어머니, 또는 어머니의 어머니를 이르거나 부르는 말.
nenek
panggilan untuk menyebutkan ibu dari ayah atau ibu

• 는 : 문장 속에서 어떤 대상이 화제임을 나타내는 조사.
Tiada Penjelasan Arti
partikel yang menyatakan suatu subjek dalam kalimat menjadi bahan pembicaraan

• 가장 (Adverbia) : 여럿 가운데에서 제일로.
paling
yang sangat utama di antara beberapa

• 친하다 (Adjektiva) : 가까이 사귀어 서로 잘 알고 정이 두텁다.
akrab, dekat
saling mengetahui dan keakrabannya kental karena sangat dekat

• -ㄴ : 앞의 말이 관형어의 기능을 하게 만들고 현재의 상태를 나타내는 어미.
yang
akhiran yang membuat kata di depannya berfungsi sebagai kata pewatas, dan menyatakan keadaan saat ini

• 친구 (Nomina) : 사이가 가까워 서로 친하게 지내는 사람.
teman, kawan, sahabat
orang dekat dan akrab

• 에게 : 어떤 행동이 미치는 대상임을 나타내는 조사.
Tiada Penjelasan Arti
partikel yang menyatakan sesuatu yang mendapat pengaruh dari sebuah tindakan

• 티브이(TV) (Nomina) : 방송국에서 전파로 보내오는 영상과 소리를 받아서 보여 주는 기계.
TV
mesin yang menerima gambar atau suara yang dikirim dengan gelombang dari statiun penyiaran kemudian memperlihatkannya

• 를 : 동작이 직접적으로 영향을 미치는 대상을 나타내는 조사.
Tiada Penjelasan Arti
partikel yang menyatakan objek dari suatu gerakan yang secara langsung memberikan pengaruh

- **갑자기 (Adverbia)** : 미처 생각할 틈도 없이 빨리.
  tiba-tiba
  tanpa ada waktu untuk berpikir, sangat cepat di luar dugaan

- **끄다 (Verba)** : 전기나 기계를 움직이는 힘이 통하는 길을 끊어 전기 제품 등을 작동하지 않게 하다.
  mematikan, memadamkan
  memutuskan jalan tenaga yang menggerakkan listrik atau mesin kemudian membuat produk elektronik berjalan

- **-ㄴ** : 앞의 말이 관형어의 기능을 하게 만들고 사건이나 동작이 과거에 일어났음을 나타내는 어미.
  yang
  akhiran yang membuat kata di depannya berfungsi sebagai kata pewatas, dan menyatakan bahwa tindakan dan peristiwa terjadi di masa lampau

- **이유 (Nomina)** : 어떠한 결과가 생기게 된 까닭이나 근거.
  alasan
  sebab atau bukti di mana hasil tertentu menjadi muncul

- **를** : 동작이 직접적으로 영향을 미치는 대상을 나타내는 조사.
  Tiada Penjelasan Arti
  partikel yang menyatakan objek dari suatu gerakan yang secara langsung memberikan pengaruh

- **말하다 (Verba)** : 어떤 사실이나 자신의 생각 또는 느낌을 말로 나타내다.
  mengatakan
  menyampaikan sebuah kenyataan, pikiran, atau perasaan diri sendiri lewat kata-kata

- **-였-** : 어떤 사건이 과거에 완료되었거나 그 사건의 결과가 현재까지 지속되는 상황을 나타내는 어미.
  sudah, pasti, yakin
  akhiran kalimat yang menyatakan sebuah peristiwa sudah selesai di masa lampau atau menyatakan keadaan di mana hasil peristiwa tersebut terus berlangsung hingga sekarang

- **-습니다** : (아주높임으로) 현재의 동작이나 상태, 사실을 정중하게 설명함을 나타내는 종결 어미.
  Tiada Penjelasan Arti
  (dalam bentuk sangat hormat) kata penutup final yang menyatakan menjelaskan tindakan, keadaan, atau kenyataan di masa kini dengan sopan

---

할머니 : 갑자기 배우 한 명+이 기침+을 하+잖아.

- **갑자기 (Adverbia)** : 미처 생각할 틈도 없이 빨리.
  tiba-tiba
  tanpa ada waktu untuk berpikir, sangat cepat di luar dugaan

• 배우 (Nomina) : 영화나 연극, 드라마 등에 나오는 인물의 역할을 맡아서 연기하는 사람.
aktor, aktris, bintang film
orang yang mendapatkan peran dan memainkan tokoh yang muncul pada film atau drama teater, drama televisi, dsb

• 한 (Pewatas) : 하나의.
satu
satu

• 명 (Nomina) : 사람의 수를 세는 단위.
orang
satuan untuk menghitung jumlah orang

• 이 : 어떤 상태나 상황의 대상이나 동작의 주체를 나타내는 조사.
Tiada Penjelasan Arti
partikel yang menyatakan objek dari suatu keadaan atau kondisi atau pelaku dari suatu tindakan

• 기침 (Nomina) : 폐에서 목구멍을 통해 공기가 거친 소리를 내며 갑자기 터져 나오는 일.
batuk
suatu letupan tiba-tiba akibat membran di saluran pernapasan yang mendapat stimulasi dari paru-paru sehingga mengeluarkan udara yang disertai suara

• 을 : 동작이 직접적으로 영향을 미치는 대상을 나타내는 조사.
Tiada Penjelasan Arti
partikel yang menyatakan objek dari suatu gerakan yang secara langsung memberikan pengaruh

• 하다 (Verba) : 어떤 행동이나 동작, 활동 등을 행하다.
melakukan, mengerjakan, menjalankan
melaksanakan suatu tindakan atau aksi, kegiatan, dsb

• -잖아 : (두루낮춤으로) 어떤 상황에 대해 말하는 사람이 상대방에게 확인하거나 정정해 주듯이 말함을 나타내는 표현.
~kan?
(dalam bentuk rendah) ungkapan yang menyatakan orang yang berbicara mengenai suatu keadaan memastikan atau mengatakan dengan benar kepada orang lain

---

할머니 : 깜짝 놀라+(아)서 티브이(TV) 전원+을 끄(끄)+[어 버리]+었+지.
놀라서   **꺼 버렸지**

- **깜짝 (Adverbia)** : 갑자기 놀라는 모양.
  Tiada Penjelasan Arti
  bentuk tiba-tiba terkejut

- **놀라다 (Verba)** : 뜻밖의 일을 당하거나 무서워서 순간적으로 긴장하거나 가슴이 뛰다.
  terkejut, kaget, terperanjat
  sejenak tegang atau jantung berdegup karena takut atau menghadapi hal yang di luar dugaan

- **-아서** : 이유나 근거를 나타내는 연결 어미.
  karena, akibat
  kata penutup sambung yang menyatakan alasan atau landasan

- **티브이(TV) (Nomina)** : 방송국에서 전파로 보내오는 영상과 소리를 받아서 보여 주는 기계.
  TV
  mesin yang menerima gambar atau suara yang dikirim dengan gelombang dari statiun penyiaran kemudian memperlihatkannya

- **전원 (Nomina)** : 전기 콘센트 등과 같이 기계 등에 전류가 오는 원천.
  sumber tenaga listrik
  sumber tenaga listrik yang mengalir ke alat listrik seperti soket listrik

- **을** : 동작이 직접적으로 영향을 미치는 대상을 나타내는 조사.
  Tiada Penjelasan Arti
  partikel yang menyatakan objek dari suatu gerakan yang secara langsung memberikan pengaruh

- **끄다 (Verba)** : 전기나 기계를 움직이는 힘이 통하는 길을 끊어 전기 제품 등을 작동하지 않게 하다.
  mematikan, memadamkan
  memutuskan jalan tenaga yang menggerakkan listrik atau mesin kemudian membuat produk elektronik berjalan

- **-어 버리다** : 앞의 말이 나타내는 행동이 완전히 끝났음을 나타내는 표현.
  sudah, telah
  ungkapan yang menyatakan bahwa tindakan dalam kalimat yang disebutkan di depan benar-benar selesai

- **-었-** : 어떤 사건이 과거에 완료되었거나 그 사건의 결과가 현재까지 지속되는 상황을 나타내는 어미.
  sudah, pasti, yakin
  akhiran kalimat yang menyatakan sebuah peristiwa sudah selesai di masa lampau atau menyatakan keadaan di mana hasil peristiwa tersebut terus berlangsung hingga sekarang

• -지 : (두루낮춤으로) 말하는 사람이 자신에 대한 이야기나 자신의 생각을 친근하게 말할 때 쓰는 종결 어미.

kan?, bukan?

(dalam bentuk rendah) kata penutup final yang digunakan saat pembicara berbicara tentang dirinya atau saat mengatakan pikirannya secara akrab

---

할머니 친구 : 바보+야, 티브이(TV)+를 왜 끄(ㄲ)+어.
꺼

• 바보 (Nomina) : (욕하는 말로) 어리석고 멍청하거나 못난 사람.

bodoh

(dalam sebutan menghina) orang yang konyol dan tolol atau bodoh

• 야 : 친구나 아랫사람, 동물 등을 부를 때 쓰는 조사.

Tiada Penjelasan Arti

partikel yang digunakan saat memanggil teman atau orang yang lebih muda atau berjabatan lebih rendah, binatang, dsb

• 티브이(TV) (Nomina) : 방송국에서 전파로 보내오는 영상과 소리를 받아서 보여 주는 기계.

TV

mesin yang menerima gambar atau suara yang dikirim dengan gelombang dari statiun penyiaran kemudian memperlihatkannya

• 를 : 동작이 직접적으로 영향을 미치는 대상을 나타내는 조사.

Tiada Penjelasan Arti

partikel yang menyatakan objek dari suatu gerakan yang secara langsung memberikan pengaruh

• 왜 (Adverbia) : 무슨 이유로. 또는 어째서.

kenapa, mengapa

untuk alasan apa, atau bagaimana bisa

• 끄다 (Verba) : 전기나 기계를 움직이는 힘이 통하는 길을 끊어 전기 제품 등을 작동하지 않게 하다.

mematikan, memadamkan

memutuskan jalan tenaga yang menggerakkan listrik atau mesin kemudian membuat produk elektronik berjalan

• -어 : (두루낮춤으로) 어떤 사실을 서술하거나 물음, 명령, 권유를 나타내는 종결 어미.

-kah, -lah

(dalam bentuk rendah) akhiran penutup untuk menyatakan suatu kenyataan atau menandai pertanyaan, perintah, dan ajakan

> 할머니 친구 : 얼른 마스크+를 쓰+[면 되]+지.

- **얼른 (Adverbia)** : 시간을 오래 끌지 않고 바로.
  cepat, segera
  segera dan tidak mengulur waktu lama

- **마스크 (Nomina)** : 병균이나 먼지, 찬 공기 등을 막기 위하여 입과 코를 가리는 물건.
  masker
  penutup mulut dan hidung yang digunakan untuk menghalau bakteri penyakit, debut atau udara dingin

- **를** : 동작이 직접적으로 영향을 미치는 대상을 나타내는 조사.
  Tiada Penjelasan Arti
  partikel yang menyatakan objek dari suatu gerakan yang secara langsung memberikan pengaruh

- **쓰다 (Verba)** : 얼굴에 어떤 물건을 걸거나 덮어쓰다.
  memakai, mengenakan
  menggantungkan suatu benda di wajah kemudian menutupi bagian wajah tersebut

- **-면 되다** : 조건이 되는 어떤 행동을 하거나 어떤 상태만 갖추어지면 문제가 없거나 충분함을 나타내는 표현.
  cukup~saja, hanya~saja
  ungkapan yang menunjukkan hal melakukan suatu tindakan yang menjadi syarat atau suatu kondisi saja dimiliki maka tidak akan ada masalah atau cukup

- **-지** : (두루낮춤으로) 말하는 사람이 자신에 대한 이야기나 자신의 생각을 친근하게 말할 때 쓰는 종결 어미.
  kan?, bukan?
  (dalam bentuk rendah) kata penutup final yang digunakan saat pembicara berbicara tentang dirinya atau saat mengatakan pikirannya secara akrab

> 할머니 : 맞+네.
>
> 그런 <u>기막히+ㄴ</u> 방법+이 있+었+네.
> 기막힌

- **맞다 (Verba)** : 그렇거나 옳다.
  benar, betul
  benar

• -네 : (아주낮춤으로) 지금 깨달은 일에 대하여 말함을 나타내는 종결 어미.

wah, ternyata

(dalam bentuk sangat rendah) kata penutup final yang menyatakan perkataan tentang peristiwa yang sekarang disadari

• **그런 (Pewatas)** : 상태, 모양, 성질 등이 그러한.

seperti itu

yang bersifat kondisi, bentuk, karakter, dsb demikian

• **기막히다 (Adjektiva)** : 정도나 상태가 어떻다고 말할 수 없을 만큼 좋다.

menakjubkan, mengagumkan, luar biasa

ukuran atau kondisi sesuatu baik sampai tidak bisa dikatakan bagaimananya

• -ㄴ : 앞의 말이 관형어의 기능을 하게 만들고 현재의 상태를 나타내는 어미.

yang

akhiran yang membuat kata di depannya berfungsi sebagai kata pewatas, dan menyatakan keadaan saat ini

• **방법 (Nomina)** : 어떤 일을 해 나가기 위한 수단이나 방식.

cara, jalan

jalan atau cara untuk melakukan suatu pekerjaan

• 이 : 어떤 상태나 상황의 대상이나 동작의 주체를 나타내는 조사.

Tiada Penjelasan Arti

partikel yang menyatakan objek dari suatu keadaan atau kondisi atau pelaku dari suatu tindakan

• **있다 (Adjektiva)** : 사실이나 현상이 존재하다.

memiliki, ada

kenyataan atau fenomena ada

• -었- : 어떤 사건이 과거에 완료되었거나 그 사건의 결과가 현재까지 지속되는 상황을 나타내는 어미.

sudah, pasti, yakin

akhiran kalimat yang menyatakan sebuah peristiwa sudah selesai di masa lampau atau menyatakan keadaan di mana hasil peristiwa tersebut terus berlangsung hingga sekarang

• -네 : (아주낮춤으로) 지금 깨달은 일에 대하여 말함을 나타내는 종결 어미.

wah, ternyata

(dalam bentuk sangat rendah) kata penutup final yang menyatakan perkataan tentang peristiwa yang sekarang disadari

< 2 단원(bagian) >

제목 : 쫓아오던 게 강아지였나?

● 본문 (tulisan utama)

고양이 한 마리가 쥐를 열심히 쫓고 있었습니다.

쥐가 고양이에게 거의 잡힐 것 같았습니다.

하지만 아슬아슬한 찰나에 쥐가 쥐구멍으로 들어가 버렸습니다.

쥐구멍 앞에 서성이던 고양이가 쪼그려 앉았습니다.

그러더니 갑자기 고양이가 **"멍멍!"** 하고 짖어 댔습니다.

이 소리를 듣고 쥐는 어리둥절했습니다.

쥐 : 뭐지?

　　쫓아오던 게 강아지였나?

쥐는 너무 궁금해서 머리를 살며시 구멍 밖으로 내밀었습니다.

이때 쥐가 고양이에게 잡히고 말았습니다.

의기양양하게 쥐를 물고 가면서 고양이가 이렇게 말했습니다.

고양이 : 요즘은 먹고살려면 적어도 이 개 국어는 해야 돼.

● 발음 (pelafalan)

고양이 한 마리가 쥐를 열심히 쫓고 있었습니다.
고양이 한 마리가 쥐를 열씸히 쫃꼬 이썰씀니다.
goyangi han mariga jwireul yeolsimhi jjotgo isseotseumnida.

쥐가 고양이에게 거의 잡힐 것 같았습니다.
쥐가 고양이에게 거의 자필 껃 가탈씀니다.
jwiga goyangiege geoui japil geot gatatseumnida.

하지만 아슬아슬한 찰나에 쥐가 쥐구멍으로 들어가 버렸습니다.
하지만 아슬아슬한 찰라에 쥐가 쥐구멍으로 드러가 버럳씀니다.
hajiman aseuraseulhan challae jwiga jwigumeongeuro deureoga beoryeotseumnida.

쥐구멍 앞에 서성이던 고양이가 쪼그려 앉았습니다.
쥐구멍 아페 서성이던 고양이가 쪼그려 안잗씀니다.
jwigumeong ape seoseongideon goyangiga jjogeuryeo anjatseumnida.

그러더니 갑자기 고양이가 "멍멍!"하고 짖어 댔습니다.
그러더니 갑짜기 고양이가 "멍멍!"하고 지저 댇씀니다.
geureodeoni gapjagi goyangiga "meongmeong!"hago jijeo daetseumnida.

이 소리를 듣고 쥐는 어리둥절했습니다.
이 소리를 듣꼬 쥐는 어리둥절핻씀니다.
i sorireul deutgo jwineun eoridungjeolhaetseumnida.

쥐 : 뭐지?
쥐 : 뭐지?
jwi : mwoji?

　　쫓아오던 게 강아지였나?
　　쪼차오던 게 강아지연나?
　　jjochaodeon ge gangajiyeonna?

쥐는 너무 궁금해서 머리를 살며시 구멍 밖으로 내밀었습니다.
쥐는 너무 궁금해서 머리를 살며시 구멍 바끄로 내미럳씀니다.
jwineun neomu gunggeumhaeseo meorireul salmyeosi gumeong bakkeuro naemireotseumnida.

이때 쥐가 고양이에게 잡히고 말았습니다.
이때 쥐가 고양이에게 자피고 마랃씀니다.
ittae jwiga goyangiege japigo maratseumnida.

의기양양하게 쥐를 물고 가면서 고양이가 이렇게 말했습니다.
의기양양하게 쥐를 물고 가면서 고양이가 이러케 말핻씀니다.
uigiyangyanghage jwireul mulgo gamyeonseo goyangiga ireoke malhaetseumnida.

고양이 : 요즘은 먹고살려면 적어도 이 개 국어는 해야 돼.
고양이 : 요즈믄 먹꼬살려면 저거도 이 개 구거는 해야 돼.
goyangi ː yojeumeun meokgosallyeomyeon jeogeodo i gae gugeoneun haeya dwae.

● 어휘 (kosa kata) / 문법 (pelajaran tata bahasa)

고양이 한 마리+가 쥐+를 열심히 쫓+<u>고 있</u>+었+습니다.

쥐+가 고양이+에게 거의 잡히+<u>ㄹ 것 같</u>+았+습니다.

하지만 아슬아슬하+ㄴ 찰나+에 쥐+가 쥐구멍+으로 들어가+<u>(아) 버리</u>+었+습니다.

쥐구멍 앞+에 서성이+던 고양이+가 쪼그리+어 앉+았+습니다.

그러+더니 갑자기 고양이+가 **"멍멍!"** 하+고 짖+<u>어 대</u>+었+습니다.

이 소리+를 듣+고 쥐+는 어리둥절하+였+습니다.

쥐 : "뭐+(이)+지?"

　"쫓아오+던 것(거)+이 강아지+이+었+나?"

쥐+는 너무 궁금하+여서 머리+를 살며시 구멍 밖+으로 내밀+었+습니다.

이때 쥐+가 고양이+에게 잡히+<u>고 말</u>+았+습니다.

의기양양하+게 쥐+를 물+고 가+면서 고양이+가 이렇+게 말하+였+습니다.

고양이 : 요즘+은 먹고살+려면 적어도 이 개 국어+는 하+<u>여야 되</u>+어.

고양이 한 마리+가 쥐+를 열심히 쫓+[고 있]+었+습니다.

- **고양이 (Nomina)** : 어두운 곳에서도 사물을 잘 보고 쥐를 잘 잡으며 집 안에서 기르기도 하는 자그마한 동물.

  kucing

  hewan atau binatang kecil yang bisa melihat benda di tempat gelap, pandai menangkap tikus, dan juga biasa dipelihara orang

- **한 (Pewatas)** : 하나의.

  satu

  satu

- **마리 (Nomina)** : 짐승이나 물고기, 벌레 등을 세는 단위.

  ekor

  satuan atau bilangan untuk menghitung hewa, ikan, serangga, dsb

- **가** : 어떤 상태나 상황에 놓인 대상이나 동작의 주체를 나타내는 조사.

  Tiada Penjelasan Arti

  partikel yang menyatakan subjek sebuah keadaan atau situasi atau pelaku utama sebuah tindakan

- **쥐 (Nomina)** : 사람의 집 근처 어두운 곳에서 살며 몸은 진한 회색에 긴 꼬리를 가지고 있는 작은 동물.

  tikus

  binatang kecil yang hidup di tempat gelap sekitar rumah orang, memiliki buntut panjang di tubuhnya yang berwarna abu-abu tua

- **를** : 동작이 직접적으로 영향을 미치는 대상을 나타내는 조사.

  Tiada Penjelasan Arti

  partikel yang menyatakan objek dari suatu gerakan yang secara langsung memberikan pengaruh

- **열심히 (Adverbia)** : 어떤 일에 온 정성을 다하여.

  dengan tekun, dengan sungguh-sungguh, dengan keras

  dengan seluruh kesungguhan dalam suatu hal

- **쫓다 (Verba)** : 앞선 것을 잡으려고 서둘러 뒤를 따르거나 자취를 따라가다.

  membuntuti, mengejar

  mengikuti dari belakang dengan tergesa-gesa atau mengikuti jejak untuk menangkap sesuatu yang mendahuluinya

• -고 있다 : 앞의 말이 나타내는 행동이 계속 진행됨을 나타내는 표현.
  sedang
  ungkapan yang menyatakan bahwa tindakan yang disebutkan dalam kalimat di depan terus berjalan

• -었- : 사건이 과거에 일어났음을 나타내는 어미.
  sudah, pasti, yakin
  akhiran kalimat yang menyatakan peristiwa terjadi di masa lampau

• -습니다 : (아주높임으로) 현재의 동작이나 상태, 사실을 정중하게 설명함을 나타내는 종결 어미.
  Tiada Penjelasan Arti
  (dalam bentuk sangat hormat) kata penutup final yang menyatakan menjelaskan tindakan, keadaan, atau kenyataan di masa kini dengan sopan

---

쥐+가 고양이+에게 거의 <u>잡히</u>+[ㄹ 것 같]+았+습니다.
잡힐 것 같았습니다

• 쥐 (Nomina) : 사람의 집 근처 어두운 곳에서 살며 몸은 진한 회색에 긴 꼬리를 가지고 있는 작은 동물.
  tikus
  binatang kecil yang hidup di tempat gelap sekitar rumah orang, memiliki buntut panjang di tubuhnya yang berwarna abu-abu tua

• 가 : 어떤 상태나 상황에 놓인 대상이나 동작의 주체를 나타내는 조사.
  Tiada Penjelasan Arti
  partikel yang menyatakan subjek sebuah keadaan atau situasi atau pelaku utama sebuah tindakan

• 고양이 (Nomina) : 어두운 곳에서도 사물을 잘 보고 쥐를 잘 잡으며 집 안에서 기르기도 하는 자그마한 동물.
  kucing
  hewan atau binatang kecil yang bisa melihat benda di tempat gelap, pandai menangkap tikus, dan juga biasa dipelihara orang

• 에게 : 어떤 행동의 주체이거나 비롯되는 대상임을 나타내는 조사.
  Tiada Penjelasan Arti
  partikel yang menyatakan subjek sebuah tindakan atau sesuatu yang menjadi objekl

• 거의 (Adverbia) : 어떤 상태나 한도에 매우 가깝게.
  hampir
  dengan sangat dekat dengan suatu kondisi atau batas

- **잡히다 (Verba)** : 도망가지 못하게 붙들리다.
  ditangkap
  ditangkap maka tidak dapar melarikan diri

- **-ㄹ 것 같다** : 추측을 나타내는 표현.
  sepertinya, kelihatannya, nampaknya
  ungkapan yang menyatakan dugaan atau terkaan

- **-았-** : 사건이 과거에 일어났음을 나타내는 어미.
  sudah, pasti, yakin
  akhiran kalimat yang menyatakan peristiwa terjadi di masa lampau

- **-습니다** : (아주높임으로) 현재의 동작이나 상태, 사실을 정중하게 설명함을 나타내는 종결 어미.
  Tiada Penjelasan Arti
  (dalam bentuk sangat hormat) kata penutup final yang menyatakan menjelaskan tindakan, keadaan, atau kenyataan di masa kini dengan sopan

---

하지만 <u>아슬아슬하</u>+ㄴ 찰나+에 쥐+가 쥐구멍+으로 들어가+[(아) 버리]+었+습니다.
         아슬아슬한   들어가 버렸습니다

- **하지만 (Adverbia)** : 내용이 서로 반대인 두 개의 문장을 이어 줄 때 쓰는 말.
  tetapi
  kata yang digunakan untuk menyambung dua kalimat yang isinya saling bertentangan

- **아슬아슬하다 (Adjektiva)** : 일이 잘 안 될까 봐 무서워서 소름이 돋을 정도로 마음이 조마조마하다.
  mengkhawatirkan, menyeramkan, menakutkan, menggidikkan
  hati merasa khawatir karena takut pekerjaan akan berjalan tidak lancar sehingga bulu kuduk berdiri

- **-ㄴ** : 앞의 말이 관형어의 기능을 하게 만들고 현재의 상태를 나타내는 어미.
  yang
  akhiran yang membuat kata di depannya berfungsi sebagai kata pewatas, dan menyatakan keadaan saat ini

- **찰나 (Nomina)** : 어떤 일이나 현상이 일어나는 바로 그때.
  sesaat, seketika, sekejap
  saat itu langsung saat suatu hal atau fenomena terjadi, atau waktu yang sangat pendek

- **에** : 앞말이 시간이나 때임을 나타내는 조사.
  pada
  partikel yang menyatakan kalimat di depan adalah waktu atau saat

• 쥐 (Nomina) : 사람의 집 근처 어두운 곳에서 살며 몸은 진한 회색에 긴 꼬리를 가지고 있는 작은 동
　　　　　　물.

tikus

binatang kecil yang hidup di tempat gelap sekitar rumah orang, memiliki buntut panjang di tubuhnya yang berwarna abu-abu tua

• 가 : 어떤 상태나 상황에 놓인 대상이나 동작의 주체를 나타내는 조사.

Tiada Penjelasan Arti

partikel yang menyatakan subjek sebuah keadaan atau situasi atau pelaku utama sebuah tindakan

• 쥐구멍 (Nomina) : 쥐가 들어가고 나오는 구멍.

lubang tikus

lubang untuk tikus masuk dan keluar

• 으로 : 움직임의 방향을 나타내는 조사.

ke

partikel yang menyatakan arah gerakan

• 들어가다 (Verba) : 밖에서 안으로 향하여 가다.

masuk

pergi mengarah ke dalam dari luar

• -아 버리다 : 앞의 말이 나타내는 행동이 완전히 끝났음을 나타내는 표현.

sudah, telah

ungkapan yang menyatakan bahwa tindakan dalam kalimat yang disebutkan di depan benar-benar selesai

• -었- : 어떤 사건이 과거에 완료되었거나 그 사건의 결과가 현재까지 지속되는 상황을 나타내는 어미.

sudah, pasti, yakin

akhiran kalimat yang menyatakan sebuah peristiwa sudah selesai di masa lampau atau menyatakan keadaan di mana hasil peristiwa tersebut terus berlangsung hingga sekarang

• -습니다 : (아주높임으로) 현재의 동작이나 상태, 사실을 정중하게 설명함을 나타내는 종결 어미.

Tiada Penjelasan Arti

(dalam bentuk sangat hormat) kata penutup final yang menyatakan menjelaskan tindakan, keadaan, atau kenyataan di masa kini dengan sopan

---

쥐구멍 앞+에 서성이+던 고양이+가 <u>쪼그리</u>+어 앉+았+습니다.
쪼그려

• **쥐구멍 (Nomina)** : 쥐가 들어가고 나오는 구멍.
  lubang tikus
  lubang untuk tikus masuk dan keluar

• **앞 (Nomina)** : 향하고 있는 쪽이나 곳.
  depan
  tempat atau sisi yang dituju

• **에** : 앞말이 어떤 장소나 자리임을 나타내는 조사.
  di, pada
  partikel yang menyatakan kalimat di depan adalah tempat atau lokasi

• **서성이다 (Verba)** : 한곳에 서 있지 않고 주위를 왔다 갔다 하다.
  mondar-mandir, berkeliaran
  tidak berdiri di satu tempat dan mondar-mandir di sekitar

• **-던** : 앞의 말이 관형어의 기능을 하게 만들고 사건이나 동작이 과거에 완료되지 않고 중단되었음을 나
  타내는 어미.
  yang
  akhiran yang membuat kata di depannya berfungsi sebagai pewatas dan menyatakan suatu
  peristiwa atau tindakan tidak diselesaikan tetapi dihentikan di masa lampau.

• **고양이 (Nomina)** : 어두운 곳에서도 사물을 잘 보고 쥐를 잘 잡으며 집 안에서 기르기도 하는 자그마한
  동물.
  kucing
  hewan atau binatang kecil yang bisa melihat benda di tempat gelap, pandai menangkap
  tikus, dan juga biasa dipelihara orang

• **가** : 어떤 상태나 상황에 놓인 대상이나 동작의 주체를 나타내는 조사.
  Tiada Penjelasan Arti
  partikel yang menyatakan subjek sebuah keadaan atau situasi atau pelaku utama sebuah
  tindakan

• **쪼그리다 (Verba)** : 팔다리를 접거나 모아서 몸을 작게 옴츠리다.
  menyusutkan, meringkukkan
  melipat atau menyatukan kaki kemudian meringkukkan badan

• **-어** : 앞의 말이 뒤의 말보다 먼저 일어났거나 뒤의 말에 대한 방법이나 수단이 됨을 나타내는 연결 어
  미.
  setelah, sesudah, selepas, lalu
  akhiran penghubung untuk menyatakan bahwa anak kalimat terjadi lebih dahulu daripada
  kalimat induk atau menjadi cara atau alat terhadap kalimat induk

• 앉다 (Verba) : 윗몸을 바로 한 상태에서 엉덩이에 몸무게를 실어 다른 물건이나 바닥에 몸을 올려놓다.
　duduk
　meletakkan tubuh di atas benda lain atau di lantai dari posisi tubuh bagian atas tegak lurus lalu memusatkan berat tubuh pada bokong

• -았- : 어떤 사건이 과거에 완료되었거나 그 사건의 결과가 현재까지 지속되는 상황을 나타내는 어미.
　sudah, pasti, yakin
　akhiran kalimat yang menyatakan sebuah peristiwa sudah selesai di masa lampau atau menyatakan keadaan di mana hasil peristiwa tersebut terus berlangsung hingga sekarang

• -습니다 : (아주높임으로) 현재의 동작이나 상태, 사실을 정중하게 설명함을 나타내는 종결 어미.
　Tiada Penjelasan Arti
　(dalam bentuk sangat hormat) kata penutup final yang menyatakan menjelaskan tindakan, keadaan, atau kenyataan di masa kini dengan sopan

---

그러+더니 갑자기 고양이+가 "멍멍!" 하+고 짖+[어 대]+었+습니다.
짖어 댔습니다

• 그러다 (Verba) : 앞에서 일어난 일이나 말한 것과 같이 그렇게 하다.
　dengan demikian
　melakukan seperti itu

• -더니 : 과거에 경험하여 알게 된 사실과 다른 새로운 사실이 있음을 나타내는 연결 어미.
　karena, sebab
　kata penutup sambung yang menyatakan adanya kenyataan baru yang berbeda dengan kenyataan yang dialami dan diketahui di masa lalu

• 갑자기 (Adverbia) : 미처 생각할 틈도 없이 빨리.
　tiba-tiba
　tanpa ada waktu untuk berpikir, sangat cepat di luar dugaan

• 고양이 (Nomina) : 어두운 곳에서도 사물을 잘 보고 쥐를 잘 잡으며 집 안에서 기르기도 하는 자그마한 동물.
　kucing
　hewan atau binatang kecil yang bisa melihat benda di tempat gelap, pandai menangkap tikus, dan juga biasa dipelihara orang

• 가 : 어떤 상태나 상황에 놓인 대상이나 동작의 주체를 나타내는 조사.
　Tiada Penjelasan Arti
　partikel yang menyatakan subjek sebuah keadaan atau situasi atau pelaku utama sebuah tindakan

- 멍멍 (Adverbia) : 개가 짖는 소리.
  guk guk
  suara anjing menggonggong

- 하다 (Verba) : 그런 소리가 나다. 또는 그런 소리를 내다.
  Tiada Penjelasan Arti
  muncul suara demikian, atau mengeluarkan suara demikian

- -고 : 앞의 말과 뒤의 말이 차례대로 일어남을 나타내는 연결 어미.
  lalu
  akhiran penghubung yang menyatakan bahwa kalimat di depan dan di belakang muncul
  secara berturut-turut

- 짖다 (Verba) : 개가 크게 소리를 내다.
  menggonggong
  anjing mengeluarkan bunyi keras

- -어 대다 : 앞의 말이 나타내는 행동을 반복하거나 그 반복되는 행동의 정도가 심함을 나타내는 표현.
  terus~
  ungkapan yang menyatakan mengulangi tindakan dalam kalimat yang disebut di depan atau
  taraf tindakan yang berulang tersebut parah atau berlebihan

- -었- : 사건이 과거에 일어났음을 나타내는 어미.
  sudah, pasti, yakin
  akhiran kalimat yang menyatakan peristiwa terjadi di masa lampau

- -습니다 : (아주높임으로) 현재의 동작이나 상태, 사실을 정중하게 설명함을 나타내는 종결 어미.
  Tiada Penjelasan Arti
  (dalam bentuk sangat hormat) kata penutup final yang menyatakan menjelaskan tindakan,
  keadaan, atau kenyataan di masa kini dengan sopan

이 소리+를 듣+고 쥐+는 <u>어리둥절하</u>+였+<u>습니다</u>.
어리둥절했습니다

- 이 (Pewatas) : 바로 앞에서 이야기한 대상을 가리킬 때 쓰는 말.
  yang ini, ini
  kata yang digunakan saat menunjuk target yang baru dikatakan sebelumnya

- 소리 (Nomina) : 물체가 진동하여 생긴 음파가 귀에 들리는 것.
  suara
  hal terdengarnya di telinga gelombang suara yang muncul oleh getaran objek

• 를 : 동작이 직접적으로 영향을 미치는 대상을 나타내는 조사.
Tiada Penjelasan Arti
partikel yang menyatakan objek dari suatu gerakan yang secara langsung memberikan pengaruh

• 듣다 (Verba) : 귀로 소리를 알아차리다.
mendengar
mengetahui suara atau bunyi dengan telinga

• -고 : 앞의 말과 뒤의 말이 차례대로 일어남을 나타내는 연결 어미.
lalu
akhiran penghubung yang menyatakan bahwa kalimat di depan dan di belakang muncul secara berturut-turut

• 쥐 (Nomina) : 사람의 집 근처 어두운 곳에서 살며 몸은 진한 회색에 긴 꼬리를 가지고 있는 작은 동물.
tikus
binatang kecil yang hidup di tempat gelap sekitar rumah orang, memiliki buntut panjang di tubuhnya yang berwarna abu-abu tua

• 는 : 문장 속에서 어떤 대상이 화제임을 나타내는 조사.
Tiada Penjelasan Arti
partikel yang menyatakan suatu subjek dalam kalimat menjadi bahan pembicaraan

• 어리둥절하다 (Adjektiva) : 일이 돌아가는 상황을 잘 알지 못해서 정신이 얼떨떨하다.
bingung, hilang akal, resah, gelisah
merasa bingung karena tidak bisa mengetahui keadaan sebuah peristiwa berlangsung

• -였- : 사건이 과거에 일어났음을 나타내는 어미.
sudah, pasti, yakin
akhiran kalimat yang menyatakan peristiwa terjadi di masa lampau

• -습니다 : (아주높임으로) 현재의 동작이나 상태, 사실을 정중하게 설명함을 나타내는 종결 어미.
Tiada Penjelasan Arti
(dalam bentuk sangat hormat) kata penutup final yang menyatakan menjelaskan tindakan, keadaan, atau kenyataan di masa kini dengan sopan

쥐 : 뭐+(이)+지?
뭐지

• 뭐 (Pronomina) : 모르는 사실이나 사물을 가리키는 말.
apa
kata yang merujuk pada kenyataan atau benda yang tidak diketahui

• 이다 : 주어가 지시하는 대상의 속성이나 부류를 지정하는 뜻을 나타내는 서술격 조사.
adalah
partikel kasus predikatif yang menyatakan maksud menentukan karakter atau jenis dari objek yang diindikasikan subjek

• -지 : (두루낮춤으로) 말하는 사람이 듣는 사람에게 친근함을 나타내며 물을 때 쓰는 종결 어미.
sih?
(dalam bentuk rendah) kata penutup final yang digunakan saat pembicara bertanya sambil menunjukkan kedekatan kepada pendengar

---

쥐 : 쫓아오+던 <u>것(거)+이</u> 강아지+이+었+나?
　　　　　　게　　　　강아지였나

• 쫓아오다 (Verba) : 어떤 사람이나 물체의 뒤를 급히 따라오다.
membuntuti, mengikuti, berlari
mengikuti dengan terburu-buru dari belakang seseorang atau suatu benda

• -던 : 앞의 말이 관형어의 기능을 하게 만들고 사건이나 동작이 과거에 완료되지 않고 중단되었음을 나타내는 어미.
yang
akhiran yang membuat kata di depannya berfungsi sebagai pewatas dan menyatakan suatu peristiwa atau tindakan tidak diselesaikan tetapi dihentikan di masa lampau.

• 것 (Nomina) : 정확히 가리키는 대상이 정해지지 않은 사물이나 사실.
hal, sesuatu
benda atau fakta yang tidak ditentukan oleh objek yang benar-benar ditunjuk

• 이 : 어떤 상태나 상황의 대상이나 동작의 주체를 나타내는 조사.
Tiada Penjelasan Arti
partikel yang menyatakan subjek sebuah keadaan atau situasi atau pelaku utama sebuah tindakan

• 강아지 (Nomina) : 개의 새끼.
anak anjing
anjing yang masih kecil

• 이다 : 주어가 지시하는 대상의 속성이나 부류를 지정하는 뜻을 나타내는 서술격 조사.
adalah
partikel kasus predikatif yang menyatakan maksud menentukan karakter atau jenis dari objek yang diindikasikan subjek

• -었- : 사건이 과거에 일어났음을 나타내는 어미.

  sudah, pasti, yakin

  akhiran kalimat yang menyatakan peristiwa terjadi di masa lampau

• -나 : (두루낮춤으로) 물음이나 추측을 나타내는 종결 어미.

  kiranya

  (dalam bentuk rendah) akhiran penutup yang memunculkan sebuah pertanyaan atau tebakan

---

쥐+는 너무 <u>궁금하</u>+여서 머리+를 살며시 구멍 밖+으로 내밀+었+습니다.
  　　　　궁금해서

• **쥐 (Nomina)** : 사람의 집 근처 어두운 곳에서 살며 몸은 진한 회색에 긴 꼬리를 가지고 있는 작은 동
　　　　　　　　물.

  tikus

  binatang kecil yang hidup di tempat gelap sekitar rumah orang, memiliki buntut panjang di tubuhnya yang berwarna abu-abu tua

• 는 : 문장 속에서 어떤 대상이 화제임을 나타내는 조사.

  Tiada Penjelasan Arti

  partikel yang menyatakan suatu subjek dalam kalimat menjadi bahan pembicaraan

• **너무 (Adverbia)** : 일정한 정도나 한계를 훨씬 넘어선 상태로.

  terlalu, berlebihan

  tarafnya melebihi batas tertentu

• **궁금하다 (Adjektiva)** : 무엇이 무척 알고 싶다.

  ingin tahu, melit

  sangat ingin tahu sesuatu

• -여서 : 이유나 근거를 나타내는 연결 어미.

  karena, lalu, kemudian

  kata penutup sambung yang menyatakan alasan atau landasan

• **머리 (Nomina)** : 사람이나 동물의 몸에서 얼굴과 머리털이 있는 부분을 모두 포함한 목 위의 부분.

  kepala

  bagian mulai dari atas leher termasuk seluruh bagian yang ada wajah dan bulu di tubuh orang atau binatang

• 를 : 동작이 직접적으로 영향을 미치는 대상을 나타내는 조사.

  Tiada Penjelasan Arti

  partikel yang menyatakan objek dari suatu gerakan yang secara langsung memberikan pengaruh

• 살며시 (Adverbia) : 남이 모르도록 조용히 조심스럽게.

  dengan diam-diam, dengan hati-hati, dengan sembunyi-sembunyi

  dengan diam-diam dan hati-hati agar tidak diketahui orang lain

• 구멍 (Nomina) : 뚫어지거나 파낸 자리.

  lubang

  tempat yang dibolongkan atau digali

• 밖 (Nomina) : 선이나 경계를 넘어선 쪽.

  luar

  sisi yang melewati garis atau batas

• 으로 : 움직임의 방향을 나타내는 조사.

  ke

  partikel yang menyatakan arah gerakan

• 내밀다 (Verba) : 몸이나 물체의 일부분이 밖이나 앞으로 나가게 하다.

  menjulurkan, mengulurkan, menyodorkan

  membuat salah satu bagian tubuh atau benda keluar atau ke depan

• -었- : 사건이 과거에 일어났음을 나타내는 어미.

  sudah, pasti, yakin

  akhiran kalimat yang menyatakan peristiwa terjadi di masa lampau

• -습니다 : (아주높임으로) 현재의 동작이나 상태, 사실을 정중하게 설명함을 나타내는 종결 어미.

  Tiada Penjelasan Arti

  (dalam bentuk sangat hormat) kata penutup final yang menyatakan menjelaskan tindakan, keadaan, atau kenyataan di masa kini dengan sopan

---

이때 쥐+가 고양이+에게 잡히+[고 말]+았+습니다.

• 이때 (Nomina) : 바로 지금. 또는 바로 앞에서 이야기한 때.

  sekarang, kini, saat itu

  sekarang juga, atau saat yang disebutkan di depan

• 쥐 (Nomina) : 사람의 집 근처 어두운 곳에서 살며 몸은 진한 회색에 긴 꼬리를 가지고 있는 작은 동물.

  tikus

  binatang kecil yang hidup di tempat gelap sekitar rumah orang, memiliki buntut panjang di tubuhnya yang berwarna abu-abu tua

• 가 : 어떤 상태나 상황에 놓인 대상이나 동작의 주체를 나타내는 조사.
  Tiada Penjelasan Arti
  partikel yang menyatakan subjek sebuah keadaan atau situasi atau pelaku utama sebuah tindakan

• 고양이 (Nomina) : 어두운 곳에서도 사물을 잘 보고 쥐를 잘 잡으며 집 안에서 기르기도 하는 자그마한 동물.
  kucing
  hewan atau binatang kecil yang bisa melihat benda di tempat gelap, pandai menangkap tikus, dan juga biasa dipelihara orang

• 에게 : 어떤 행동의 주체이거나 비롯되는 대상임을 나타내는 조사.
  Tiada Penjelasan Arti
  partikel yang menyatakan subjek sebuah tindakan atau sesuatu yang menjadi objekl

• 잡히다 (Verba) : 도망가지 못하게 붙들리다.
  ditangkap
  ditangkap maka tidak dapar melarikan diri

• -고 말다 : 앞에 오는 말이 가리키는 행동이 안타깝게도 끝내 일어났음을 나타내는 표현.
  akhirnya
  ungkapan untuk menyatakan akhirnya terjadi sebuah peristiwa yang ditunjuk dalam kalimat di depan

• -았- : 어떤 사건이 과거에 완료되었거나 그 사건의 결과가 현재까지 지속되는 상황을 나타내는 어미.
  sudah, pasti, yakin
  akhiran kalimat yang menyatakan sebuah peristiwa sudah selesai di masa lampau atau menyatakan keadaan di mana hasil peristiwa tersebut terus berlangsung hingga sekarang

• -습니다 : (아주높임으로) 현재의 동작이나 상태, 사실을 정중하게 설명함을 나타내는 종결 어미.
  Tiada Penjelasan Arti
  (dalam bentuk sangat hormat) kata penutup final yang menyatakan menjelaskan tindakan, keadaan, atau kenyataan di masa kini dengan sopan

---

의기양양하+게 쥐+를 물+고 가+면서 고양이+가 이렇+게 말하+였+습니다.
말했습니다

• 의기양양하다 (Adjektiva) : 원하던 일을 이루어 만족스럽고 자랑스러운 마음이 얼굴에 나타난 상태이다.
  puas, bangga
  tampaknya hati yang puas dan bangga pada wajah karena mencapai hal yang diinginkan

• -게 : 앞의 말이 뒤에서 가리키는 일의 목적이나 결과, 방식, 정도 등이 됨을 나타내는 연결 어미.

dengan

kata penutup sambung yang menyatakan isi kalimat di depan dibutuhkan sementara kalimat di belakang terus dilanjutkan(formal, kedudukan penerima sangat rendah)

• 쥐 (Nomina) : 사람의 집 근처 어두운 곳에서 살며 몸은 진한 회색에 긴 꼬리를 가지고 있는 작은 동물.

tikus

binatang kecil yang hidup di tempat gelap sekitar rumah orang, memiliki buntut panjang di tubuhnya yang berwarna abu-abu tua

• 를 : 동작이 직접적으로 영향을 미치는 대상을 나타내는 조사.

Tiada Penjelasan Arti

partikel yang menyatakan objek dari suatu gerakan yang secara langsung memberikan pengaruh

• 물다 (Verba) : 윗니와 아랫니 사이에 어떤 것을 끼워 넣고 벌어진 두 이를 다물어 상처가 날 만큼 아주 세게 누르다.

mencabik, menggigit, mencaplok

meletakkan sesuatu di antara gigi atas dengan gigi bawah dan mengatupkan kedua gigi yang terbuka lalu menekan dengan sangat kuat hingga dapat timbul luka

• -고 : 앞의 말이 나타내는 행동이나 그 결과가 뒤에 오는 행동이 일어나는 동안에 그대로 지속됨을 나타내는 연결 어미.

dan, dengan, sambil

akhiran penghubung yang menyatakan bahwa tindakan atau hasil di kalimat depan terus berjalan selama tindakan di kalimat belakang terjadi.

• 가다 (Verba) : 한 곳에서 다른 곳으로 장소를 이동하다.

pergi

bergerak dari satu tempat ke tempat lain

• -면서 : 두 가지 이상의 동작이나 상태가 함께 일어남을 나타내는 연결 어미.

sambil, seraya

kata penutup sambung yang digunakan saat dua atau lebih tindakan atau keadaan muncul bersamaan

• 고양이 (Nomina) : 어두운 곳에서도 사물을 잘 보고 쥐를 잘 잡으며 집 안에서 기르기도 하는 자그마한 동물.

kucing

hewan atau binatang kecil yang bisa melihat benda di tempat gelap, pandai menangkap tikus, dan juga biasa dipelihara orang

• 가 : 어떤 상태나 상황에 놓인 대상이나 동작의 주체를 나타내는 조사.
Tiada Penjelasan Arti
partikel yang menyatakan subjek sebuah keadaan atau situasi atau pelaku utama sebuah tindakan

• 이렇다 (Adjektiva) : 상태, 모양, 성질 등이 이와 같다.
demikian, begitu, begini
keadaan, bentuk, karakter, dsb sama dengan ini

• -게 : 앞의 말이 뒤에서 가리키는 일의 목적이나 결과, 방식, 정도 등이 됨을 나타내는 연결 어미.
dengan
kata penutup sambung yang menyatakan isi kalimat di depan dibutuhkan sementara kalimat di belakang terus dilanjutkan(formal, kedudukan penerima sangat rendah)

• 말하다 (Verba) : 어떤 사실이나 자신의 생각 또는 느낌을 말로 나타내다.
mengatakan
menyampaikan sebuah kenyataan, pikiran, atau perasaan diri sendiri lewat kata-kata

• -였- : 사건이 과거에 일어났음을 나타내는 어미.
sudah, pasti, yakin
akhiran kalimat yang menyatakan peristiwa terjadi di masa lampau

• -습니다 : (아주높임으로) 현재의 동작이나 상태, 사실을 정중하게 설명함을 나타내는 종결 어미.
Tiada Penjelasan Arti
(dalam bentuk sangat hormat) kata penutup final yang menyatakan menjelaskan tindakan, keadaan, atau kenyataan di masa kini dengan sopan

---

고양이 : 요즘+은 먹고살+려면 적어도 이 개 국어+는 <u>하+[여야 되]+어</u>.
해야 돼

• 요즘 (Nomina) : 아주 가까운 과거부터 지금까지의 사이.
akhir-akhir ini, belakangan ini
di antara waktu sampai sekarang dari waktu yang sangat dekat dengan saat ini.

• 은 : 문장 속에서 어떤 대상이 화제임을 나타내는 조사.
Tiada Penjelasan Arti
partikel yang menyatakan suatu objek menjadi topik di dalam kalimat

• 먹고살다 (Verba) : 생계를 유지하다.
hidup
bertahan hidup

• -려면 : 어떤 행동을 할 의도나 의향이 있는 경우를 가정할 때 쓰는 연결 어미.

jikalau hendak, kalau mau

kata penutup sambung yang digunakan saat mengandaikan jika ada keinginan atau hasrat untuk melakukan suatu tindakan

• 적어도 (Adverbia) : 아무리 적게 잡아도.

sedikitnya, setidaknya, paling tidak

walaupun sedikit yang didapat

• 이 (Pewatas) : 둘의.

dua

berjumlah dua

• 개 (Nomina) : 낱으로 떨어진 물건을 세는 단위.

buah

satuan yang digunakan untuk menghitung benda secara satuan

• 국어 (Nomina) : 한 나라의 국민들이 사용하는 말.

bahasa nasional

bahasa yang digunakan oleh rakyat di suatu negara

• 는 : 강조의 뜻을 나타내는 조사.

Tiada Penjelasan Arti

partikel yang menyatakan maksud penekanan

• 하다 (Verba) : 어떤 행동이나 동작, 활동 등을 행하다.

melakukan, mengerjakan, menjalankan

melaksanakan suatu tindakan atau aksi, kegiatan, dsb

• -여야 되다 : 반드시 그럴 필요나 의무가 있음을 나타내는 표현.

harus~, wajib~

ungkapan yang menunjukkan keperluan atau kewajiban untuk harus melakukannya

• -어 : (두루낮춤으로) 어떤 사실을 서술하거나 물음, 명령, 권유를 나타내는 종결 어미.

-kah, -lah

(dalam bentuk rendah) akhiran penutup untuk menyatakan suatu kenyataan atau menandai pertanyaan, perintah, dan ajakan

< 3 단원(bagian) >

제목 : 이게 다 엄마 때문이야.

● 본문 (tulisan utama)

유치원에 들어간 아이는 치아가 너무 못생겨서 친구들에게 많은 놀림을 받았다.

견디다 못한 아이는 엄마에게 투정을 부렸다.

아이 : 엄마, 이빨이 이상하다고 친구들이 자꾸만 놀려요.

　　　치과에 가서 이빨 교정 좀 해 주세요.

엄마 : 야, 그게 얼마나 비싼데.

아이 : 몰라, 이게 다 엄마 때문이야.

　　　엄마가 날 이렇게 낳았잖아.

그러자 엄마가 하는 한마디.

엄마 : 너 낳았을 때 이빨 없었거든, 이것아!

● 발음 (pelafalan)

유치원에 들어간 아이는 치아가 너무 못생겨서 친구들에게 많은 놀림을 받았다.
유치워네 드러간 아이는 치아가 너무 몯쌩겨서 친구드레게 마는 놀리믈 바닫따.
yuchiwone deureogan aineun chiaga neomu motsaenggyeoseo chingudeurege maneun nollimeul badatda.

견디다 못한 아이는 엄마에게 투정을 부렸다.
견디다 모탄 아이는 엄마에게 투정을 부렫따.
gyeondida motan aineun eommaege tujeongeul buryeotda.

아이 : 엄마, 이빨이 이상하다고 친구들이 자꾸만 놀려요.
아이 : 엄마, 이빠리 이상하다고 친구드리 자꾸만 놀려요.
ai : eomma, ippari isanghadago chingudeuri jakkuman nollyeoyo.

치과에 가서 이빨 교정 좀 해 주세요.
치꽈에 가서 이빨 교정 좀 해 주세요.
chigwae gaseo ippal gyojeong jom hae juseyo.

엄마 : 야, 그게 얼마나 비싼데.
엄마 : 야, 그게 얼마나 비싼데.
eomma : ya, geuge eolmana bissande.

아이 : 몰라, 이게 다 엄마 때문이야.
아이 : 몰라, 이게 다 엄마 때무니야.
ai : molla, ige da eomma ttaemuniya.

엄마가 날 이렇게 낳았잖아.
엄마가 날 이러케 나앋짜나.
eommaga nal ireoke naatjana.

그러자 엄마가 하는 한마디.
그러자 엄마가 하는 한마디.
geureoja eommaga haneun hanmadi.

엄마 : 너 낳았을 때 이빨 없었거든, 이것아!
엄마 : 너 나아쓸 때 이빨 업썯꺼든, 이거사!
eomma : neo naasseul ttae ippal eopseotgeodeun, igeosa!

● 어휘 (kosa kata) / 문법 (pelajaran tata bahasa)

유치원+에 들어가+ㄴ 아이+는 치아+가 너무 못생기+어서 친구+들+에게 많+은 놀림+을 받+았+다.

견디+<u>다 못하</u>+ㄴ 아이+는 엄마+에게 투정+을 부리+었+다.

아이 : 엄마, 이빨+이 이상하+다고 친구+들+이 자꾸만 놀리+어요.

　　　　치과+에 가+(아)서 이빨 교정 좀 하+<u>여 주</u>+세요.

엄마 : 야, 그것(그거)+이 얼마나 비싸+ㄴ데.

아이 : 모르(몰ㄹ)+아, 이것(이거)+이 다 엄마 때문+이+야.

　　　　엄마+가 나+를 이렇+게 낳+았+잖아.

그리하+자 엄마+가 하+는 한마디.

엄마 : 너 낳+았+<u>을 때</u> 이빨 없+었+거든, 이것+아!

유치원+에 들어가+ㄴ 아이+는 치아+가 너무 <u>못생기</u>+어서 친구+들+에게 많+은 놀림+을 받+았+다.
들어간   못생겨서

- **유치원 (Nomina)** : 초등학교 입학 이전의 어린이들을 교육하는 기관 및 시설.
  taman kanak-kanak
  instansi dan fasilitas untuk mendidik anak-anak kecil sebelum masuk sekolah dasar

- **에** : 앞말이 어떤 장소나 자리임을 나타내는 조사.
  di, pada
  partikel yang menyatakan kalimat di depan adalah tempat atau lokasi

- **들어가다 (Verba)** : 어떤 단체의 구성원이 되다.
  masuk
  menjadi anggota dalam suatu organisasi

- **-ㄴ** : 앞의 말이 관형어의 기능을 하게 만들고 사건이나 동작이 완료되어 그 상태가 유지되고 있음을 나타내는 어미.
  yang
  akhiran yang membuat kata di depannya berfungsi sebagai kata pewatas, dan menyatakan bahwa tindakan atau peristiwa sudah selesai dan menahan keadaan itu

- **아이 (Nomina)** : 나이가 어린 사람.
  anak
  orang yang berusia muda

- **는** : 문장 속에서 어떤 대상이 화제임을 나타내는 조사.
  Tiada Penjelasan Arti
  partikel yang menyatakan suatu subjek dalam kalimat menjadi bahan pembicaraan

- **치아 (Nomina)** : 음식물을 씹는 일을 하는 기관.
  gigi
  organ yang bekerja mengunyah makanan

- **가** : 어떤 상태나 상황에 놓인 대상이나 동작의 주체를 나타내는 조사.
  Tiada Penjelasan Arti
  partikel yang menyatakan subjek sebuah keadaan atau situasi atau pelaku utama sebuah tindakan

- **너무 (Adverbia)** : 일정한 정도나 한계를 훨씬 넘어선 상태로.
  terlalu, berlebihan
  tarafnya melebihi batas tertentu

• 못생기다 (Verba) : 생김새가 보통보다 못하다.

　jelek, tidak cantik, tidak tampan, buruk rupa

　penampilan tidak indah

• -어서 : 이유나 근거를 나타내는 연결 어미.

　lalu, kemudian, karena, dengan

　kata penutup sambung yang menyatakan alasan atau landasan

• 친구 (Nomina) : 사이가 가까워 서로 친하게 지내는 사람.

　teman, kawan, sahabat

　orang dekat dan akrab

• 들 : '복수'의 뜻을 더하는 접미사.

　Tiada Penjelasan Arti

　akhiran yang menambahkan arti "jamak"

• 에게 : 어떤 행동의 주체이거나 비롯되는 대상임을 나타내는 조사.

　Tiada Penjelasan Arti

　partikel yang menyatakan subjek sebuah tindakan atau sesuatu yang menjadi objekl

• 많다 (Adjektiva) : 수나 양, 정도 등이 일정한 기준을 넘다.

　banyak

　angka atau jumlah, volume, tingkat, dsb melebihi standar tertentu

• -은 : 앞의 말이 관형어의 기능을 하게 만들고 현재의 상태를 나타내는 어미.

　yang

　akhiran yang membuat kata di depannya berfungsi sebagai kata pewatas, dan menyatakan
　keadaan saat ini

• 놀림 (Nomina) : 남의 실수나 약점을 잡아 웃음거리로 만드는 일.

　pengejekan, penertawaan, ejekan, bahan tawa, olokan, candaan

　hal menjadikan kekurangan, kesalahan atau kelemahan orang lain menjadi tertawaan

• 을 : 동작이 직접적으로 영향을 미치는 대상을 나타내는 조사.

　Tiada Penjelasan Arti

　partikel yang menyatakan objek dari suatu gerakan yang secara langsung memberikan
　pengaruh

• 받다 (Verba) : 다른 사람이 하는 행동, 심리적인 작용 등을 당하거나 입다.

　menerima, mendapat

　terkena atau menderita karena tindakan yang dilakukan orang lain, efek mental, dsb

• -았- : 사건이 과거에 일어났음을 나타내는 어미.

　sudah, telah, pasti akan

　akhiran kalimat yang menyatakan peristiwa terjadi di masa lampau

• -다 : 어떤 사건이나 사실, 상태를 서술함을 나타내는 종결 어미.

Tiada Penjelasan Arti

akhiran penutup untuk menyatakan suatu peristiwa, kenyataan, dan keadaan

---

견디+[다 못하]+ㄴ 아이+는 엄마+에게 투정+을 부리+었+다.
     견디다 못한   부렸다

• 견디다 (Verba) : 힘들거나 어려운 것을 참고 버티어 살아 나가다.

bertahan

hidup dengan bersabar dan bertahan dari sesuatu yang melelahkan atau sulit

• -다 못하다 : 앞의 말이 나타내는 행동을 더 이상 계속할 수 없음을 나타내는 표현.

tidak tahan lagi

ungkapan yang menyatakan tidak dapat meneruskan lagi kegiatan dalam kalimat yang disebutkan di depan

• -ㄴ : 앞의 말이 관형어의 기능을 하게 만들고 사건이나 동작이 과거에 일어났음을 나타내는 어미.

yang

akhiran yang membuat kata di depannya berfungsi sebagai kata pewatas, dan menyatakan bahwa tindakan dan peristiwa terjadi di masa lampau

• 아이 (Nomina) : 나이가 어린 사람.

anak

orang yang berusia muda

• 는 : 문장 속에서 어떤 대상이 화제임을 나타내는 조사.

Tiada Penjelasan Arti

partikel yang menyatakan suatu subjek dalam kalimat menjadi bahan pembicaraan

• 엄마 (Nomina) : 격식을 갖추지 않아도 되는 상황에서 어머니를 이르거나 부르는 말.

mama

panggilan untuk menyebutkan ibu dalam situasi tidak resmi

• 에게 : 어떤 행동이 미치는 대상임을 나타내는 조사.

Tiada Penjelasan Arti

partikel yang menyatakan sesuatu yang mendapat pengaruh dari sebuah tindakan

• 투정 (Nomina) : 무엇이 모자라거나 마음에 들지 않아 떼를 쓰며 조르는 일.

perengekan, pengeluhan, penggerutuan

hal terus beralasan sambil merengek karena ada yang kurang atau tidak berkenan di hati

• 을 : 동작이 직접적으로 영향을 미치는 대상을 나타내는 조사.
  Tiada Penjelasan Arti
  partikel yang menyatakan objek dari suatu gerakan yang secara langsung memberikan pengaruh

• **부리다 (Verba)** : 바람직하지 못한 행동이나 성질을 계속 드러내거나 보이다.
  bersikap
  terus menonjolkan atau memperlihatkan sikap atau karakter yang tidak benar

• -었- : 사건이 과거에 일어났음을 나타내는 어미.
  sudah, pasti, yakin
  akhiran kalimat yang menyatakan peristiwa terjadi di masa lampau

• -다 : 어떤 사건이나 사실, 상태를 서술함을 나타내는 종결 어미.
  Tiada Penjelasan Arti
  akhiran penutup untuk menyatakan suatu peristiwa, kenyataan, dan keadaan

---

아이 : 엄마, 이빨+이 이상하+다고 친구+들+이 자꾸만 놀리+어요.
놀려요

• **엄마 (Nomina)** : 격식을 갖추지 않아도 되는 상황에서 어머니를 이르거나 부르는 말.
  mama
  panggilan untuk menyebutkan ibu dalam situasi tidak resmi

• **이빨 (Nomina)** : (낮잡아 이르는 말로) 사람이나 동물의 입 안에 있으며, 무엇을 물거나 씹는 데 쓰는 기관.
  gigi
  (dalam sebutan vulgar) organ di dalam mulut manusia atau hewan yang digunakan untuk menggigit atau mengunyah benda

• 이 : 어떤 상태나 상황의 대상이나 동작의 주체를 나타내는 조사.
  Tiada Penjelasan Arti
  partikel yang menyatakan subjek sebuah keadaan atau situasi atau pelaku utama sebuah tindakan

• **이상하다 (Adjektiva)** : 정상적인 것과 다르다.
  aneh
  berbeda dengan yang normal

• -다고 : 어떤 행위의 목적, 의도를 나타내거나 어떤 상황의 이유, 원인을 나타내는 연결 어미.
  karena katanya
  akhiran kalimat penyambung yang menyatakan tujuan atau maksud suatu tindakan atau alasan atau penyebab suatu keadaan

• 친구 (Nomina) : 사이가 가까워 서로 친하게 지내는 사람.
 teman, kawan, sahabat
 orang dekat dan akrab

• 들 : '복수'의 뜻을 더하는 접미사.
 Tiada Penjelasan Arti
 akhiran yang menambahkan arti "jamak"

• 이 : 어떤 상태나 상황의 대상이나 동작의 주체를 나타내는 조사.
 Tiada Penjelasan Arti
 partikel yang menyatakan subjek sebuah keadaan atau situasi atau pelaku utama sebuah tindakan

• 자꾸만 (Adverbia) : (강조하는 말로) 자꾸.
 sering, selalu
 (dalam sebutan menegaskan) sering
 자꾸 (Adverbia) : 여러 번 계속하여.
 sering, terus-menerus
 terus-menerus beberapa kali

• 놀리다 (Verba) : 실수나 약점을 잡아 웃음거리로 만들다.
 mempermainkan, mengejek
 menertawakan (kelemahan orang lain)

• -어요 : (두루높임으로) 어떤 사실을 서술하거나 질문, 명령, 권유함을 나타내는 종결 어미.
 apakah, apa, ~saja, silakan
 (dalam bentuk hormat) kata penutup final yang mengungkapkan suatu kenyataan atau menyatakan pertanyaan, perintah, atau ajakan

---

아이 : 치과+에 가+(아)서 이빨 교정 좀 하+[여 주]+세요.
               가서   **해 주세요**

• 치과 (Nomina) : 이와 더불어 잇몸 등의 지지 조직, 구강 등의 질병을 치료하는 의학 분야. 또는 그 분 야의 병원.
 kedokteran gigi, dokter gigi
 bidang ilmu kedokteran yang mengobati penyakit gigi, gusi, rongga mulut, dan sebagainya. Atau rumah sakit untuk bidang itu.

• 에 : 앞말이 목적지이거나 어떤 행위의 진행 방향임을 나타내는 조사.
 ke
 partikel yang menyatakan kalimat di depan adalah tempat tujuan atau arah jalannya tindakan

• **가다 (Verba)** : 어떤 목적을 가지고 일정한 곳으로 움직이다.

　pergi

　memiliki tujuan kemudian bergerak ke tempat tertentu

• **-아서** : 앞의 말과 뒤의 말이 순차적으로 일어남을 나타내는 연결 어미.

　lalu, kemudian

　kata penutup sambung yang menyatakan kalimat di depan dan kalimat di belakang muncul secara berurutan

• **이빨 (Nomina)** : (낮잡아 이르는 말로) 사람이나 동물의 입 안에 있으며, 무엇을 물거나 씹는 데 쓰는 기관.

　gigi

　(dalam sebutan vulgar) organ di dalam mulut manusia atau hewan yang digunakan untuk menggigit atau mengunyah benda

• **교정 (Nomina)** : 고르지 못하거나 틀어지거나 잘못된 것을 바로잡음.

　revisi, peninjauan, pengoreksian, koreksi

　hal mengatasi sesuatu yang salah, berhamburan, atau tidak merata

• **좀 (Adverbia)** : 주로 부탁이나 동의를 구할 때 부드러운 느낌을 주기 위해 넣는 말.

　Tiada Penjelasan Arti

　kata yang biasanya dibubuhkan untuk memberikan kesan halus saat memohon atau meminta persetujuan

• **하다 (Verba)** : 어떤 행동이나 동작, 활동 등을 행하다.

　melakukan, mengerjakan, menjalankan

　melaksanakan suatu tindakan atau aksi, kegiatan, dsb

• **-여 주다** : 남을 위해 앞의 말이 나타내는 행동을 함을 나타내는 표현.

　memberi

　ungkapan yang menyatakan melakukan tindakan yang disebutkan dalam kalimat di depan untuk orang lain

• **-세요** : (두루높임으로) 설명, 의문, 명령, 요청의 뜻을 나타내는 종결 어미.

　apakah, silakan

　(dalam bentuk hormat) akhiran kalimat penutup yang menyatakan arti penjelasan, pertanyaan, perintah, permintaan, dsb

---

엄마 : 야, <u>그것(그거)+이</u> 얼마나 <u>비싸+ㄴ데</u>.
그게　　　　　　　　비싼데

• 야 (Interjeksi) : 놀라거나 반가울 때 내는 소리.
 wah, eh
 suara yang dikeluarkan saat terkejut, atau merasa senang

• 그것 (Pronomina) : 앞에서 이미 이야기한 대상을 가리키는 말.
 itu, tersebut
 kata yang menunjukkan benda atau sesuatu yang telah disebutkan sebelumnya

• 이 : 앞의 말을 강조하는 뜻을 나타내는 조사.
 Tiada Penjelasan Arti
 partikel yang menyatakan maksud penekanan kata yang ada di depan

• 얼마나 (Adverbia) : 상태나 느낌 등의 정도가 매우 크고 대단하게.
 betapa, sangat
 dengan ukuran kondisi atau perasaan dsb sangat besar dan luar biasa

• 비싸다 (Adjektiva) : 물건값이나 어떤 일을 하는 데 드는 비용이 보통보다 높다.
 mahal
 harga barang atau biaya untuk melakukan sesuatu tinggi dari yang biasa

• -ㄴ데 : (두루낮춤으로) 듣는 사람의 반응을 기대하며 어떤 일에 대해 감탄함을 나타내는 종결 어미.
 lo
 (dalam bentuk rendah) akhiran penutup untuk menyatakan seruan terhadap suatu peristiwa
 sambil mengharapkan tanggapan pendengar

아이 : <u>모르(몰ㄹ)+아</u>, <u>이것(이거)+이</u> 다 엄마 때문+이+야.
          몰라   이게

• 모르다 (Verba) : 사람이나 사물, 사실 등을 알지 못하거나 이해하지 못하다.
 tidak tahu
 tidak bisa mengetahui atau mengerti orang atau benda, fakta, dsb

• -아 : (두루낮춤으로) 어떤 사실을 서술하거나 물음, 명령, 권유를 나타내는 종결 어미.
 -kah, -lah
 (dalam bentuk rendah) akhiran penutup untuk menyatakan suatu kenyataan atau menandai
 pertanyaan, perintah, dan ajakan

• 이것 (Pronomina) : 바로 앞에서 이야기한 대상을 가리키는 말.
 ini
 kata yang menunjukkan benda atau sesuatu yang telah disebutkan sebelumnya

- 이 : 어떤 상태나 상황의 대상이나 동작의 주체를 나타내는 조사.
  Tiada Penjelasan Arti
  partikel yang menyatakan subjek sebuah keadaan atau situasi atau pelaku utama sebuah tindakan

- 다 (Adverbia) : 남거나 빠진 것이 없이 모두.
  semua, semuanya, seluruhnya
  semua tanpa ada yang tersisa atau terlewat

- 엄마 (Nomina) : 격식을 갖추지 않아도 되는 상황에서 어머니를 이르거나 부르는 말.
  mama
  panggilan untuk menyebutkan ibu dalam situasi tidak resmi

- 때문 (Nomina) : 어떤 일의 원인이나 이유.
  karena, sebab, akibat
  sebab atau alasan sebuah peristiwa

- 이다 : 주어가 지시하는 대상의 속성이나 부류를 지정하는 뜻을 나타내는 서술격 조사.
  adalah
  partikel kasus predikatif yang menyatakan maksud menentukan karakter atau jenis dari objek yang diindikasikan subjek

- -야 : (두루낮춤으로) 어떤 사실에 대하여 서술하거나 물음을 나타내는 종결 어미.
  Tiada Penjelasan Arti
  (dalam bentuk rendah) kata penutup final yang mengungkapkan suatu kenyataan atau menyatakan pertanyaan

---

아이 : 엄마+가 <u>나</u>+를 이렇+게 낳+았+잖아.
날

- 엄마 (Nomina) : 격식을 갖추지 않아도 되는 상황에서 어머니를 이르거나 부르는 말.
  mama
  panggilan untuk menyebutkan ibu dalam situasi tidak resmi

- 가 : 어떤 상태나 상황에 놓인 대상이나 동작의 주체를 나타내는 조사.
  Tiada Penjelasan Arti
  partikel yang menyatakan subjek sebuah keadaan atau situasi atau pelaku utama sebuah tindakan

- 나 (Pronomina) : 말하는 사람이 친구나 아랫사람에게 자기를 가리키는 말.
  aku
  kata yang digunakan orang yang berbicara untuk menunjuk dirinya sendiri kepada teman atau orang yang berada di bawahnya

• 를 : 동작이 간접적인 영향을 미치는 대상이나 목적임을 나타내는 조사.

Tiada Penjelasan Arti

partikel yang menyatakan objek atau tujuan dari suatu gerakan yang secara tidak langsung memberikan pengaruh

• 이렇다 (Adjektiva) : 상태, 모양, 성질 등이 이와 같다.

demikian, begitu, begini

keadaan, bentuk, karakter, dsb sama dengan ini

• -게 : 앞의 말이 뒤에서 가리키는 일의 목적이나 결과, 방식, 정도 등이 됨을 나타내는 연결 어미.

dengan

kata penutup sambung yang menyatakan isi kalimat di depan dibutuhkan sementara kalimat di belakang terus dilanjutkan(formal, kedudukan penerima sangat rendah)

• 낳다 (Verba) : 배 속의 아이, 새끼, 알을 몸 밖으로 내보내다.

melahirkan, menelurkan, bertelur

mengeluarkan bayi, anak, telur, dsb dari dalam perut

• -았- : 사건이 과거에 일어났음을 나타내는 어미.

sudah, telah, pasti akan

akhiran kalimat yang menyatakan peristiwa terjadi di masa lampau

• -잖아 : (두루낮춤으로) 어떤 상황에 대해 말하는 사람이 상대방에게 확인하거나 정정해 주듯이 말함을 나타내는 표현.

~kan?

(dalam bentuk rendah) ungkapan yang menyatakan orang yang berbicara mengenai suatu keadaan memastikan atau mengatakan dengan benar kepada orang lain

---

그리하+자 엄마+가 하+는 한마디.
 그러자

• 그리하다 (verba) : 앞에서 일어난 일이나 말한 것과 같이 그렇게 하다.

seperti itu, begitu

melakukan seperti apa yang terjadi atau dikatakan sebelumnya

• -자 : 앞의 말이 나타내는 동작이 끝난 뒤 곧 뒤의 말이 나타내는 동작이 잇따라 일어남을 나타내는 연결 어미.

ketika

akhiran penghubung untuk menyatakan tindakan di kalimat induk segera terjadi setelah tindakan di anak kalimat selesai.

• 엄마 (Nomina) : 격식을 갖추지 않아도 되는 상황에서 어머니를 이르거나 부르는 말.

mama

panggilan untuk menyebutkan ibu dalam situasi tidak resmi

• 가 : 어떤 상태나 상황에 놓인 대상이나 동작의 주체를 나타내는 조사.

Tiada Penjelasan Arti

partikel yang menyatakan subjek sebuah keadaan atau situasi atau pelaku utama sebuah tindakan

• 하다 (Verba) : 다른 사람의 말이나 생각 등을 나타내는 문장을 받아 뒤에 오는 단어를 꾸미는 말.

Tiada Penjelasan Arti

kata untuk membentuk kata yang datang di belakang setelah mendapat kalimat yang menunjukkan perkataan atau pikiran dsb dari orang lain

• -는 : 앞의 말이 관형어의 기능을 하게 만들고 사건이나 동작이 현재 일어남을 나타내는 어미.

yang

akhiran untuk membuat kata di depannya berfungsi sebagai pewatas dan menyatakan kejadian atau tindakan terjadi sekarang

• 한마디 (Nomina) : 짧고 간단한 말.

satu kata, sepatah kata

kata yang singkat dan sederhana

> **엄마 : 너 낳+았+[을 때] 이빨 없+었+거든, 이것+아!**

• 너 (Pronomina) : 듣는 사람이 친구나 아랫사람일 때, 그 사람을 가리키는 말.

kamu

kata untuk menunjuk lawan bicara yang merupakan teman atau orang yang lebih muda

• 낳다 (Verba) : 배 속의 아이, 새끼, 알을 몸 밖으로 내보내다.

melahirkan, menelurkan, bertelur

mengeluarkan bayi, anak, telur, dsb dari dalam perut

• -았- : 사건이 과거에 일어났음을 나타내는 어미.

sudah, telah, pasti akan

akhiran kalimat yang menyatakan peristiwa terjadi di masa lampau

• -을 때 : 어떤 행동이나 상황이 일어나는 동안이나 그 시기 또는 그러한 일이 일어난 경우를 나타내는 표현.

ketika, saat

ungkapan yang menyatakan selama atau saat terjadinya suatu tindakan atau keadaan, atau saat terjadinya hal demikian

- **이빨 (Nomina)** : (낮잡아 이르는 말로) 사람이나 동물의 입 안에 있으며, 무엇을 물거나 씹는 데 쓰는 기관.

  gigi

  (dalam sebutan vulgar) organ di dalam mulut manusia atau hewan yang digunakan untuk menggigit atau mengunyah benda

- **없다 (Adjektiva)** : 사람, 사물, 현상 등이 어떤 곳에 자리나 공간을 차지하고 존재하지 않는 상태이다.

  tidak ada

  orang, benda, fenomena, dsb menjadi tidak menempati suatu kedudukan atau tempat atau tidak ada di suatu tempat

- **-었-** : 사건이 과거에 일어났음을 나타내는 어미.

  sudah, pasti, yakin

  akhiran kalimat yang menyatakan peristiwa terjadi di masa lampau

- **-거든** : (두루낮춤으로) 앞의 내용에 대해 말하는 사람이 생각한 이유나 원인, 근거를 나타내는 종결 어미.

  kalau, seandainya, tentu, sebenarnya, nyatanya

  (dalam bentuk rendah) kata penutup final yang menyatakan alasan, penyebab, atau bukti yang dipikirkan seseorang tentang isi kalimat di depan

- **이것 (Pronomina)** : (귀엽게 이르는 말로) 이 아이.

  ini, kamu ini

  (dalam sebutan manja) anak ini

- **아** : 친구나 아랫사람, 동물 등을 부를 때 쓰는 조사.

  Tiada Penjelasan Arti

  partikel yang digunakan saat memanggil teman atau orang yang lebih muda atau berjabatan lebih rendah, binatang, dsb

< 4 단원(bagian) >

제목 : 아빠, 물 좀 갖다주세요.

● 본문 (tulisan utama)

늦은 오후 방에 늘어져 있던 아들은 시원한 물 한 잔이 먹고 싶어졌다.

그러나 꼼짝하기도 싫은 아들은 거실에서 텔레비전을 보고 계시던 아빠에게 큰 소리로 말했다.

아들 : 아빠, 물 좀 갖다주세요.

아빠 : 냉장고에 있으니까 네가 꺼내 먹어.

십 분 후

아들 : 아빠, 물 좀 갖다주세요.

아빠 : 네가 직접 가서 마시라니까.

아빠의 목소리는 점점 짜증이 섞이면서 톤이 높아지고 있었다.

그러나 이에 굴하지 않고 아들은 또 다시 외쳤다.

아들 : 아빠, 물 좀 갖다주세요.

아빠 : 네가 갖다 먹으라고.

　　　한 번만 더 부르면 혼내 주러 간다.

아빠는 이제 단단히 화가 나셨다.

하지만 아들은 지칠 줄 모르고 다시 십 분 후에 이렇게 말했다.

아들 : 아빠, 저 혼내러 오실 때 물 좀 갖다주세요.

● 발음 (pelafalan)

늦은 오후 방에 늘어져 있던 아들은 시원한 물 한 잔이 먹고 싶어졌다.
느즌 오후 방에 느러저 읻떤 아드른 시원한 물 한 자니 먹꼬 시퍼젇따.
neujeun ohu bange neureojeo itdeon adeureun siwonhan mul han jani meokgo sipeojeotda.

그러나 꼼짝하기도 싫은 아들은 거실에서 텔레비전을 보고 계시던 아빠에게 큰 소리로 말했다.
그러나 꼼짜카기도 시른 아드른 거시레서 텔레비저늘 보고 계시던 아빠에게 큰 소리로 말핻따.
geureona kkomjjakagido sireun adeureun geosireseo tellebijeoneul bogo gyesideon appaege keun soriro malhaetda.

아들 : 아빠, 물 좀 갖다주세요.
아들 : 아빠, 물 좀 갇따주세요.
adeul : appa, mul jom gatdajuseyo.

아빠 : 냉장고에 있으니까 네가 꺼내 먹어.
아빠 : 냉장고에 이쓰니까 네가 꺼내 머거.
appa : naengjanggoe isseunikka nega kkeonae meogeo.

십 분 후
십 분 후
sip bun hu

아들 : 아빠, 물 좀 갖다주세요.
아들 : 아빠, 물 좀 갇따주세요.
adeul : appa, mul jom gatdajuseyo.

아빠 : 네가 직접 가서 마시라니까.
아빠 : 네가 직쩝 가서 마시라니까.
appa : nega jikjeop gaseo masiranikka.

아빠의 목소리는 점점 짜증이 섞이면서 톤이 높아지고 있었다.
아빠의 목쏘리는 점점 짜증이 서끼면서 토니 노파지고 이썯따.
appaui moksorineun jeomjeom jjajeungi seokkimyeonseo toni nopajigo isseotda.

그러나 이에 굴하지 않고 아들은 또 다시 외쳤다.
그러나 이에 굴하지 안코 아드른 또 다시 외쳗따.
geureona ie gulhaji anko adeureun tto dasi oecheotda.

아들 : 아빠, 물 좀 갖다주세요.
아들 : 아빠, 물 좀 갇따주세요.
adeul : appa, mul jom gatdajuseyo.

아빠 : 네가 갖다 먹으라고.
아빠 : 네가 갇따 머그라고.
appa : nega gatda meogeurago.

한 번만 더 부르면 혼내 주러 간다.
한 번만 더 부르면 혼내 주러 간다.
han beonman deo bureumyeon honnae jureo ganda.

아빠는 이제 단단히 화가 나셨다.
아빠는 이제 단단히 화가 나셛따.
appaneun ije dandanhi hwaga nasyeotda.

하지만 아들은 지칠 줄 모르고 다시 십 분 후에 이렇게 말했다.
하지만 아드른 지칠 쭐 모르고 다시 십 분 후에 이러케 말핻따.
hajiman adeureun jichil jul moreugo dasi sip bun hue ireoke malhaetda.

아들 : 아빠, 저 혼내러 오실 때 물 좀 갖다주세요.
아들 : 아빠, 저 혼내러 오실 때 물 좀 갇따주세요.
adeul : appa, jeo honnaereo osil ttae mul jom gatdajuseyo.

● 어휘 (kosa kata) / 문법 (pelajaran tata bahasa)

늦+은 오후 방+에 늘어지+<u>어 있</u>+던 아들+은 시원하+ㄴ 물 한 잔+이 먹+<u>고 싶</u>+<u>어지</u>+었+다.

그러나 꼼짝하+기+도 싫+은 아들+은 거실+에서 텔레비전+을 보+<u>고 계시</u>+던 아빠+에게 크+ㄴ 소리+로

말하+였+다.

아들 : 아빠, 물 좀 갖다주+세요.

아빠 : 냉장고+에 있+으니까 네+가 꺼내+(어) 먹+어.

십 분 후

아들 : 아빠, 물 좀 갖다주+세요.

아빠 : 네+가 직접 가+(아)서 마시+라니까.

아빠+의 목소리+는 점점 짜증+이 섞이+면서 톤+이 높아지+<u>고 있</u>+었+다.

그러나 이에 굴하+<u>지 않</u>+고 아들+은 또 다시 외치+었+다.

아들 : 아빠, 물 좀 갖다주+세요.

아빠 : 네+가 갖+다 먹+으라고.

　　　　한 번+만 더 부르+면 혼내+<u>(어) 주</u>+러 가+ㄴ다.

아빠+는 이제 단단히 화+가 나+시+었+다.

하지만 아들+은 지치+<u>ㄹ 줄</u> 모르+고 다시 십 분 후+에 이렇+게 말하+였+다.

아들 : 아빠, 저 혼내+러 오+시+<u>ㄹ 때</u> 물 좀 갖다주+세요.

늦+은 오후 방+에 늘어지+[어 있]+던 아들+은 시원하+ㄴ 물 한 잔+이 먹+[고 싶]+[어지]+었+다.
늘어져 있던   시원한   먹고 싶어졌다

- 늦다 (Adjektiva) : 적당한 때를 지나 있다. 또는 시기가 한창인 때를 지나 있다.
larut, lewat, terlambat
masa yang pantas sudah lewat, atau saat puncak sudah lewat

- -은 : 앞의 말이 관형어의 기능을 하게 만들고 현재의 상태를 나타내는 어미.
yang
akhiran yang membuat kata di depannya berfungsi sebagai kata pewatas, dan menyatakan keadaan saat ini

- 오후 (Nomina) : 정오부터 해가 질 때까지의 동안.
siang hari, sore hari
masa sejak pukul 12 siang hingga matahari terbenam

- 방 (Nomina) : 사람이 살거나 일을 하기 위해 벽을 둘러서 막은 공간.
ruang, kamar
ruang yang dipagari dinding untuk ditinggali atau dijadikan tempat bekerja orang

- 에 : 앞말이 어떤 장소나 자리임을 나타내는 조사.
di, pada
partikel yang menyatakan kalimat di depan adalah tempat atau lokasi

- 늘어지다 (Verba) : 몸을 마음껏 펴거나 근심 걱정 없이 쉬다.
Tiada Penjelasan Arti
(beristirahat) sepuasnya, bermalas-malasan, merentangkan (badan)

- -어 있다 : 앞의 말이 나타내는 상태가 계속됨을 나타내는 표현.
sudah, telah, masih
ungkapan untuk menyatakan bahwa keadaan dalam kalimat di depan terus berjalan

- -던 : 앞의 말이 관형어의 기능을 하게 만들고 사건이나 동작이 과거에 완료되지 않고 중단되었음을 나타내는 어미.
yang
akhiran yang membuat kata di depannya berfungsi sebagai pewatas dan menyatakan suatu peristiwa atau tindakan tidak diselesaikan tetapi dihentikan di masa lampau.

- 아들 (Nomina) : 남자인 자식.
anak laki-laki
anak laki-laki

• 은 : 문장 속에서 어떤 대상이 화제임을 나타내는 조사.
  Tiada Penjelasan Arti
  partikel yang menyatakan suatu objek menjadi topik di dalam kalimat

• **시원하다 (Adjektiva)** : 음식이 먹기 좋을 정도로 차고 산뜻하거나, 속이 후련할 정도로 뜨겁다.
  segar, sedap
  makanan sudah segar dan dingin sampai cukup enak untuk dimakan, hangat sampai hati terasa segar

• -ㄴ : 앞의 말이 관형어의 기능을 하게 만들고 현재의 상태를 나타내는 어미.
  yang
  akhiran yang membuat kata di depannya berfungsi sebagai kata pewatas, dan menyatakan keadaan saat ini

• **물 (Nomina)** : 강, 호수, 바다, 지하수 등에 있으며 순수한 것은 빛깔, 냄새, 맛이 없고 투명한 액체.
  air
  cairan yang ada di sungai, danau, laut, bawah tanah, dsb, dan untuk yang murni tidak berwarna, berbau, berasa, dan bening

• **한 (Pewatas)** : 하나의.
  satu
  satu

• **잔 (Nomina)** : 음료나 술 등을 담은 그릇을 기준으로 그 분량을 세는 단위.
  gelas, cangkir
  satuan untuk menghitung jumlah gelas dari minuman ringan, minuman beralkohol yang diminum

• 이 : 어떤 상태나 상황의 대상이나 동작의 주체를 나타내는 조사.
  Tiada Penjelasan Arti
  partikel yang menyatakan objek dari suatu keadaan atau kondisi atau pelaku dari suatu tindakan

• **먹다 (Verba)** : 액체로 된 것을 마시다.
  minum
  meminum sesuatu yang berbentuk cairan

• -고 싶다 : 앞의 말이 나타내는 행동을 하기를 원함을 나타내는 표현.
  ingin, mau
  ungkapan yang menyatakan bahwa pembicara ingin melakukan tindakan yang disebut dalam kalimat di depan

• -어지다 : 앞에 오는 말이 나타내는 대로 행동하게 되거나 그 상태로 됨을 나타내는 표현.
  Tiada Penjelasan Arti
  ungkapan yang menyatakan melakukan atau menjadi sesuai dengan perkataan depan

- -었- : 어떤 사건이 과거에 완료되었거나 그 사건의 결과가 현재까지 지속되는 상황을 나타내는 어미.

  sudah, pasti, yakin

  akhiran kalimat yang menyatakan sebuah peristiwa sudah selesai di masa lampau atau menyatakan keadaan di mana hasil peristiwa tersebut terus berlangsung hingga sekarang

- -다 : 어떤 사건이나 사실, 상태를 서술함을 나타내는 종결 어미.

  Tiada Penjelasan Arti

  akhiran penutup untuk menyatakan suatu peristiwa, kenyataan, dan keadaan

---

그러나 꼼짝하+기+도 싫+은 아들+은 거실+에서 텔레비전+을 보+[고 계시]+던 아빠+에게 <u>크+ㄴ</u>
큰

소리+로 <u>말하+였+다</u>.
말했다

- **그러나** (Adverbia) : 앞의 내용과 뒤의 내용이 서로 반대될 때 쓰는 말.

  tetapi, akan tetapi

  kata untuk menyambungkan dua kalimat yang isinya saling bertentangan

- **꼼짝하다** (Verba) : 몸이 느리게 조금씩 움직이다. 또는 몸을 느리게 조금씩 움직이다.

  bergerak sedikit

  tubuh bergerak sedikit-sedikit dengan lambat, atau menggerakkan tubuh sedikit-sedikit dengan lambat

- -기 : 앞의 말이 명사의 기능을 하게 하는 어미.

  Tiada Penjelasan Arti

  akhiran yang membuat kata di depannya berfungsi sebagai kata benda

- 도 : 극단적인 경우를 들어 다른 경우는 말할 것도 없음을 나타내는 조사.

  saja

  partikel yang menyatakan tidak dapat mengatakan perihal yang lain dengan mengangkat situasi yang ekstrem

- **싫다** (Adjektiva) : 어떤 일을 하고 싶지 않다.

  tidak suka, benci, tidak mau

  tidak mau melakukan suatu pekerjaan

- -은 : 앞의 말이 관형어의 기능을 하게 만들고 현재의 상태를 나타내는 어미.

  yang

  akhiran yang membuat kata di depannya berfungsi sebagai kata pewatas, dan menyatakan keadaan saat ini

• **아들 (Nomina)** : 남자인 자식.
anak laki-laki
anak laki-laki

• **은** : 문장 속에서 어떤 대상이 화제임을 나타내는 조사.
Tiada Penjelasan Arti
partikel yang menyatakan suatu objek menjadi topik di dalam kalimat

• **거실 (Nomina)** : 서양식 집에서, 가족이 모여서 생활하거나 손님을 맞는 중심 공간.
ruang tamu
tempat di dalam rumah untuk keluarga berkumpul dan tinggal atau menjamu tamu ala barat

• **에서** : 앞말이 행동이 이루어지고 있는 장소임을 나타내는 조사.
Tiada Penjelasan Arti
partikel yang menyatakan bahwa kata di depannya adalah tempat tindakan terjadi

• **텔레비전 (Nomina)** : 방송국에서 전파로 보내오는 영상과 소리를 받아서 보여 주는 기계.
televisi
alat yang menangkap gelombang siaran dan menampilkannya dalam bentuk gambar dan suara

• **을** : 동작이 직접적으로 영향을 미치는 대상을 나타내는 조사.
Tiada Penjelasan Arti
partikel yang menyatakan objek dari suatu gerakan yang secara langsung memberikan pengaruh

• **보다 (Verba)** : 눈으로 대상을 즐기거나 감상하다.
menonton, menyaksikan
menikmati atau menyaksikan sesuatu dengan mata

• **-고 계시다** : (높임말로) 앞의 말이 나타내는 행동이 계속 진행됨을 나타내는 표현.
sedang, tengah
(dalam sebutan hormat) ungkapan yang menyatakan bahwa tindakan yang disebutkan dalam kalimat di depan terus berjalan

• **-던** : 앞의 말이 관형어의 기능을 하게 만들고 사건이나 동작이 과거에 완료되지 않고 중단되었음을 나타내는 어미.
yang
akhiran yang membuat kata di depannya berfungsi sebagai pewatas dan menyatakan suatu peristiwa atau tindakan tidak diselesaikan tetapi dihentikan di masa lampau.

• **아빠 (Nomina)** : 격식을 갖추지 않아도 되는 상황에서 아버지를 이르거나 부르는 말.
ayah, bapak
panggilan untuk menyebutkan ayah di situasi tidak resmi

• 에게 : 어떤 행동이 미치는 대상임을 나타내는 조사.
Tiada Penjelasan Arti
partikel yang menyatakan sesuatu yang mendapat pengaruh dari sebuah tindakan

• 크다 (Adjektiva) : 소리의 세기가 강하다.
besar, keras
intensitas suara kuat

• -ㄴ : 앞의 말이 관형어의 기능을 하게 만들고 현재의 상태를 나타내는 어미.
yang
akhiran yang membuat kata di depannya berfungsi sebagai kata pewatas, dan menyatakan keadaan saat ini

• 소리 (Nomina) : 사람의 목에서 나는 목소리.
suara
suara yang keluar dari tenggorokan manusia

• 로 : 어떤 일의 방법이나 방식을 나타내는 조사.
dengan
partikel yang menyatakan cara atau tata cara suatu pekerjaan

• 말하다 (Verba) : 어떤 사실이나 자신의 생각 또는 느낌을 말로 나타내다.
mengatakan
menyampaikan sebuah kenyataan, pikiran, atau perasaan diri sendiri lewat kata-kata

• -였- : 어떤 사건이 과거에 완료되었거나 그 사건의 결과가 현재까지 지속되는 상황을 나타내는 어미.
sudah, pasti, yakin
akhiran kalimat yang menyatakan sebuah peristiwa sudah selesai di masa lampau atau menyatakan keadaan di mana hasil peristiwa tersebut terus berlangsung hingga sekarang

• -다 : 어떤 사건이나 사실, 상태를 서술함을 나타내는 종결 어미.
Tiada Penjelasan Arti
akhiran penutup untuk menyatakan suatu peristiwa, kenyataan, dan keadaan

---

아들 : 아빠, 물 좀 갖다주+세요.

• 아빠 (Nomina) : 격식을 갖추지 않아도 되는 상황에서 아버지를 이르거나 부르는 말.
ayah, bapak
panggilan untuk menyebutkan ayah di situasi tidak resmi

• 물 (Nomina) : 강, 호수, 바다, 지하수 등에 있으며 순수한 것은 빛깔, 냄새, 맛이 없고 투명한 액체.
air
cairan yang ada di sungai, danau, laut, bawah tanah, dsb, dan untuk yang murni tidak berwarna, berbau, berasa, dan bening

• 좀 (Adverbia) : 주로 부탁이나 동의를 구할 때 부드러운 느낌을 주기 위해 넣는 말.
Tiada Penjelasan Arti
kata yang biasanya dibubuhkan untuk memberikan kesan halus saat memohon atau meminta persetujuan

• 갖다주다 (Verba) : 무엇을 가지고 와서 주다.
memberi, menyerahkan, menyampaikan, mengantarkan, meneruskan
membawa dan memberikan sesuatu

• -세요 : (두루높임으로) 설명, 의문, 명령, 요청의 뜻을 나타내는 종결 어미.
apakah, silakan
(dalam bentuk hormat) akhiran kalimat penutup yang menyatakan arti penjelasan, pertanyaan, perintah, permintaan, dsb

---

아빠 : 냉장고+에 있+으니까 네+가 <u>꺼내</u>+(어) 먹+어.
꺼내

• 냉장고 (Nomina) : 음식을 상하지 않게 하거나 차갑게 하려고 낮은 온도에서 보관하는 상자 모양의 기계.
lemari es
sebuah benda elektronik berbentuk segi empat yang digunakan untuk menyimpan makanan dalam suhu rendah agar tidak busuk atau untuk mendinginkan

• 에 : 앞말이 어떤 장소나 자리임을 나타내는 조사.
di, pada
partikel yang menyatakan kalimat di depan adalah tempat atau lokasi

• 있다 (Adjektiva) : 무엇이 어떤 곳에 자리나 공간을 차지하고 존재하는 상태이다.
ada
sesuatu dalam keadaan berada dan ada di suatu tempat atau ruang

• -으니까 : 뒤에 오는 말에 대하여 앞에 오는 말이 원인이나 근거, 전제가 됨을 강조하여 나타내는 연결 어미.
karena, sebab, ketika
akhiran penghubung untuk menegaskan bahwa kalimat di depan menjadi alasan, dasar, atau premis dari kalimat di belakang

- 네 (Pronomina) : '너'에 조사 '가'가 붙을 때의 형태.
  kamu, engkau
  bentuk saat partikel subjek '가' melekat pada '너'
  너 (Pronomina) : 듣는 사람이 친구나 아랫사람일 때, 그 사람을 가리키는 말.
  kamu
  kata untuk menunjuk lawan bicara yang merupakan teman atau orang yang lebih muda

- 가 : 어떤 상태나 상황에 놓인 대상이나 동작의 주체를 나타내는 조사.
  Tiada Penjelasan Arti
  partikel yang menyatakan objek dari suatu keadaan atau kondisi atau pelaku dari suatu tindakan

- 꺼내다 (Verba) : 안에 있는 물건을 밖으로 나오게 하다.
  mengeluarkan, menarik, mengambil
  membuat keluar benda yang ada di dalam

- -어 : 앞의 말이 뒤의 말보다 먼저 일어났거나 뒤의 말에 대한 방법이나 수단이 됨을 나타내는 연결 어미.

  setelah, sesudah, selepas, lalu
  akhiran penghubung untuk menyatakan bahwa anak kalimat terjadi lebih dahulu daripada kalimat induk atau menjadi cara atau alat terhadap kalimat induk

- 먹다 (Verba) : 액체로 된 것을 마시다.
  minum
  meminum sesuatu yang berbentuk cairan

- -어 : (두루낮춤으로) 어떤 사실을 서술하거나 물음, 명령, 권유를 나타내는 종결 어미.
  -kah, -lah
  (dalam bentuk rendah) akhiran penutup untuk menyatakan suatu kenyataan atau menandai pertanyaan, perintah, dan ajakan

---

십 분 후

- 십 (Pewatas) : 열의.
  sepuluh, 10
  berjumlah sepuluh

- 분 (Nomina) : 한 시간의 60분의 1을 나타내는 시간의 단위.
  menit
  satuan waktu yang memperlihatkan 1/60 dari satu jam

- 후 (Nomina) : 얼마만큼 시간이 지나간 다음.
setelah, sesudah
setelah beberapa waktu berlalu

아들 : 아빠, 물 좀 갖다주+세요.

- 아빠 (Nomina) : 격식을 갖추지 않아도 되는 상황에서 아버지를 이르거나 부르는 말.
ayah, bapak
panggilan untuk menyebutkan ayah di situasi tidak resmi

- 물 (Nomina) : 강, 호수, 바다, 지하수 등에 있으며 순수한 것은 빛깔, 냄새, 맛이 없고 투명한 액체.
air
cairan yang ada di sungai, danau, laut, bawah tanah, dsb, dan untuk yang murni tidak berwarna, berbau, berasa, dan bening

- 좀 (Adverbia) : 주로 부탁이나 동의를 구할 때 부드러운 느낌을 주기 위해 넣는 말.
Tiada Penjelasan Arti
kata yang biasanya dibubuhkan untuk memberikan kesan halus saat memohon atau meminta persetujuan

- 갖다주다 (Verba) : 무엇을 가지고 와서 주다.
memberi, menyerahkan, menyampaikan, mengantarkan, meneruskan
membawa dan memberikan sesuatu

- -세요 : (두루높임으로) 설명, 의문, 명령, 요청의 뜻을 나타내는 종결 어미.
apakah, silakan
(dalam bentuk hormat) akhiran kalimat penutup yang menyatakan arti penjelasan, pertanyaan, perintah, permintaan, dsb

---

아빠 : 네+가 직접 <u>가+(아)서</u> 마시+라니까.
                    가서

- 네 (Pronomina) : '너'에 조사 '가'가 붙을 때의 형태.
kamu, engkau
bentuk saat partikel subjek '가' melekat pada '너'
너 (Pronomina) : 듣는 사람이 친구나 아랫사람일 때, 그 사람을 가리키는 말.
kamu
kata untuk menunjuk lawan bicara yang merupakan teman atau orang yang lebih muda

- 가 : 어떤 상태나 상황에 놓인 대상이나 동작의 주체를 나타내는 조사.
  Tiada Penjelasan Arti
  partikel yang menyatakan objek dari suatu keadaan atau kondisi atau pelaku dari suatu tindakan

- **직접 (Adverbia)** : 중간에 다른 사람이나 물건 등이 끼어들지 않고 바로.
  langsung
  orang atau benda lain dsb di tengah-tengah tidak mengganggu, langsung

- **가다 (Verba)** : 한 곳에서 다른 곳으로 장소를 이동하다.
  pergi
  bergerak dari satu tempat ke tempat lain

- -아서 : 앞의 말과 뒤의 말이 순차적으로 일어남을 나타내는 연결 어미.
  lalu, kemudian
  kata penutup sambung yang menyatakan kalimat di depan dan kalimat di belakang muncul secara berurutan

- **마시다 (Verba)** : 물 등의 액체를 목구멍으로 넘어가게 하다.
  minum
  mengalirkan cairan seperti air dsb ke tenggorokan

- -라니까 : (아주낮춤으로) 가볍게 꾸짖으면서 반복해서 명령하는 뜻을 나타내는 종결 어미.
  lah
  (dalam bentuk sangat rendah) akhiran penutup untuk memerintah berulang kali secara tegas

---

아빠+의 목소리+는 점점 짜증+이 섞이+면서 톤+이 높아지+[고 있]+었+다.

- **아빠 (Nomina)** : 격식을 갖추지 않아도 되는 상황에서 아버지를 이르거나 부르는 말.
  ayah, bapak
  panggilan untuk menyebutkan ayah di situasi tidak resmi

- 의 : 앞의 말이 뒤의 말에 대하여 소유, 소속, 소재, 관계, 기원, 주체의 관계를 가짐을 나타내는 조사.
  dari, milik
  partikel yang menyatakan perkataan di depan memiliki hubungan kepemilikian, bagian tempat diri bekerja, bahan, hubungan, asal, topik dengan perkataan di belakang

- **목소리 (Nomina)** : 사람의 목구멍에서 나는 소리.
  suara, vokal
  suara yang timbul dari tenggorokan manusia

• 는 : 문장 속에서 어떤 대상이 화제임을 나타내는 조사.
  Tiada Penjelasan Arti
  partikel yang menyatakan suatu objek menjadi topik di dalam kalimat

• 점점 (Adverbia) : 시간이 지남에 따라 정도가 조금씩 더.
  sedikit demi sedikit, lama-kelamaan, semakin, secara bertahap
  ukuran menurut berlalunya waktu sedikit demi sedikit makin

• 짜증 (Nomina) : 마음에 들지 않아서 화를 내거나 싫은 느낌을 겉으로 드러내는 일. 또는 그런 성미.
  kejengkelan, kekesalan, kesebalan
  tindakan memarahi karena tidak berkenan di hati atau menampakkan perasaan tidak suka,
  atau watak yang demikian

• 이 : 어떤 상태나 상황의 대상이나 동작의 주체를 나타내는 조사.
  Tiada Penjelasan Arti
  partikel yang menyatakan objek dari suatu keadaan atau kondisi atau pelaku dari suatu
  tindakan

• 섞이다 (Verba) : 어떤 말이나 행동에 다른 말이나 행동이 함께 나타나다.
  bercampur, menyatu, bercampur aduk
  perkataan atau tindakan lain muncul bersamaan dengan suatu perkataan atau tindakan

• -면서 : 두 가지 이상의 동작이나 상태가 함께 일어남을 나타내는 연결 어미.
  sambil, seraya
  kata penutup sambung yang digunakan saat dua atau lebih tindakan atau keadaan muncul
  bersamaan

• 톤 (Nomina) : 전체적으로 느껴지는 분위기나 말투.
  nada, tekanan suara
  suasana atau cara bicara yang dirasakan secara keseluruhan

• 이 : 어떤 상태나 상황의 대상이나 동작의 주체를 나타내는 조사.
  Tiada Penjelasan Arti
  partikel yang menyatakan objek dari suatu keadaan atau kondisi atau pelaku dari suatu
  tindakan

• 높아지다 (Verba) : 이전보다 더 높은 정도나 수준, 지위에 이르다.
  meninggi, menjadi tinggi
  mencapai standar, tingkat, dan pangkat yang lebih tinggi daripada sebelumnya

• -고 있다 : 앞의 말이 나타내는 행동이 계속 진행됨을 나타내는 표현.
  sedang
  ungkapan yang menyatakan bahwa tindakan yang disebutkan dalam kalimat di depan terus
  berjalan

• -었- : 어떤 사건이 과거에 완료되었거나 그 사건의 결과가 현재까지 지속되는 상황을 나타내는 어미.

   sudah, pasti, yakin

   akhiran kalimat yang menyatakan sebuah peristiwa sudah selesai di masa lampau atau menyatakan keadaan di mana hasil peristiwa tersebut terus berlangsung hingga sekarang

• -다 : 어떤 사건이나 사실, 상태를 서술함을 나타내는 종결 어미.

   Tiada Penjelasan Arti

   akhiran penutup untuk menyatakan suatu peristiwa, kenyataan, dan keadaan

---

그러나 이에 굴하+[지 않]+고 아들+은 또 다시 <u>외치</u>+었+다.
외쳤다

• **그러나 (Adverbia)** : 앞의 내용과 뒤의 내용이 서로 반대될 때 쓰는 말.

   tetapi, akan tetapi

   kata untuk menyambungkan dua kalimat yang isinya saling bertentangan

• **이에 (Adverbia)** : 이러한 내용에 곧.

   sesudah itu, kemudian

   setelah ini

• **굴하다 (Verba)** : 어떤 힘이나 어려움 앞에서 자신의 의지를 굽히다.

   merunduk, tunduk, menunduk

   tunduk pada suatu kekuasaan atau kesulitan

• -지 않다 : 앞의 말이 나타내는 행위나 상태를 부정하는 뜻을 나타내는 표현.

   tidak

   ungkapan yang menyatakan arti menidakkan tindakan atau keadaan dalam kalimat yang disebutkan di depan

• -고 : 앞의 말이 나타내는 행동이나 그 결과가 뒤에 오는 행동이 일어나는 동안에 그대로 지속됨을 나타내는 연결 어미.

   dan, dengan, sambil

   akhiran penghubung yang menyatakan bahwa tindakan atau hasil di kalimat depan terus berjalan selama tindakan di kalimat belakang terjadi.

• **아들 (Nomina)** : 남자인 자식.

   anak laki-laki

   anak laki-laki

• 은 : 문장 속에서 어떤 대상이 화제임을 나타내는 조사.

   Tiada Penjelasan Arti

   partikel yang menyatakan suatu objek menjadi topik di dalam kalimat

• 또 (Adverbia) : 어떤 일이나 행동이 다시.
  lagi
  suatu hal atau tindakan lagi

• 다시 (Adverbia) : 같은 말이나 행동을 반복해서 또.
  lagi, kembali
  mengulang lagi kata atau tindakan yang sama

• 외치다 (Verba) : 큰 소리를 지르다.
  menjerit, berteriak, memekik
  berseru dengan suara keras

• -었- : 어떤 사건이 과거에 완료되었거나 그 사건의 결과가 현재까지 지속되는 상황을 나타내는 어미.
  sudah, pasti, yakin
  akhiran kalimat yang menyatakan sebuah peristiwa sudah selesai di masa lampau atau menyatakan keadaan di mana hasil peristiwa tersebut terus berlangsung hingga sekarang

• -다 : 어떤 사건이나 사실, 상태를 서술함을 나타내는 종결 어미.
  Tiada Penjelasan Arti
  akhiran penutup untuk menyatakan suatu peristiwa, kenyataan, dan keadaan

---

아들 : 아빠, 물 좀 갖다주+세요.

• 아빠 (Nomina) : 격식을 갖추지 않아도 되는 상황에서 아버지를 이르거나 부르는 말.
  ayah, bapak
  panggilan untuk menyebutkan ayah di situasi tidak resmi

• 물 (Nomina) : 강, 호수, 바다, 지하수 등에 있으며 순수한 것은 빛깔, 냄새, 맛이 없고 투명한 액체.
  air
  cairan yang ada di sungai, danau, laut, bawah tanah, dsb, dan untuk yang murni tidak berwarna, berbau, berasa, dan bening

• 좀 (Adverbia) : 주로 부탁이나 동의를 구할 때 부드러운 느낌을 주기 위해 넣는 말.
  Tiada Penjelasan Arti
  kata yang biasanya dibubuhkan untuk memberikan kesan halus saat memohon atau meminta persetujuan

• 갖다주다 (Verba) : 무엇을 가지고 와서 주다.
  memberi, menyerahkan, menyampaikan, mengantarkan, meneruskan
  membawa dan memberikan sesuatu

• -세요 : (두루높임으로) 설명, 의문, 명령, 요청의 뜻을 나타내는 종결 어미.

   apakah, silakan

(dalam bentuk hormat) akhiran kalimat penutup yang menyatakan arti penjelasan, pertanyaan, perintah, permintaan, dsb

---

> **아빠** : 네+가 갖+다 먹+으라고.

• **네 (Pronomina)** : '너'에 조사 '가'가 붙을 때의 형태.

   kamu, engkau

bentuk saat partikel subjek '가' melekat pada '너'

   너 (Pronomina) : 듣는 사람이 친구나 아랫사람일 때, 그 사람을 가리키는 말.

   kamu

kata untuk menunjuk lawan bicara yang merupakan teman atau orang yang lebih muda

• **가** : 어떤 상태나 상황에 놓인 대상이나 동작의 주체를 나타내는 조사.

   Tiada Penjelasan Arti

partikel yang menyatakan objek dari suatu keadaan atau kondisi atau pelaku dari suatu tindakan

• **갖다 (Verba)** : 무엇을 손에 쥐거나 몸에 지니다.

   memiliki, ada

membuat sesuatu ada di tangan atau tubuh dsb

• **-다** : 어떤 행동이 진행되는 중에 다른 행동이 나타남을 나타내는 연결 어미.

   ketika

akhiran penghubung yang menunjukkan munculnya sebuah kejadian ketika kejadian lain yang masih berjalan

• **먹다 (Verba)** : 액체로 된 것을 마시다.

   minum

meminum sesuatu yang berbentuk cairan

• **-으라고** : (두루낮춤으로) 말하는 사람의 생각이나 주장을 듣는 사람에게 강조하여 말함을 나타내는 종결 어미.

   -lah

(dalam bentuk rendah) akhiran penutup untuk menyatakan penekanan pikiran atau pendapat pembicara kepada pendengar

---

> **아빠** : 한 번+만 더 부르+면 혼내+[(어) 주]+러 가+ㄴ다.
>   혼내 주러   간다

• **한 (Pewatas)** : 하나의.
satu
satu

• **번 (Nomina)** : 일의 횟수를 세는 단위.
kali
kata untuk menunjukkan banyaknya jumlah berulangnya suatu hal

• **만** : 앞의 말이 어떤 것에 대한 조건임을 나타내는 조사.
hanya
partikel yang menyatakan bahwa kalimat di depan adalah syarat sesuatu

• **더 (Adverbia)** : 보태어 계속해서.
lagi
terus menerus ditambahkan

• **부르다 (Verba)** : 말이나 행동으로 다른 사람을 오라고 하거나 주의를 끌다.
memanggil
menyuruh orang lain datang atau menarik perhatian dengan kata-kata atau perbuatan

• **-면** : 뒤에 오는 말에 대한 근거나 조건이 됨을 나타내는 연결 어미.
kalau, seandainya, apabila
akhiran penghubung untuk menyatakan menjadi landasan atau syarat terhadap kalimat
induk

• **혼내다 (Verba)** : 심하게 꾸지람을 하거나 벌을 주다.
memarahi, membentak, menghukum
membentak dengan serius atau memberi hukuman kepada seseorang

• **-어 주다** : 남을 위해 앞의 말이 나타내는 행동을 함을 나타내는 표현.
membantu, menolong
ungkapan yang menyatakan melakukan tindakan yang disebutkan dalam kalimat di depan
untuk orang lain

• **-러** : 가거나 오거나 하는 동작의 목적을 나타내는 연결 어미.
untuk
kata penutup sambung yang menyatakan tujuan dari tindakan pergi atau datang

• **가다 (Verba)** : 어떤 목적을 가지고 일정한 곳으로 움직이다.
pergi
memiliki tujuan kemudian bergerak ke tempat tertentu

- -ㄴ다 : (아주낮춤으로) 현재 사건이나 사실을 서술함을 나타내는 종결 어미.
  Tiada Penjelasan Arti
  (dalam bentuk sangat rendah) kata penutup final yang menyatakan pernyataan kejadian atau keadaan masa kini

---

아빠+는 이제 단단히 화+가 나+시+었+다.
나셨다

- **아빠 (Nomina)** : 격식을 갖추지 않아도 되는 상황에서 아버지를 이르거나 부르는 말.
  ayah, bapak
  panggilan untuk menyebutkan ayah di situasi tidak resmi

- 는 : 문장 속에서 어떤 대상이 화제임을 나타내는 조사.
  Tiada Penjelasan Arti
  partikel yang menyatakan suatu objek menjadi topik di dalam kalimat

- **이제 (Adverbia)** : 말하고 있는 바로 이때에.
  sekarang, baru saat ini
  tepat saat yang dibicarakan

- **단단히 (Adverbia)** : 보통보다 더 심하게.
  dengan kuat, dengan parah, dengan serius
  dengan serius/parah/kuat daripada biasa

- **화 (Nomina)** : 몹시 못마땅하거나 노여워하는 감정.
  marah, gusar, berang
  prasan sangat tidak berkenan di hati atau marah

- 가 : 어떤 상태나 상황에 놓인 대상이나 동작의 주체를 나타내는 조사.
  Tiada Penjelasan Arti
  partikel yang menyatakan objek dari suatu keadaan atau kondisi atau pelaku dari suatu tindakan

- **나다 (Verba)** : 어떤 감정이나 느낌이 생기다.
  muncul, timbul
  munculnya suatu emosi atau perasaan

- -시- : 높이고자 하는 인물과 관계된 소유물이나 신체의 일부가 문장의 주어일 때 그 인물을 높이는 뜻을 나타내는 어미.
  Tiada Penjelasan Arti
  akhiran kalimat yang menyatakan arti meninggikan benda milik atau bagian tubuh orang yang hendak ditinggikan jika menjadi subjek atau topik

- -었- : 어떤 사건이 과거에 완료되었거나 그 사건의 결과가 현재까지 지속되는 상황을 나타내는 어미.

  sudah, pasti, yakin

  akhiran kalimat yang menyatakan sebuah peristiwa sudah selesai di masa lampau atau menyatakan keadaan di mana hasil peristiwa tersebut terus berlangsung hingga sekarang

- -다 : 어떤 사건이나 사실, 상태를 서술함을 나타내는 종결 어미.

  Tiada Penjelasan Arti

  akhiran penutup untuk menyatakan suatu peristiwa, kenyataan, dan keadaan

---

하지만 아들+은 <u>지치</u>+[ㄹ 줄] 모르+고 다시 십 분 후+에 이렇+게 <u>말하</u>+였+다.
지칠 줄   말했다

- 하지만 (Adverbia) : 내용이 서로 반대인 두 개의 문장을 이어 줄 때 쓰는 말.

  tetapi

  kata yang digunakan untuk menyambung dua kalimat yang isinya saling bertentangan

- 아들 (Nomina) : 남자인 자식.

  anak laki-laki

  anak laki-laki

- 은 : 문장 속에서 어떤 대상이 화제임을 나타내는 조사.

  Tiada Penjelasan Arti

  partikel yang menyatakan suatu objek menjadi topik di dalam kalimat

- 지치다 (Verba) : 힘든 일을 하거나 어떤 일에 시달려서 힘이 없다.

  melelahkan

  tidak ada kekuatan karena melakukan pekerjaan melelahkan atau terganggu oleh suatu hal

- -ㄹ 줄 : 어떤 사실이나 상태에 대해 알고 있거나 모르고 있음을 나타내는 표현.

  bahwa

  ungkapan untuk menyatakan mengetahui atau tidak mengetahui suatu kenyataan atau keadaan

- 모르다 (Verba) : 느끼지 않다.

  tidak kenal

  tidak merasakan

- -고 : 앞의 말이 나타내는 행동이나 그 결과가 뒤에 오는 행동이 일어나는 동안에 그대로 지속됨을 나타내는 연결 어미.

  dan, dengan, sambil

  akhiran penghubung yang menyatakan bahwa tindakan atau hasil di kalimat depan terus berjalan selama tindakan di kalimat belakang terjadi.

• 다시 (Adverbia) : 같은 말이나 행동을 반복해서 또.
  lagi, kembali
  mengulang lagi kata atau tindakan yang sama

• 십 (Pewatas) : 열의.
  sepuluh, 10
  berjumlah sepuluh

• 분 (Nomina) : 한 시간의 60분의 1을 나타내는 시간의 단위.
  menit
  satuan waktu yang memperlihatkan 1/60 dari satu jam

• 후 (Nomina) : 얼마만큼 시간이 지나간 다음.
  setelah, sesudah
  setelah beberapa waktu berlalu

• 에 : 앞말이 시간이나 때임을 나타내는 조사.
  pada
  partikel yang menyatakan kalimat di depan adalah waktu atau saat

• 이렇다 (Adjektiva) : 상태, 모양, 성질 등이 이와 같다.
  demikian, begitu, begini
  keadaan, bentuk, karakter, dsb sama dengan ini

• -게 : 앞의 말이 뒤에서 가리키는 일의 목적이나 결과, 방식, 정도 등이 됨을 나타내는 연결 어미.
  dengan
  kata penutup sambung yang menyatakan isi kalimat di depan dibutuhkan sementara kalimat
  di belakang terus dilanjutkan(formal, kedudukan penerima sangat rendah)

• 말하다 (Verba) : 어떤 사실이나 자신의 생각 또는 느낌을 말로 나타내다.
  mengatakan
  menyampaikan sebuah kenyataan, pikiran, atau perasaan diri sendiri lewat kata-kata

• -였- : 어떤 사건이 과거에 완료되었거나 그 사건의 결과가 현재까지 지속되는 상황을 나타내는 어미.
  sudah, pasti, yakin
  akhiran kalimat yang menyatakan sebuah peristiwa sudah selesai di masa lampau atau
  menyatakan keadaan di mana hasil peristiwa tersebut terus berlangsung hingga sekarang

• -다 : 어떤 사건이나 사실, 상태를 서술함을 나타내는 종결 어미.
  Tiada Penjelasan Arti
  akhiran penutup untuk menyatakan suatu peristiwa, kenyataan, dan keadaan

---

아들 : 아빠, 저 혼내+러 오+시+[ㄹ 때] 물 좀 갖다주+세요.
                        오실 때

• **아빠** (Nomina) : 격식을 갖추지 않아도 되는 상황에서 아버지를 이르거나 부르는 말.

  ayah, bapak

panggilan untuk menyebutkan ayah di situasi tidak resmi

• **저** (Pronomina) : 말하는 사람이 듣는 사람에게 자신을 낮추어 가리키는 말.

  saya

kata yang digunakan oleh pembicara untuk menunjuk dirinya sendiri sambil merendahkan diri

• **혼내다** (Verba) : 심하게 꾸지람을 하거나 벌을 주다.

  memarahi, membentak, menghukum

membentak dengan serius atau memberi hukuman kepada seseorang

• **-러** : 가거나 오거나 하는 동작의 목적을 나타내는 연결 어미.

  untuk

kata penutup sambung yang menyatakan tujuan dari tindakan pergi atau datang

• **오다** (Verba) : 무엇이 다른 곳에서 이곳으로 움직이다.

  datang,kemari, ke sini

sesuatu bergerak dari tempat lain ke sini

• **-시-** : 어떤 동작이나 상태의 주체를 높이는 뜻을 나타내는 어미.

  Tiada Penjelasan Arti

akhiran kalimat yang menyatakan arti meninggikan subjek atau topik suatu tindakan atau keadaan

• **-ㄹ 때** : 어떤 행동이나 상황이 일어나는 동안이나 그 시기 또는 그러한 일이 일어난 경우를 나타내는 표현.

  ketika, waktu, saat

ungkapan yang menunjukkan hal selama atau sewaktu suatu tindakan atau kondisi berlangsung, atau saat hal yang demikian terjadi

• **물** (Nomina) : 강, 호수, 바다, 지하수 등에 있으며 순수한 것은 빛깔, 냄새, 맛이 없고 투명한 액체.

  air

cairan yang ada di sungai, danau, laut, bawah tanah, dsb, dan untuk yang murni tidak berwarna, berbau, berasa, dan bening

• **좀** (Adverbia) : 주로 부탁이나 동의를 구할 때 부드러운 느낌을 주기 위해 넣는 말.

  Tiada Penjelasan Arti

kata yang biasanya dibubuhkan untuk memberikan kesan halus saat memohon atau meminta persetujuan

• **갖다주다** (Verba) : 무엇을 가지고 와서 주다.

  memberi, menyerahkan, menyampaikan, mengantarkan, meneruskan

membawa dan memberikan sesuatu

- -세요 : (두루높임으로) 설명, 의문, 명령, 요청의 뜻을 나타내는 종결 어미.
  apakah, silakan
  (dalam bentuk hormat) akhiran kalimat penutup yang menyatakan arti penjelasan, pertanyaan, perintah, permintaan, dsb

< 5 단원(bagian) >

제목 : 이해가 안 가네요.

● 본문 (tulisan utama)

화창한 오후, 앞을 못 보는 시각 장애인이 자신을 안전하게 인도해 줄 개와 함께 지하철역으로 향하고

있었다.

그런데 한참 길을 걷다가 개가 한쪽 다리를 들더니 맹인의 바지에 오줌을 싸는 것이었다.

그러자 그 맹인이 갑자기 주머니에서 과자를 꺼내더니 개에게 주려고 했다.

이때 지나가던 행인이 그 광경을 지켜보다 맹인에게 한마디 했다.

행인 : 저기요, 선생님 잠깐만요.

맹인 : 무슨 일이시죠?

행인 : 아니, 방금 개가 당신 바지에 오줌을 쌌는데 왜 과자를 줍니까?

　　　 저 같으면 개 머리를 한 대 때렸을 텐데 이해가 안 가네요.

맹인 : 개한테 과자를 줘야 머리가 어디 있는지 알 수 있잖아요.

● 발음 (pelafalan)

화창한 오후, 앞을 못 보는 시각 장애인이 자신을 안전하게 인도해 줄 개와 함께 지하철역으로 향하고
화창한 오후, 아플 몯 보는 시각 장애이니 자시늘 안전하게 인도해 줄 개와 함께 지하철려그로 향하고
hwachanghan ohu, apeul mot boneun sigak jangaeini jasineul anjeonhage indohae jul gaewa
hamkke jihacheollyeogeuro hyanghago

있었다.
이썯따.
isseotda.

그런데 한참 길을 걷다가 개가 한쪽 다리를 들더니 맹인의 바지에 오줌을 싸는 것이었다.
그런데 한참 기를 걷따가 개가 한쪽 다리를 들더니 맹이늬 바지에 오주믈 싸는 거시얻따.
geureonde hancham gireul geotdaga gaega hanjjok darireul deuldeoni maenginui bajie ojumeul
ssaneun geosieotda.

그러자 그 맹인이 갑자기 주머니에서 과자를 꺼내더니 개에게 주려고 했다.
그러자 그 맹이니 갑짜기 주머니에서 과자를 꺼내더니 개에게 주려고 핻따.
geureoja geu maengini gapjagi jumeonieseo gwajareul kkeonaedeoni gaeege juryeogo haetda.

이때 지나가던 행인이 그 광경을 지켜보다 맹인에게 한마디 했다.
이때 지나가던 행이니 그 광경을 지켜보다 맹이네게 한마디 핻따.
ittae jinagadeon haengini geu gwanggyeongeul jikyeoboda maenginege hanmadi haetda.

행인 : 저기요, 선생님 잠깐만요.
행인 : 저기요, 선생님 잠깐마뇨.
haengin : jeogiyo, seonsaengnim jamkkanmanyo.

맹인 : 무슨 일이시죠?
맹인 : 무슨 이리시죠?
maengin : museun irisijyo?

행인 : 아니, 방금 개가 당신 바지에 오줌을 쌌는데 왜 과자를 줍니까?
행인 : 아니, 방금 개가 당신 바지에 오주믈 싼는데 왜 과자를 줍니까?
haengin : ani, banggeum gaega dangsin bajie ojumeul ssanneunde wae gwajareul jumnikka?

저 같으면 개 머리를 한 대 때렸을 텐데 이해가 안 가네요.

저 가트면 개 머리를 한 대 때려쓸 텐데 이해가 안 가네요.

jeo gateumyeon gae meorireul han dae ttaeryeosseul tende ihaega an ganeyo.

맹인 : 개한테 과자를 줘야 머리가 어디 있는지 알 수 있잖아요.

맹인 : 개한테 과자를 줘야 머리가 어디 인는지 알 쑤 읻짜나요.

maengin : gaehante gwajareul jwoya meoriga eodi inneunji al su itjanayo.

● 어휘 (kosa kata) / 문법 (pelajaran tata bahasa)

화창하+ㄴ 오후, 앞+을 못 보+는 시각 장애인+이 자신+을 안전하+게 인도하+<u>여 주</u>+ㄹ 개+와 함께

지하철역+으로 향하+<u>고 있</u>+었+다.

그런데 한참 길+을 걷+다가 개+가 한쪽 다리+를 들+더니 맹인+의 바지+에 오줌+을 싸+<u>는 것</u>+이+었+다.

그리하+자 그 맹인+이 갑자기 주머니+에서 과자+를 꺼내+더니 개+에게 주+<u>려고 하</u>+였+다.

이때 지나가+던 행인+이 그 광경+을 지켜보+다 맹인+에게 한마디 하+였+다.

행인 : 저기, 선생님 잠깐+만+요.

맹인 : 무슨 일+이+시+죠?

행인 : 아니, 방금 개+가 선생님 바지+에 오줌+을 싸+았+는데 왜 과자+를 주+ㅂ니까?

　　　　저 같+으면 개 머리+를 한 대 때리+었+<u>을 텐데</u> 이해+가 안 가+네요.

맹인 : 개+한테 과자+를 주+어야 머리+가 어디 있+는지 알(아)+<u>ㄹ 수 있</u>+잖아요.

화창하+ㄴ 오후, 앞+을 못 보+는 시각 장애인+이 자신+을 안전하+게 <u>인도하+[여 주]</u>+ㄹ 개+와 함께
　　화창한　　　　　　　　　　　　　　　　　　　　　　　　　　인도해 줄

지하철역+으로 향하+[고 있]+었+다.

・**화창하다 (Adjektiva)** : 날씨가 맑고 따뜻하며 바람이 부드럽다.
cerah
cuacanya cerah dan hangat dengan tiupan angin lembut

・**-ㄴ** : 앞의 말이 관형어의 기능을 하게 만들고 현재의 상태를 나타내는 어미.
yang
akhiran yang membuat kata di depannya berfungsi sebagai kata pewatas, dan menyatakan keadaan saat ini

・**오후 (Nomina)** : 정오부터 해가 질 때까지의 동안.
siang hari, sore hari
masa sejak pukul 12 siang hingga matahari terbenam

・**앞 (Nomina)** : 향하고 있는 쪽이나 곳.
depan
tempat atau sisi yang dituju

・**을** : 동작이 직접적으로 영향을 미치는 대상을 나타내는 조사.
Tiada Penjelasan Arti
partikel yang menyatakan objek dari suatu gerakan yang secara langsung memberikan pengaruh

・**못 (Adverbia)** : 동사가 나타내는 동작을 할 수 없게.
tidak bisa, tidak mampu
tidak bisa melakukan suatu tindakan yang muncul di kata kerja

・**보다 (Verba)** : 눈으로 대상의 존재나 겉모습을 알다.
melihat
mengetahui keberadaan atau penampilan sesuatu dengan mata

・**-는** : 앞의 말이 관형어의 기능을 하게 만들고 사건이나 동작이 현재 일어남을 나타내는 어미.
yang
akhiran untuk membuat kata di depannya berfungsi sebagai pewatas dan menyatakan kejadian atau tindakan terjadi sekarang

• **시각 장애인 (Nomina)** : 눈이 멀어서 앞을 보지 못하는 사람.

tuna netra

orang yang matanya buta sehingga tidak dapat melihat apa pun

시각 (Nomina) : 물체의 모양이나 움직임, 빛깔 등을 보는 눈의 감각.

penglihatan

indera mata yang melihat bentuk atau pergerakan, cahaya, dsb dari objek/benda

장애인 (Nomina) : 몸에 장애가 있거나 정신적으로 부족한 점이 있어 일상생활이나 사회생활이 어려운 사람.

penyandang cacat

orang yang memiliki ketidaknyamanan dalam menjalankan kesehariannya dikarenakan fungsi fisik atau mentalnya bermasalah

• **이** : 어떤 상태나 상황의 대상이나 동작의 주체를 나타내는 조사.

Tiada Penjelasan Arti

partikel yang menyatakan objek dari suatu keadaan atau kondisi atau pelaku dari suatu tindakan

• **자신 (Nomina)** : 바로 그 사람.

diri sendiri

orang tersebut, orang itu

• **을** : 동작이 간접적인 영향을 미치는 대상이나 목적임을 나타내는 조사.

Tiada Penjelasan Arti

partikel yang menyatakan objek atau tujuan dari suatu gerakan yang secara tidak langsung memberikan pengaruh

• **안전하다 (Adjektiva)** : 위험이 생기거나 사고가 날 염려가 없다.

aman

tidak ada kemungkinan timbulnya bahaya atau kecelakaan

• **-게** : 앞의 말이 뒤에서 가리키는 일의 목적이나 결과, 방식, 정도 등이 됨을 나타내는 연결 어미.

dengan

kata penutup sambung yang menyatakan isi kalimat di depan dibutuhkan sementara kalimat di belakang terus dilanjutkan(formal, kedudukan penerima sangat rendah)

• **인도하다 (Verba)** : 길이나 장소를 안내하다.

menunjukkan, menjelaskan, memberitahukan

memberi tahu jalan atau tempat

• **-여 주다** : 남을 위해 앞의 말이 나타내는 행동을 함을 나타내는 표현.

memberi

ungkapan yang menyatakan melakukan tindakan yang disebutkan dalam kalimat di depan untuk orang lain

• -ㄹ : 앞의 말이 관형어의 기능을 하게 만들고 추측, 예정, 의지, 가능성 등을 나타내는 어미.

yang

akhiran kalimat yang membuat kata di depannya berfungsi sebagai adnominal (kata penghias) dan menyatakan perkiraan, rencana, maksud, kemungkinan, dsb

• 개 (Nomina) : 냄새를 잘 맡고 귀가 매우 밝으며 영리하고 사람을 잘 따라 사냥이나 애완 등의 목적으로 기르는 동물.

anjing

binatang yang pandai mencium bau dan bertelinga sangat peka, pandai, menurut pada orang, diburu atau dijadikan hewan peliharaan

• 와 : 어떤 일을 함께 하는 대상임을 나타내는 조사.

dengan

partikel yang menyatakan rekan bersama melakukan suatu pekerjaan

• 함께 (Adverbia) : 여럿이서 한꺼번에 같이.

bersama, bersama-sama, bareng-bareng

beberapa bersama-sama dalam satu kali

• 지하철역 (Nomina) : 지하철을 타고 내리는 곳.

stasiun kereta bawah tanah

tempat untuk naik dan turun kereta bawah tanah

• 으로 : 움직임의 방향을 나타내는 조사.

ke

partikel yang menyatakan arah gerakan

• 향하다 (Verba) : 어떤 목적이나 목표로 나아가다.

mengarah, menuju

maju ke suatu tujuan atau target

• -고 있다 : 앞의 말이 나타내는 행동이 계속 진행됨을 나타내는 표현.

sedang

ungkapan yang menyatakan bahwa tindakan yang disebutkan dalam kalimat di depan terus berjalan

• -었- : 사건이 과거에 일어났음을 나타내는 어미.

sudah, pasti, yakin

akhiran kalimat yang menyatakan peristiwa terjadi di masa lampau

• -다 : 어떤 사건이나 사실, 상태를 서술함을 나타내는 종결 어미.

Tiada Penjelasan Arti

akhiran penutup untuk menyatakan suatu peristiwa, kenyataan, dan keadaan

그런데 한참 길+을 걷+다가 개+가 한쪽 다리+를 들+더니 맹인+의 바지+에 오줌+을

싸+[는 것]+이+었+다.

• 그런데 (Adverbia) : 이야기를 앞의 내용과 관련시키면서 다른 방향으로 바꿀 때 쓰는 말.
  tetapi
  kata yang digunakan untuk mengganti cerita ke arah lain sambil mengaitkan dengan isi cerita sebelumnya

• 한참 (Nomina) : 시간이 꽤 지나는 동안.
  sekian lama
  selama waktu yang telah berlalu

• 길 (Nomina) : 사람이나 차 등이 지나다닐 수 있게 땅 위에 일정한 너비로 길게 이어져 있는 공간.
  jalan
  ruang yang berwujud panjang dengan lebar tertentu di atas tanah agar dapat dilalui oleh orang, mobil, dsb

• 을 : 동작이 직접적으로 영향을 미치는 대상을 나타내는 조사.
  Tiada Penjelasan Arti
  partikel yang menyatakan objek dari suatu gerakan yang secara langsung memberikan pengaruh

• 걷다 (Verba) : 바닥에서 발을 번갈아 떼어 옮기면서 움직여 위치를 옮기다.
  jalan
  ruang yang berwujud panjang dengan lebar tertentu di atas tanah agar dapat dilalui oleh orang, mobil, dsb

• -다가 : 어떤 행동이나 상태 등이 중단되고 다른 행동이나 상태로 바뀜을 나타내는 연결 어미.
  lalu, kemudian
  akhiran penghubung untuk menyatakan bahwa suatu tindakan atau keadaan dsb terhenti dan diubah menjadi tindakan atau keadaan lain

• 개 (Nomina) : 냄새를 잘 맡고 귀가 매우 밝으며 영리하고 사람을 잘 따라 사냥이나 애완 등의 목적으로 기르는 동물.
  anjing
  binatang yang pandai mencium bau dan bertelinga sangat peka, pandai, menurut pada orang, diburu atau dijadikan hewan peliharaan

• 가 : 어떤 상태나 상황에 놓인 대상이나 동작의 주체를 나타내는 조사.
  Tiada Penjelasan Arti
  partikel yang menyatakan objek dari suatu keadaan atau kondisi atau pelaku dari suatu tindakan

• **한쪽 (Nomina)** : 어느 한 부분이나 방향.
 satu sisi, sebelah
 satu bagian atau arah sesuatu

• **다리 (Nomina)** : 사람이나 동물의 몸통 아래에 붙어, 서고 걷고 뛰는 일을 하는 신체 부위.
 kaki
 bagian tubuh yang menempel di bagian bawah badan manusia atau binatang, untuk melakukan pekerjaan seperti berdiri, berjalan, berlari

• **를** : 동작이 직접적으로 영향을 미치는 대상을 나타내는 조사.
 Tiada Penjelasan Arti
 partikel yang menyatakan objek dari suatu gerakan yang secara langsung memberikan pengaruh

• **들다 (Verba)** : 아래에 있는 것을 위로 올리다.
 mengangkat
 menaikkan, menempatkan sesuatu yang ada di bawah ke atas

• **-더니** : 과거의 사실이나 상황에 뒤이어 어떤 사실이나 상황이 일어남을 나타내는 연결 어미.
 karena, sebab
 akhiran kalimat penyambung yang menyatakan bahwa suatu kenyataan atau keadaan muncul menyusul sebuah kenyataan atau keadaan di masa lalu

• **맹인 (Nomina)** : 눈이 먼 사람.
 tunanetra
 orang buta

• **의** : 앞의 말이 뒤의 말에 대하여 소유, 소속, 소재, 관계, 기원, 주체의 관계를 가짐을 나타내는 조사.
 dari, milik
 partikel yang menyatakan perkataan di depan memiliki hubungan kepemilikian, bagian tempat diri bekerja, bahan, hubungan, asal, topik dengan perkataan di belakang

• **바지 (Nomina)** : 위는 통으로 되고 아래는 두 다리를 넣을 수 있게 갈라진, 몸의 아랫부분에 입는 옷.
 celana
 pakaian yang dikenakan di bagian bawah tubuh, dengan bentuk tong di bagian atas, dan di bagian bawahnya terbelah untuk bisa dimasukkan kedua kaki

• **에** : 앞말이 어떤 행위나 작용이 미치는 대상임을 나타내는 조사.
 ke, kepada, pada
 partikel yang menyatakan kalimat di depan adalah objek dari efek suatu tindakan berpengaruh

• 오줌 (Nomina) : 혈액 속의 노폐물과 수분이 요도를 통하여 몸 밖으로 배출되는, 누렇고 지린내가 나는
　　　　　　 액체.
urin, air kencing, air seni
cairan yang berwarna kuning dan mengeluarkan bau urin di mana kotoran dalam darah
dan kelembaban dikeluarkan dari tubuh melalui uretra atau saluran kencing

• 을 : 동작이 직접적으로 영향을 미치는 대상을 나타내는 조사.
Tiada Penjelasan Arti
partikel yang menyatakan objek dari suatu gerakan yang secara langsung memberikan
pengaruh

• 싸다 (Verba) : 똥이나 오줌을 누다.
buang air
buang air tinja atau urin

• -는 것 : 명사가 아닌 것을 문장에서 명사처럼 쓰이게 하거나 '이다' 앞에 쓰일 수 있게 할 때 쓰는 표
　　　　 현.
yang
ungkapan yang dapat membuat suatu kelas kata bisa digunakan sebagai kata benda dalam
kalimat dan berfungsi sebagai subjek atau objek, atau dapat membuat suatu kelas kata bisa
digunakan di depan '이다'

• 이다 : 주어가 지시하는 대상의 속성이나 부류를 지정하는 뜻을 나타내는 서술격 조사.
adalah
partikel kasus predikatif yang menyatakan maksud menentukan karakter atau jenis dari
objek yang diindikasikan subjek

• -었- : 사건이 과거에 일어났음을 나타내는 어미.
sudah, pasti, yakin
akhiran kalimat yang menyatakan peristiwa terjadi di masa lampau

• -다 : 어떤 사건이나 사실, 상태를 서술함을 나타내는 종결 어미.
Tiada Penjelasan Arti
akhiran penutup untuk menyatakan suatu peristiwa, kenyataan, dan keadaan

---

그리하+자 그 맹인+이 갑자기 주머니+에서 과자+를 꺼내+더니 개+에게 주+[려고 하]+였+다.
그러자　　　　　　　　　　　　　　　　　　　　　　　　　주려고 했다

• 그러하다 (Adjektiva) : 앞에서 일어난 일이나 말한 것과 같이 그렇게 하다.
seperti itu, begitu
melakukan seperti apa yang terjadi atau dikatakan sebelumnya

• -자 : 앞의 말이 나타내는 동작이 끝난 뒤 곧 뒤의 말이 나타내는 동작이 잇따라 일어남을 나타내는 연결 어미.

ketika

akhiran penghubung untuk menyatakan tindakan di kalimat induk segera terjadi setelah tindakan di anak kalimat selesai.

• 그 (Pewatas) : 앞에서 이미 이야기한 대상을 가리킬 때 쓰는 말.

itu

kata yang digunakan saat menunjuk sesuatu yang sudah diceritakan di depan

• **맹인 (Nomina)** : 눈이 먼 사람.

tunanetra

orang buta

• 이 : 어떤 상태나 상황의 대상이나 동작의 주체를 나타내는 조사.

Tiada Penjelasan Arti

partikel yang menyatakan objek dari suatu keadaan atau kondisi atau pelaku dari suatu tindakan

• **갑자기 (Adverbia)** : 미처 생각할 틈도 없이 빨리.

tiba-tiba

tanpa ada waktu untuk berpikir, sangat cepat di luar dugaan

• **주머니 (Nomina)** : 옷에 천 등을 덧대어 돈이나 물건 등을 넣을 수 있도록 만든 부분.

kantong, kantung

bagian pada pakaian yang terbuat dari kain dsb yang ditambahkan agar dapat menaruh uang atau barang dsb

• 에서 : 앞말이 어떤 일의 출처임을 나타내는 조사.

Tiada Penjelasan Arti

partikel yang menyatakan bahwa kata di depannya adalah sumber sebuah peristiwa

• **과자 (Nomina)** : 밀가루나 쌀가루 등에 우유, 설탕 등을 넣고 반죽하여 굽거나 튀긴 간식.

penganan, cemilan

makanan ringan yang biasanya terbuat dari tepung gandum, tepung beras, susu, dan lain-lain

• 를 : 동작이 직접적으로 영향을 미치는 대상을 나타내는 조사.

Tiada Penjelasan Arti

partikel yang menyatakan objek dari suatu gerakan yang secara langsung memberikan pengaruh

• **꺼내다 (Verba)** : 안에 있는 물건을 밖으로 나오게 하다.

mengeluarkan, menarik, mengambil

membuat keluar benda yang ada di dalam

• -더니 : 과거의 사실이나 상황에 뒤이어 어떤 사실이나 상황이 일어남을 나타내는 연결 어미.

karena, sebab

akhiran kalimat penyambung yang menyatakan bahwa suatu kenyataan atau keadaan muncul menyusul sebuah kenyataan atau keadaan di masa lalu

• 개 (Nomina) : 냄새를 잘 맡고 귀가 매우 밝으며 영리하고 사람을 잘 따라 사냥이나 애완 등의 목적으로 기르는 동물.

anjing

binatang yang pandai mencium bau dan bertelinga sangat peka, pandai, menurut pada orang, diburu atau dijadikan hewan peliharaan

• 에게 : 어떤 행동이 미치는 대상임을 나타내는 조사.

Tiada Penjelasan Arti

partikel yang menyatakan sesuatu yang mendapat pengaruh dari sebuah tindakan

• 주다 (Verba) : 물건 등을 남에게 건네어 가지거나 쓰게 하다.

kasih, memberi

mengeluarkan barang dsb untuk orang lain kemudian membuat menjadi memiliki atau menggunakannya

• -려고 하다 : 앞의 말이 나타내는 일이 곧 일어날 것 같거나 시작될 것임을 나타내는 표현.

akan, bakalan

ungkapan yang menyatakan bahwa peristiwa dalam kalimat yang disebutkan di depan sepertinya akan segera terjadi atau dimulai

• -였- : 사건이 과거에 일어났음을 나타내는 어미.

sudah, pasti, yakin

akhiran kalimat yang menyatakan peristiwa terjadi di masa lampau

• -다 : 어떤 사건이나 사실, 상태를 서술함을 나타내는 종결 어미.

Tiada Penjelasan Arti

akhiran penutup untuk menyatakan suatu peristiwa, kenyataan, dan keadaan

---

이때 지나가+던 행인+이 그 광경+을 지켜보+다 맹인+에게 한마디 <u>하+였+다</u>.
했다

• 이때 (Nomina) : 바로 지금. 또는 바로 앞에서 이야기한 때.

sekarang, kini, saat itu

sekarang juga, atau saat yang disebutkan di depan

• 지나가다 (Verba) : 어떤 대상의 주위를 지나쳐 가다.

melewati, lewat, melalui, melintasi

melewati sekitar suatu target

• -던 : 앞의 말이 관형어의 기능을 하게 만들고 사건이나 동작이 과거에 완료되지 않고 중단되었음을 나
　　타내는 어미.
yang
akhiran yang membuat kata di depannya berfungsi sebagai pewatas dan menyatakan suatu
peristiwa atau tindakan tidak diselesaikan tetapi dihentikan di masa lampau.

• **행인 (Nomina)** : 길을 가는 사람.
pejalan kaki
orang yang berjalan

• 이 : 어떤 상태나 상황의 대상이나 동작의 주체를 나타내는 조사.
Tiada Penjelasan Arti
partikel yang menyatakan objek dari suatu keadaan atau kondisi atau pelaku dari suatu
tindakan

• **그 (Pewatas)** : 앞에서 이미 이야기한 대상을 가리킬 때 쓰는 말.
itu
kata yang digunakan saat menunjuk sesuatu yang sudah diceritakan di depan

• **광경 (Nomina)** : 어떤 일이나 현상이 벌어지는 장면 또는 모양.
pemandangan, adegan
sebuah pemandangan atau kejadian di mana sebuah peristiwa atau fenomena terjadi

• 을 : 동작이 직접적으로 영향을 미치는 대상을 나타내는 조사.
Tiada Penjelasan Arti
partikel yang menyatakan objek dari suatu gerakan yang secara langsung memberikan
pengaruh

• **지켜보다 (Verba)** : 사물이나 모습 등을 주의를 기울여 보다.
mengamati, meneliti, memperhatikan
melihat sekeliling benda, penampilan, dsb

• -다 : 어떤 행동이 진행되는 중에 다른 행동이 나타남을 나타내는 연결 어미.
ketika
akhiran penghubung yang menunjukkan munculnya sebuah kejadian ketika kejadian lain
yang masih berjalan

• **맹인 (Nomina)** : 눈이 먼 사람.
tunanetra
orang buta

• 에게 : 어떤 행동이 미치는 대상임을 나타내는 조사.
Tiada Penjelasan Arti
partikel yang menyatakan sesuatu yang mendapat pengaruh dari sebuah tindakan

• **한마디 (Nomina)** : 짧고 간단한 말.
 satu kata, sepatah kata
 kata yang singkat dan sederhana

• **하다 (Verba)** : 어떤 행동이나 동작, 활동 등을 행하다.
 melakukan, mengerjakan, menjalankan
 melaksanakan suatu tindakan atau aksi, kegiatan, dsb

• **-였-** : 사건이 과거에 일어났음을 나타내는 어미.
 sudah, pasti, yakin
 akhiran kalimat yang menyatakan peristiwa terjadi di masa lampau

• **-다** : 어떤 사건이나 사실, 상태를 서술함을 나타내는 종결 어미.
 Tiada Penjelasan Arti
 akhiran penutup untuk menyatakan suatu peristiwa, kenyataan, dan keadaan

---

행인 : 저기, 선생님 잠깐+만+요.

• **저기 (Interjeksi)** : 말을 꺼내기 어색하고 편하지 않을 때에 쓰는 말.
 situ
 kata yang digunakan saat canggung dan tidak nyaman untuk mengeluarkan kata

• **선생님 (Nomina)** : (높이는 말로) 나이가 어지간히 든 사람을 대접하여 이르는 말.
 bapak, ibu
 (dalam sebutan hormat) kata yang menunjkkan kehormatan terhadap orang dewasa

• **잠깐 (Nomina)** : 아주 짧은 시간 동안.
 sebentar
 dalam waktu yang sangat pendek, selama waktu yang sangat pendek

• **만** : 무엇을 강조하는 뜻을 나타내는 조사.
 Tiada Penjelasan Arti
 partikel yang menyatakan arti menekankan sesuatu

• **요** : 높임의 대상인 상대방에게 존대의 뜻을 나타내는 조사.
 Tiada Penjelasan Arti
 partikel yang menyatakan arti sopan atau hormat kepada lawan bicara yang ditinggikan

---

맹인 : 무슨 일+이+시+죠?

• 무슨 (Pewatas) : 확실하지 않거나 잘 모르는 일, 대상, 물건 등을 물을 때 쓰는 말.
apa
kata yang digunakan untuk menanyakan sesuatu, objek, benda, dsb yang tidak jelas atau tidak diketahui dengan baik

• 일 (Nomina) : 해결하거나 처리해야 할 문제나 사항.
urusan, masalah
masalah atau hal yang harus diselesaikan atau diurus

• 이다 : 주어가 지시하는 대상의 속성이나 부류를 지정하는 뜻을 나타내는 서술격 조사.
adalah
partikel kasus predikatif yang menyatakan maksud menentukan karakter atau jenis dari objek yang diindikasikan subjek

• -시- : 어떤 동작이나 상태의 주체를 높이는 뜻을 나타내는 어미.
Tiada Penjelasan Arti
akhiran kalimat yang menyatakan arti meninggikan subjek atau topik suatu tindakan atau keadaan

• -죠 : (두루높임으로) 말하는 사람이 듣는 사람에게 친근함을 나타내며 물을 때 쓰는 종결 어미.
sih?
(dalam bentuk hormat) kata penutup final yang digunakan saat pembicara bertanya sambil menunjukkan kedekatan kepada pendengar

---

행인 : 아니, 방금 개+가 선생님 바지+에 오줌+을 싸+았+는데 왜 과자+를 주+ㅂ니까?
                                                          싸았는데   줍니까

• 아니 (Interjeksi) : 놀라거나 감탄스러울 때, 또는 의심스럽고 이상할 때 하는 말.
Hah!, Masa?, Yang benar!
kata yang digunakan saat terkejut atau terperanjat, atau saat curiga atau merasa aneh

• 방금 (Adverbia) : 말하고 있는 시점보다 바로 조금 전에.
baru saja
beberapa saat yang lalu sebelum waktu saat berbicara

• 개 (Nomina) : 냄새를 잘 맡고 귀가 매우 밝으며 영리하고 사람을 잘 따라 사냥이나 애완 등의 목적으로 기르는 동물.
anjing
binatang yang pandai mencium bau dan bertelinga sangat peka, pandai, menurut pada orang, diburu atau dijadikan hewan peliharaan

· 가 : 어떤 상태나 상황에 놓인 대상이나 동작의 주체를 나타내는 조사.
  Tiada Penjelasan Arti
  partikel yang menyatakan objek dari suatu keadaan atau kondisi atau pelaku dari suatu tindakan

· 선생님 (Nomina) : (높이는 말로) 나이가 어지간히 든 사람을 대접하여 이르는 말.
  bapak, ibu
  (dalam sebutan hormat) kata yang menunjkkan kehormatan terhadap orang dewasa

· 바지 (Nomina) : 위는 통으로 되고 아래는 두 다리를 넣을 수 있게 갈라진, 몸의 아랫부분에 입는 옷.
  celana
  pakaian yang dikenakan di bagian bawah tubuh, dengan bentuk tong di bagian atas, dan di bagian bawahnya terbelah untuk bisa dimasukkan kedua kaki

· 에 : 앞말이 어떤 행위나 작용이 미치는 대상임을 나타내는 조사.
  ke, kepada, pada
  partikel yang menyatakan kalimat di depan adalah objek dari efek suatu tindakan berpengaruh

· 오줌 (Nomina) : 혈액 속의 노폐물과 수분이 요도를 통하여 몸 밖으로 배출되는, 누렇고 지린내가 나는 액체.
  urin, air kencing, air seni
  cairan yang berwarna kuning dan mengeluarkan bau urin di mana kotoran dalam darah dan kelembaban dikeluarkan dari tubuh melalui uretra atau saluran kencing

· 을 : 동작이 직접적으로 영향을 미치는 대상을 나타내는 조사.
  Tiada Penjelasan Arti
  partikel yang menyatakan objek dari suatu gerakan yang secara langsung memberikan pengaruh

· 싸다 (Verba) : 똥이나 오줌을 누다.
  buang air
  buang air tinja atau urin

· -았- : 어떤 사건이 과거에 완료되었거나 그 사건의 결과가 현재까지 지속되는 상황을 나타내는 어미.
  sudah, telah, pasti akan
  akhiran kalimat yang menyatakan sebuah peristiwa sudah selesai di masa lampau atau menyatakan keadaan di mana hasil peristiwa tersebut terus berlangsung hingga sekarang

· -는데 : 뒤의 말을 하기 위하여 그 대상과 관련이 있는 상황을 미리 말함을 나타내는 연결 어미.
  sebenarnya, nyatanya
  akhiran kalimat penyambung yang menyatakan mengatakan terlebih dahulu keadaan yang berhubungan sebelum mengatakan kalimat yang berhubungan

• 왜 (Adverbia) : 무슨 이유로. 또는 어째서.

 kenapa, mengapa

 untuk alasan apa, atau bagaimana bisa

• 과자 (Nomina) : 밀가루나 쌀가루 등에 우유, 설탕 등을 넣고 반죽하여 굽거나 튀긴 간식.

 penganan, cemilan

 makanan ringan yang biasanya terbuat dari tepung gandum, tepung beras, susu, dan lain-lain

• 를 : 동작이 직접적으로 영향을 미치는 대상을 나타내는 조사.

 Tiada Penjelasan Arti

 partikel yang menyatakan objek dari suatu gerakan yang secara langsung memberikan pengaruh

• 주다 (Verba) : 물건 등을 남에게 건네어 가지거나 쓰게 하다.

 kasih, memberi

 mengeluarkan barang dsb untuk orang lain kemudian membuat menjadi memiliki atau menggunakannya

• -ㅂ니까 : (아주높임으로) 말하는 사람이 듣는 사람에게 정중하게 물음을 나타내는 종결 어미.

 apakah

 (dalam bentuk sangat hormat) kata penutup final yang menyatakan bahwa pembicara bertanya dengan sopan kepada pendengar

---

행인 : 저 같+으면 개 머리+를 한 대 때리+었+[을 텐데] 이해+가 안 가+네요.
때렸을 텐데

• 저 (Pronomina) : 말하는 사람이 듣는 사람에게 자신을 낮추어 가리키는 말.

 saya

 kata yang digunakan oleh pembicara untuk menunjuk dirinya sendiri sambil merendahkan diri

• 같다 (Adjektiva) : '어떤 상황이나 조건이라면'의 뜻을 나타내는 말.

 kalau seperti, apabila seperti

 kata yang menunjukkan arti "apabila dalam keadaan atau kondisi demikan"

• -으면 : 뒤에 오는 말에 대한 근거나 조건이 됨을 나타내는 연결 어미.

 kalau, seandainya, apabila

 akhiran penghubung untuk menyatakan menjadi landasan atau syarat terhadap kalimat induk

· 개 (Nomina) : 냄새를 잘 맡고 귀가 매우 밝으며 영리하고 사람을 잘 따라 사냥이나 애완 등의 목적으로 기르는 동물.

anjing

binatang yang pandai mencium bau dan bertelinga sangat peka, pandai, menurut pada orang, diburu atau dijadikan hewan peliharaan

· 머리 (Nomina) : 사람이나 동물의 몸에서 얼굴과 머리털이 있는 부분을 모두 포함한 목 위의 부분.

kepala

bagian mulai dari atas leher termasuk seluruh bagian yang ada wajah dan bulu di tubuh orang atau binatang

· 를 : 동작이 직접적으로 영향을 미치는 대상을 나타내는 조사.

Tiada Penjelasan Arti

partikel yang menyatakan objek dari suatu gerakan yang secara langsung memberikan pengaruh

· 한 (Pewatas) : 하나의.

satu

satu

· 대 (Nomina) : 때리는 횟수를 세는 단위.

pukulan, lecutan

satuan untuk menghitung jumlah pukulan

· 때리다 (Verba) : 손이나 손에 든 물건으로 아프게 치다.

memukul

memukulkan tangan atau sesuatu yang dipegang di tangan hingga sakit

· -었- : 사건이 과거에 일어났음을 나타내는 어미.

sudah, pasti, yakin

akhiran kalimat yang menyatakan peristiwa terjadi di masa lampau

· -을 텐데 : 앞에 오는 말에 대하여 말하는 사람의 강한 추측을 나타내면서 그와 관련되는 내용을 이어 말할 때 쓰는 표현.

mungkin pasti

ungkapan untuk mengatakan sesuatu yang berhubungan dengan dugaan kuat pembicara tentang perkataan depan

· 이해 (nomina) : 무엇이 어떤 것인지를 앎. 또는 무엇이 어떤 것이라고 받아들임.

pengertian, pemakluman

hal mengetahui apakah itu sesuatu, atau menerima apakah sesuatu itu

• **가** : 어떤 상태나 상황에 놓인 대상이나 동작의 주체를 나타내는 조사.
  Tiada Penjelasan Arti
  partikel yang menyatakan subjek sebuah keadaan atau situasi atau pelaku utama sebuah
  tindakan

• **안 (adverbia)** : 부정이나 반대의 뜻을 나타내는 말.
  tidak
  kata yang menampilkan lawan arti atau negatif

• **가다 (verba)** : 어떤 것에 대해 생각이나 이해가 되다.
  mengerti, paham, ada, merasa
  berpikir atau mengerti tentang sesuatu

• **-네요** : (두루높임으로) 말하는 사람이 직접 경험하여 새롭게 알게 된 사실에 대해 감탄함을 나타낼 때
  쓰는 표현.
  wah, ternyata
  (dalam bentuk hormat) ungkapan yang digunakan saat menunjukkan orang yang berbicara
  berpengalaman langsung lalu terkejut atau terkagum dengan kenyataan yang baru diketahui
  itu

맹인 : 개+한테 과자+를 주+어야 머리+가 어디 있+는지 <u>알(아)</u>+[ㄹ 수 있]+<u>잖아요</u>.
　　　　　　　　　　줘야　　　　　　　　　　　　　　　**알 수 있잖아요**

• **개 (Nomina)** : 냄새를 잘 맡고 귀가 매우 밝으며 영리하고 사람을 잘 따라 사냥이나 애완 등의 목적으
  로 기르는 동물.
  anjing
  binatang yang pandai mencium bau dan bertelinga sangat peka, pandai, menurut pada
  orang, diburu atau dijadikan hewan peliharaan

• **한테** : 어떤 행동이 미치는 대상임을 나타내는 조사.
  Tiada Penjelasan Arti
  partikel yang menyatakan sesuatu yang mendapat pengaruh dari sebuah tindakan

• **과자 (Nomina)** : 밀가루나 쌀가루 등에 우유, 설탕 등을 넣고 반죽하여 굽거나 튀긴 간식.
  penganan, cemilan
  makanan ringan yang biasanya terbuat dari tepung gandum, tepung beras, susu, dan
  lain-lain

• **를** : 동작이 직접적으로 영향을 미치는 대상을 나타내는 조사.
  Tiada Penjelasan Arti
  partikel yang menyatakan objek dari suatu gerakan yang secara langsung memberikan
  pengaruh

• **주다 (Verba)** : 물건 등을 남에게 건네어 가지거나 쓰게 하다.

kasih, memberi

mengeluarkan barang dsb untuk orang lain kemudian membuat menjadi memiliki atau menggunakannya

• **-어야** : 앞에 오는 말이 뒤에 오는 말에 대한 필수적인 조건임을 나타내는 연결 어미.

hanya kalau, hanya jika

kata penutup sambung yang menyatakan bahwa kalimat di depan adalah syarat wajib bagi kalimat di belakang

• **머리 (Nomina)** : 사람이나 동물의 몸에서 얼굴과 머리털이 있는 부분을 모두 포함한 목 위의 부분.

kepala

bagian mulai dari atas leher termasuk seluruh bagian yang ada wajah dan bulu di tubuh orang atau binatang

• **가** : 어떤 상태나 상황에 놓인 대상이나 동작의 주체를 나타내는 조사.

Tiada Penjelasan Arti

partikel yang menyatakan objek dari suatu keadaan atau kondisi atau pelaku dari suatu tindakan

• **어디 (Pronomina)** : 모르는 곳을 가리키는 말.

tempat yang tidak tahu, di/ke/dari mana

kata yang digunakan ketika menanyakan tempat yang tak diketahui

• **있다 (Adjektiva)** : 무엇이 어떤 곳에 자리나 공간을 차지하고 존재하는 상태이다.

ada

sesuatu dalam keadaan berada dan ada di suatu tempat atau ruang

• **-는지** : 뒤에 오는 말의 내용에 대한 막연한 이유나 판단을 나타내는 연결 어미.

mungkin karena

kata penutup sambung yang menyatakan alasan atau penilaian yang samar tentang isi kalimat di belakang

• **알다 (Verba)** : 교육이나 경험, 생각 등을 통해 사물이나 상황에 대한 정보 또는 지식을 갖추다.

tahu, mengetahui

memiliki pengetahuan tentang benda atau keadaan melalui pendidikan atau pengalaman, pemikiran, dsb

• **-ㄹ 수 있다** : 어떤 행동이나 상태가 가능함을 나타내는 표현.

bisa, mungkin

ungkapan yang memunculkan arti bahwa suatu tingkah laku atau keadaan mungkin untuk terjadi

• -잖아요 : (두루높임으로) 어떤 상황에 대해 말하는 사람이 상대방에게 확인하거나 정정해 주듯이 말함
　　　　을 나타내는 표현.

~kan?

(dalam bentuk hormat) ungkapan yang menyatakan orang yang berbicara mengenai suatu keadaan memastikan atau mengatakan dengan benar kepada orang lain

< 6 단원(bagian) >

제목 : 왜 아버지 직업을 수산업이라고 적었니?

● 본문 (tulisan utama)

서울의 한 초등학교에서 가정 환경 조사를 실시하였다.

담임 선생님이 학생들이 제출한 자료를 꼼꼼히 살펴보고 있었다.

잠시 후 고개를 갸우뚱거리시더니 한 학생에게 물었다.

선생님 : 아버님이 선장이시니?

학생 : 아뇨.

선생님 : 그럼 어부시니?

학생 : 아니요.

선생님 : 그럼 양식 사업하시니?

학생 : 아닌데요.

선생님 : 그런데 왜 아버지 직업을 수산업이라고 적었니?

학생 : 우리 아버지는 학교 앞에서 붕어빵을 구우시거든요.

　　　맛있어서 엄청 많이 팔려요.

　　　선생님도 한번 드셔 보실래요?

● 발음 (pelafalan)

서울의 한 초등학교에서 가정 환경 조사를 실시하였다.
서울의 한 초등학꾜에서 가정 환경 조사를 실씨하엳따.
seourui han chodeunghakgyoeseo gajeong hwangyeong josareul silsihayeotda.

담임 선생님이 학생들이 제출한 자료를 꼼꼼히 살펴보고 있었다.
다밈 선생니미 학쌩드리 제출한 자료를 꼼꼼히 살펴보고 이썯따.
damim seonsaengnimi haksaengdeuri jechulhan jaryoreul kkomkkomhi salpyeobogo isseotda.

잠시 후 고개를 갸우뚱거리시더니 한 학생에게 물었다.
잠시 후 고개를 갸우뚱거리시더니 한 학쌩에게 무럳따.
jamsi hu gogaereul gyauttunggeorisideoni han haksaengege mureotda.

선생님 : 아버님이 선장이시니?
선생님 : 아버니미 선장이시니?
seonsaengnim : abeonimi seonjangisini?

학생 : 아뇨.
학쌩 : 아뇨.
haksaeng : anyo.

선생님 : 그럼 어부시니?
선생님 : 그럼 어부시니?
seonsaengnim : geureom eobusini?

학생 : 아니요.
학쌩 : 아니요.
haksaeng : aniyo.

선생님 : 그럼 양식 사업하시니?
선생님 : 그럼 양식 사어파시니?
seonsaengnim : geureom yangsik saeopasini?

학생 : 아닌데요.
학쌩 : 아닌데요.
haksaeng : anindeyo.

선생님 : 그런데 왜 아버지 직업을 수산업이라고 적었니?

선생님 : 그런데 왜 아버지 지거블 수사너비라고 저건니?

seonsaengnim : geureonde wae abeoji jigeobeul susaneobirago jeogeonni?

학생 : 우리 아버지는 학교 앞에서 붕어빵을 구우시거든요.

학쌩 : 우리 아버지는 학꾜 아페서 붕어빵을 구우시거드뇨.

haksaeng : uri abeojineun hakgyo apeseo bungeoppangeul guusigeodeunyo.

맛있어서 엄청 많이 팔려요.

마시써서 엄청 마니 팔려요.

masisseoseo eomcheong mani pallyeoyo.

선생님도 한번 드셔 보실래요?

선생님도 한번 드셔 보실래요?

seonsaengnimdo hanbeon deusyeo bosillaeyo?

● 어휘 (kosa kata) / 문법 (pelajaran tata bahasa)

서울+의 한 초등학교+에서 가정 환경 조사+를 실시하+였+다.

담임 선생+님+이 학생+들+이 제출하+ㄴ 자료+를 꼼꼼히 살펴보+고 있+었+다.

잠시 후 고개+를 갸우뚱거리+시+더니 한 학생+에게 묻(물)+었+다.

선생님 : 아버님+이 선장+이+시+니?

학생: 아뇨.

선생님 : 그럼 어부+(이)+시+니?

학생 : 아니요.

선생님 : 그럼 양식 사업하+시+니?

학생 : 아니+ㄴ데요.

선생님 : 그런데 왜 아버지 직업+을 수산업+이라고 적+었+니?

학생 : 우리 아버지+는 학교 앞+에서 붕어빵+을 굽(구우)+시+거든요.

　　　맛있+어서 엄청 많이 팔리+어요.

　　　선생님+도 한번 들(드)+시+어 보+시+ㄹ래요?

> 서울+의 한 초등학교+에서 가정 환경 조사+를 실시하+였+다.

- **서울 (Nomina)** : 한반도 중앙에 있는 특별시. 한국의 수도이자 정치, 경제, 산업, 사회, 문화, 교통의 중심지이다. 북한산, 관악산 등의 산에 둘러싸여 있고 가운데로는 한강이 흐른다.

  Seoul

  kota metropolitan yang ada di semenanjung Korea, ibukota Korea Selatan dan pusat politik, ekonomi, industri, budaya, lalu lintas, dikelilingi gunung seperti gunung Bukhan, gunung Gwanak, dsb dan di bagian tengahnya dialiri sungai Han

- **의** : 앞의 말이 뒤의 말에 대하여 소유, 소속, 소재, 관계, 기원, 주체의 관계를 가짐을 나타내는 조사.

  dari, milik

  partikel yang menyatakan perkataan di depan memiliki hubungan kepemilikian, bagian tempat diri bekerja, bahan, hubungan, asal, topik dengan perkataan di belakang

- **한 (Pewatas)** : 여럿 중 하나인 어떤.

  satu

  suatu

- **초등학교 (Nomina)** : 학교 교육의 첫 번째 단계로 만 여섯 살에 입학하여 육 년 동안 기본 교육을 받는 학교.

  sekolah dasar (SD)

  tingkat sekolah paling dasar yang bisa dimasuki pertama kali oleh anak berumur 6 tahun dan pendidikannya berjalan selama 6 tahun

- **에서** : 앞말이 주어임을 나타내는 조사.

  Tiada Penjelasan Arti

  partikel yang menyatakan bahwa kata di depannya adalah subjek

- **가정 환경 (Nomina)** : 가정의 분위기나 조건.

  lingkungan keluarga

  situasi dan kondisi rumah tangga

- **조사 (Nomina)** : 어떤 일이나 사물의 내용을 알기 위하여 자세히 살펴보거나 찾아봄.

  pemeriksaan, investigasi, penyelidikan, survei

  hal mengamati atau mencari dengan terperinci untuk mengetahui isi suatu hal atau benda

- **를** : 동작이 직접적으로 영향을 미치는 대상을 나타내는 조사.

  Tiada Penjelasan Arti

  partikel yang menyatakan objek dari suatu gerakan yang secara langsung memberikan pengaruh

- **실시하다 (Verba)** : 어떤 일이나 법, 제도 등을 실제로 행하다.

  memperlakukan, menjalankan

  melaksanakan pekerjaan, hukum, sistem, dsb

• -였- : 어떤 사건이 과거에 완료되었거나 그 사건의 결과가 현재까지 지속되는 상황을 나타내는 어미.
  sudah, telah, pernah
  akhiran kalimat yang menyatakan sebuah peristiwa sudah selesai di masa lampau atau menyatakan keadaan di mana hasil peristiwa tersebut terus berlangsung hingga sekarang

• -다 : 어떤 사건이나 사실, 상태를 서술함을 나타내는 종결 어미.
  Tiada Penjelasan Arti
  akhiran penutup untuk menyatakan suatu peristiwa, kenyataan, dan keadaan

---

담임 선생+님+이 학생+들+이 <u>제출하+ㄴ</u> 자료+를 꼼꼼히 살펴보+[고 있]+었+다.
제출한

• **담임 선생 (Nomina)** : 한 반이나 한 학년을 책임지고 맡아서 가르치는 선생님.
  wali kelas
  guru yang mengajar dan bertanggung jawab atas murid-murid dalam satu kelas atau dalam satu semester

• **님** : '높임'의 뜻을 더하는 접미사.
  bapak, ibu
  akhiran yang menambahkan arti "meninggikan"

• **이** : 어떤 상태나 상황의 대상이나 동작의 주체를 나타내는 조사.
  Tiada Penjelasan Arti
  partikel yang menyatakan objek dari suatu keadaan atau kondisi atau pelaku dari suatu tindakan

• **학생 (Nomina)** : 학교에 다니면서 공부하는 사람.
  pelajar
  orang yang bersekolah untuk menimba ilmu

• **들** : '복수'의 뜻을 더하는 접미사.
  Tiada Penjelasan Arti
  akhiran yang menambahkan arti "jamak"

• **이** : 어떤 상태나 상황의 대상이나 동작의 주체를 나타내는 조사.
  Tiada Penjelasan Arti
  partikel yang menyatakan objek dari suatu keadaan atau kondisi atau pelaku dari suatu tindakan

• **제출하다 (Verba)** : 어떤 안건이나 의견, 서류 등을 내놓다.
  menyerahkan, memberikan
  meletakkan suatu masalah atau pendapat, dokumen, dsb

- -ㄴ : 앞의 말이 관형어의 기능을 하게 만들고 사건이나 동작이 완료되어 그 상태가 유지되고 있음을 나타내는 어미.

  yang

  akhiran yang membuat kata di depannya berfungsi sebagai kata pewatas, dan menyatakan bahwa tindakan atau peristiwa sudah selesai dan menahan keadaan itu

- 자료 (Nomina) : 연구나 조사를 하는 데 기본이 되는 재료.

  data, bahan

  bahan yang menjadi dasar dalam penelitian atau pemeriksaan

- 를 : 동작이 직접적으로 영향을 미치는 대상을 나타내는 조사.

  Tiada Penjelasan Arti

  partikel yang menyatakan objek dari suatu gerakan yang secara langsung memberikan pengaruh

- 꼼꼼히 (Adverbia) : 빈틈이 없이 자세하고 차분하게.

  dengan teliti, dengan cermat, dengan seksama

  dengan mendetail tanpa salah dan tenang

- 살펴보다 (Verba) : 여기저기 빠짐없이 자세히 보다.

  mengamati, memperhatikan

  melihat dengan teliti di sana sini tanpa ada yang terlewat

- -고 있다 : 앞의 말이 나타내는 행동이 계속 진행됨을 나타내는 표현.

  sedang

  ungkapan yang menyatakan bahwa tindakan yang disebutkan dalam kalimat di depan terus berjalan

- -었- : 어떤 사건이 과거에 완료되었거나 그 사건의 결과가 현재까지 지속되는 상황을 나타내는 어미.

  sudah, pasti, yakin

  akhiran kalimat yang menyatakan sebuah peristiwa sudah selesai di masa lampau atau menyatakan keadaan di mana hasil peristiwa tersebut terus berlangsung hingga sekarang

- -다 : 어떤 사건이나 사실, 상태를 서술함을 나타내는 종결 어미.

  Tiada Penjelasan Arti

  akhiran penutup untuk menyatakan suatu peristiwa, kenyataan, dan keadaan

---

> 잠시 후 고개+를 갸우뚱거리+시+더니 한 학생+에게 묻(물)+었+다.
> **물었다**

- 잠시 (Nomina) : 잠깐 동안.

  sebentar, sejenak, sesaat

  selama waktu yang sebentar

• 후 (Nomina) : 얼마만큼 시간이 지나간 다음.
setelah, sesudah
setelah beberapa waktu berlalu

• 고개 (Nomina) : 목을 포함한 머리 부분.
leher, tengkuk, kuduk
bagian kepala yang termasuk dalam leher

• 를 : 동작이 직접적으로 영향을 미치는 대상을 나타내는 조사.
Tiada Penjelasan Arti
partikel yang menyatakan objek dari suatu gerakan yang secara langsung memberikan pengaruh

• 갸우뚱거리다 (Verba) : 물체가 자꾸 이쪽저쪽으로 기울어지며 흔들리다. 또는 그렇게 하다.
bergoyang-goyang
sesuatu terus bergeser dan bergerak ke sana kemari, atau membuatnya demikian

• -시- : 어떤 동작이나 상태의 주체를 높이는 뜻을 나타내는 어미.
Tiada Penjelasan Arti
akhiran kalimat yang menyatakan arti meninggikan subjek atau topik suatu tindakan atau keadaan

• -더니 : 과거의 사실이나 상황에 뒤이어 어떤 사실이나 상황이 일어남을 나타내는 연결 어미.
karena, sebab
akhiran kalimat penyambung yang menyatakan bahwa suatu kenyataan atau keadaan muncul menyusul sebuah kenyataan atau keadaan di masa lalu

• 한 (Pewatas) : 여럿 중 하나인 어떤.
satu
suatu

• 학생 (Nomina) : 학교에 다니면서 공부하는 사람.
pelajar
orang yang bersekolah untuk menimba ilmu

• 에게 : 어떤 행동이 미치는 대상임을 나타내는 조사.
Tiada Penjelasan Arti
partikel yang menyatakan sesuatu yang mendapat pengaruh dari sebuah tindakan

• 묻다 (Verba) : 대답이나 설명을 요구하며 말하다.
bertanya, menanyakan
berbicara sambil menuntut jawaban atau penjelasan

• -었- : 어떤 사건이 과거에 완료되었거나 그 사건의 결과가 현재까지 지속되는 상황을 나타내는 어미.

  sudah, pasti, yakin

  akhiran kalimat yang menyatakan sebuah peristiwa sudah selesai di masa lampau atau menyatakan keadaan di mana hasil peristiwa tersebut terus berlangsung hingga sekarang

• -다 : 어떤 사건이나 사실, 상태를 서술함을 나타내는 종결 어미.

  Tiada Penjelasan Arti

  akhiran penutup untuk menyatakan suatu peristiwa, kenyataan, dan keadaan

---

선생님 : 아버님+이 선장+이+시+니?

학생 : 아뇨.

• 아버님 (Nomina) : (높임말로) 자기를 낳아 준 남자를 이르거나 부르는 말.

  ayah, bapak

  (dalam sebutan hormat) kata panggilan atau sebutan untuk laki-laki yang telah melahirkan dirinya

• 이 : 어떤 상태나 상황의 대상이나 동작의 주체를 나타내는 조사.

  Tiada Penjelasan Arti

  partikel yang menyatakan objek dari suatu keadaan atau kondisi atau pelaku dari suatu tindakan

• 선장 (Nomina) : 배에 탄 선원들을 감독하고, 배의 항해와 사무를 책임지는 사람.

  kapten kapal, nakhoda

  komandan kapal yang mengawasi awak kapal, mengarahkan kapal dan bertanggung jawab atas kerja di atas kapal

• 이다 : 주어가 지시하는 대상의 속성이나 부류를 지정하는 뜻을 나타내는 서술격 조사.

  adalah

  partikel kasus predikatif yang menyatakan maksud menentukan karakter atau jenis dari objek yang diindikasikan subjek

• -시- : 어떤 동작이나 상태의 주체를 높이는 뜻을 나타내는 어미.

  Tiada Penjelasan Arti

  akhiran kalimat yang menyatakan arti meninggikan subjek atau topik suatu tindakan atau keadaan

• -니 : (아주낮춤으로) 물음을 나타내는 종결 어미.

  -kah?

  (dalam bentuk sangat rendah) akhiran penutup yang menyatakan pertanyaan

• **아뇨 (Interjeksi)** : 윗사람이 묻는 말에 대하여 부정하며 대답할 때 쓰는 말.
tidak
kata untuk memberikan jawaban negatif, atau jawaban yang tidak seperti apa yang ditanyakan umumnya saat menjawab pertanyaan orang yang lebih tua umurnya atau tinggi posisinya

---

선생님 : 그럼 어부+(이)+시+니?
<u>어부시니</u>

학생 : 아니요.

• **그럼 (Adverbia)** : 앞의 내용을 받아들이거나 그 내용을 바탕으로 하여 새로운 주장을 할 때 쓰는 말.
jadi, maka, kalau demikian
kata yang digunakan saat menerima isi ucapan yang ada di depan atau membuat pernyataan baru berdasar latar belakang tersebut

• **어부 (Nomina)** : 물고기를 잡는 일을 직업으로 하는 사람.
nelayan
orang yang bekerja menangkap ikan

• **이다** : 주어가 지시하는 대상의 속성이나 부류를 지정하는 뜻을 나타내는 서술격 조사.
adalah
partikel kasus predikatif yang menyatakan maksud menentukan karakter atau jenis dari objek yang diindikasikan subjek

• **-시-** : 어떤 동작이나 상태의 주체를 높이는 뜻을 나타내는 어미.
Tiada Penjelasan Arti
akhiran kalimat yang menyatakan arti meninggikan subjek atau topik suatu tindakan atau keadaan

• **-니** : (아주낮춤으로) 물음을 나타내는 종결 어미.
-kah?
(dalam bentuk sangat rendah) akhiran penutup yang menyatakan pertanyaan

• **아니요 (Interjeksi)** : 윗사람이 묻는 말에 대하여 부정하며 대답할 때 쓰는 말.
tidak, belum
kata yang digunakan untuk menjawab sambil menolak pertanyaan yang ditanyakan orang yang lebih tua

---

선생님 : 그럼 양식 사업하+시+니?

학생 : <u>아니+ㄴ데요</u>.
　　　　　아닌데요

- **그럼 (Adverbia)** : 앞의 내용을 받아들이거나 그 내용을 바탕으로 하여 새로운 주장을 할 때 쓰는 말.
  jadi, maka, kalau demikian
  kata yang digunakan saat menerima isi ucapan yang ada di depan atau membuat pernyataan baru berdasar latar belakang tersebut

- **양식 (Nomina)** : 물고기, 김, 미역, 버섯 등을 인공적으로 길러서 번식하게 함.
  budi daya
  hal membesarkan dan mengembangbiakkan ikan, rumput laut, ganggang laut, jamur, dsb secara buatan

- **사업하다 (Verba)** : 경제적 이익을 얻기 위하여 어떤 조직을 경영하다.
  menjalankan usaha, berusaha, berbisnis
  menjalankan suatu badan untuk mendapatkan keuntungan secara ekonomi

- **-시-** : 어떤 동작이나 상태의 주체를 높이는 뜻을 나타내는 어미.
  Tiada Penjelasan Arti
  akhiran kalimat yang menyatakan arti meninggikan subjek atau topik suatu tindakan atau keadaan

- **-니** : (아주낮춤으로) 물음을 나타내는 종결 어미.
  -kah?
  (dalam bentuk sangat rendah) akhiran penutup yang menyatakan pertanyaan

- **아니다 (Adjektiva)** : 어떤 사실이나 내용을 부정하는 뜻을 나타내는 말.
  bukan
  kata negatif yang tidak membenarkan suatu fakta atau keterangan tertentu

- **-ㄴ데요** : (두루높임으로) 어떤 상황을 전달하여 듣는 사람의 반응을 기대함을 나타내는 표현.
  sebenarnya, nyatanya, sebetulnya
  (dalam bentuk hormat) ungkapan yang menunjukkan hal menyampaikan suatu kondisi lalu mengharapkan respon dari orang yang mendengar

---

선생님 : 그런데 왜 아버지 직업+을 수산업+이라고 적+었+니?

• **그런데** (Adverbia) : 이야기를 앞의 내용과 관련시키면서 다른 방향으로 바꿀 때 쓰는 말.

tetapi

kata yang digunakan untuk mengganti cerita ke arah lain sambil mengaitkan dengan isi cerita sebelumnya

• **왜** (Adverbia) : 무슨 이유로. 또는 어째서.

kenapa, mengapa

untuk alasan apa, atau bagaimana bisa

• **아버지** (Nomina) : 자기를 낳아 준 남자를 이르거나 부르는 말.

ayah, bapak, papa

panggilan yang menyebutkan laki-laki yang telah melahirkan dirinya

• **직업** (Nomina) : 보수를 받으면서 일정하게 하는 일.

pekerjaan, profesi

pekerjaan yang dilakukan secara rutin sambil menerima bayaran

• **을** : 동작이 직접적으로 영향을 미치는 대상을 나타내는 조사.

Tiada Penjelasan Arti

partikel yang menyatakan objek dari suatu gerakan yang secara langsung memberikan pengaruh

• **수산업** (Nomina) : 바다나 강 등의 물에서 나는 생물을 잡거나 기르거나 가공하는 등의 산업.

industri perikanan

industri penangkapan, pemeliharaan dan pengolahan dsb makhluk hidup yang berasal dari air seperti laut atau sungai dsb

• **이라고** : 앞의 말이 원래 말해진 그대로 인용됨을 나타내는 조사.

Tiada Penjelasan Arti

partikel yang menyatakan kalimat di depan dikutip sesuai dengan perkataan aslinya

• **적다** (Verba) : 어떤 내용을 글로 쓰다.

menulis, mencatat

menguraikan suatu keterangan dengan tulisan

• **-었-** : 어떤 사건이 과거에 완료되었거나 그 사건의 결과가 현재까지 지속되는 상황을 나타내는 어미.

sudah, pasti, yakin

akhiran kalimat yang menyatakan sebuah peristiwa sudah selesai di masa lampau atau menyatakan keadaan di mana hasil peristiwa tersebut terus berlangsung hingga sekarang

• **-니** : (아주낮춤으로) 물음을 나타내는 종결 어미.

-kah?

(dalam bentuk sangat rendah) akhiran penutup yang menyatakan pertanyaan

> 학생 : 우리 아버지+는 학교 앞+에서 붕어빵+을 <u>굽(구우)+시+거든요</u>.
> 구우시거든요

- **우리 (Pronomina)** : 말하는 사람이 자기보다 높지 않은 사람에게 자기와 관련된 것을 친근하게 나타낼 때 쓰는 말.
  kita, kami
  kata akrab untuk menyebutkan beberapa orang yang dekat dengan pembicara saat berbicara dengan lawan bicara yang tidak lebih tinggi posisinya dari pembicara

- **아버지 (Nomina)** : 자기를 낳아 준 남자를 이르거나 부르는 말.
  ayah, bapak, papa
  panggilan yang menyebutkan laki-laki yang telah melahirkan dirinya

- **는** : 문장 속에서 어떤 대상이 화제임을 나타내는 조사.
  Tiada Penjelasan Arti
  partikel yang menyatakan suatu subjek dalam kalimat menjadi bahan pembicaraan

- **학교 (Nomina)** : 일정한 목적, 교과 과정, 제도 등에 의하여 교사가 학생을 가르치는 기관.
  sekolah
  intansi di mana guru mengajarkan murid berdasarkan tujuan, kurikulum, sistem, dsb tertentu

- **앞 (Nomina)** : 향하고 있는 쪽이나 곳.
  depan
  tempat atau sisi yang dituju

- **에서** : 앞말이 행동이 이루어지고 있는 장소임을 나타내는 조사.
  Tiada Penjelasan Arti
  partikel yang menyatakan bahwa kata di depannya adalah tempat tindakan terjadi

- **붕어빵 (Nomina)** : 붕어 모양 풀빵
  붕어
  ikan karper
  ikan berbadan lebar dan pipih, berpunggung coklat kekuningan, bersisik besar, dan hidup di air tawar
  모양
  rupa, wujud
  penampilan atau bentuk yang terlihat ke luar
  풀빵
  Tiada Penjelasan Arti
  roti panggang yang dimasukkan adonan terigu tebal dan selai kacang merah dsb pada cetakan tertentu

• 을 : 동작이 직접적으로 영향을 미치는 대상을 나타내는 조사.
  Tiada Penjelasan Arti
  partikel yang menyatakan objek dari suatu gerakan yang secara langsung memberikan pengaruh

• 굽다 (Verba) : 음식을 불에 익히다.
  membakar, memanggang
  mematangkan makanan di api

• -시- : 어떤 동작이나 상태의 주체를 높이는 뜻을 나타내는 어미.
  Tiada Penjelasan Arti
  akhiran kalimat yang menyatakan arti meninggikan subjek atau topik suatu tindakan atau keadaan

• -거든요 : (두루높임으로) 앞의 내용에 대해 말하는 사람이 생각한 이유나 원인, 근거를 나타내는 표현.
  karena, soalnya, sebenarnya
  (dalam bentuk hormat) ungkapan yang menunjukkan alasan atau sebab, bukti yang dipikirkan orang yang berbicara mengenai keterangan di depan

---

학생 : 맛있+어서 엄청 많이 팔리+어요.   팔려요

• 맛있다 (Adjektiva) : 맛이 좋다.
  enak, lezat
  rasanya enak

• -어서 : 이유나 근거를 나타내는 연결 어미.
  lalu, kemudian, karena, dengan
  kata penutup sambung yang menyatakan alasan atau landasan

• 엄청 (Adverbia) : 양이나 정도가 아주 지나치게.
  sangat, luar biasa
  kuantitas atau ukurannya sangat berlebihan

• 많이 (Adverbia) : 수나 양, 정도 등이 일정한 기준보다 넘게.
  dengan banyak
  dengan angka atau jumlah, kadar, dsb melebihi standar yang ditentukan

• 팔리다 (Verba) : 값을 받고 물건이나 권리가 다른 사람에게 넘겨지거나 노력 등이 제공되다.
  dijual
  barang atau hak kepada orang lain diserahkan atau usaha dsb disediakan setelah menerima bayaran

• -어요 : (두루높임으로) 어떤 사실을 서술하거나 질문, 명령, 권유함을 나타내는 종결 어미.

apakah, apa, ~saja, silakan

(dalam bentuk hormat) kata penutup final yang mengungkapkan suatu kenyataan atau menyatakan pertanyaan, perintah, atau ajakan

---

학생 : 선생님+도 한번 들(드)+시+[어 보]+시+ㄹ래요?
드셔 보실래요

• 선생님 (Nomina) : (높이는 말로) 학생을 가르치는 사람.

bapak atau ibu guru

(dalam sebutan hormat) orang yang mengajarkan murid

• 도 : 이미 있는 어떤 것에 다른 것을 더하거나 포함함을 나타내는 조사.

juga

partikel yang menyatakan menambahkan atau mengikutsertakan sesuatu yang lain pada sesuatu yang sudah ada

• 한번 (Adverbia) : 어떤 일을 시험 삼아 시도함을 나타내는 말.

coba

kata untuk menyatakan mengerjakan sesuatu untuk mengetahui keadaannya dan sebagainya

• 들다 (Verba) : (높임말로) 먹다.

makan

(dalam sebutan hormat) bentuk sopan kata "먹다"

• -시- : 어떤 동작이나 상태의 주체를 높이는 뜻을 나타내는 어미.

Tiada Penjelasan Arti

akhiran kalimat yang menyatakan arti meninggikan subjek atau topik suatu tindakan atau keadaan

• -어 보다 : 앞의 말이 나타내는 행동을 시험 삼아 함을 나타내는 표현.

mencoba

ungkapan yang menyatakan menjadikan tindakan dalam kalimat yang disebutkan di depan sebagai sebuah percobaan

• -ㄹ래요 : (두루높임으로) 앞으로 어떤 일을 하려고 하는 자신의 의사를 나타내거나 그 일에 대하여 듣는 사람의 의사를 물어봄을 나타내는 표현.

mau, akan, ingin

(dalam bentuk hormat) ungkapan yang menunjukkan hal memperlihatkan maksud ingin melakukan sesuatu ke depannya atau menanyakan maksud orang lain yang mendengar mengenai sesuatu

< 7 단원(bagian) >

제목 : 도대체 어디가 아픈지 잘 모르겠어요.

● 본문 (tulisan utama)

교통사고를 당한 사람이 진찰을 받으러 병원에 갔다.

환자 : 의사 선생님, 도대체 어디가 아픈지 잘 모르겠어요.

의사 : 일단 손가락으로 여기저기 한번 눌러 보세요.

환자 : 어디를 눌러도 까무러칠 만큼 아파요.

의사 : 제가 한번 눌러 볼게요.

　　　어떠세요?

환자 : 그다지 아픈 것 같지 않은데요.

결국 그 환자는 다른 병원을 찾아 갔지만 역시 아픈 곳을 정확히 찾지 못했다.

답답했던 그 환자는 어느 한의원에 들어갔다.

환자 : 정확히 어디가 아픈지 잘 모르겠지만 어디를 눌러 봐도 아파 죽겠어요.

　　　제발 좀 찾아 주세요.

한의사 선생님은 의미심장한 표정을 지으며 말했다.

한의사 : 손가락이 부러지셨군요!

● 발음 (pelafalan)

교통사고를 당한 사람이 진찰을 받으러 병원에 갔다.
교통사고를 당한 사라미 진차를 바드러 병워네 갇따.
gyotongsagoreul danghan sarami jinchareul badeureo byeongwone gatda.

환자 : 의사 선생님, 도대체 어디가 아픈지 잘 모르겠어요.
환자 : 의사 선생님, 도대체 어디가 아픈지 잘 모르게써요.
hwanja : uisa seonsaengnim, dodaeche eodiga apeunji jal moreugesseoyo.

의사 : 일단 손가락으로 여기저기 한번 눌러 보세요.
의사 : 일딴 손까라그로 여기저기 한번 눌러 보세요.
uisa : ildan songarageuro yeogijeogi hanbeon nulleo boseyo.

환자 : 어디를 눌러도 까무러칠 만큼 아파요.
환자 : 어디를 눌러도 까무러칠 만큼 아파요.
hwanja : eodireul nulleodo kkamureochil mankeum apayo.

의사 : 제가 한번 눌러 볼게요.
의사 : 제가 한번 눌러 볼께요.
uisa : jega hanbeon nulleo bolgeyo.

　　　어떠세요?
　　　어떠세요?
　　　eotteoseyo?

환자 : 그다지 아픈 것 같지 않은데요.
환자 : 그다지 아픈 건 갇찌 아는데요.
hwanja : geudaji apeun geot gatji aneundeyo.

결국 그 환자는 다른 병원을 찾아 갔지만 역시 아픈 곳을 정확히 찾지 못했다.
결국 그 환자는 다른 병워늘 차자 갇찌만 역씨 아픈 고슬 정화키 찾찌 모땓따.
gyeolguk geu hwanjaneun dareun byeongwoneul chaja gatjiman yeoksi apeun goseul jeonghwaki chatji motaetda.

답답했던 그 환자는 어느 한의원에 들어갔다.
답따팯떤 그 혼자는 어느 하니워네 드러간따.
dapdapaetdeon geu hwanjaneun eoneu hanuiwone(haniwone) deureogatda.

환자 : 정확히 어디가 아픈지 잘 모르겠지만 어디를 눌러 봐도 아파 죽겠어요.
환자 : 정화키 어디가 아픈지 잘 모르겓찌만 어디를 눌러 봐도 아파 죽게써요.
hwanja : jeonghwaki eodiga apeunji jal moreugetjiman eodireul nulleo bwado
apa jukgesseoyo.

제발 좀 찾아 주세요.
제발 좀 차자 주세요.
jebal jom chaja juseyo.

한의사 선생님은 의미심장한 표정을 지으며 말했다.
하니사 선생니믄 의미심장한 표정을 지으며 말핻따.
hanuisa(hanisa) seonsaengnimeun uimisimjanghan pyojeongeul jieumyeo malhaetda.

한의사 : 손가락이 부러지셨군요!
하니사 : 손까라기 부러지셛꾜!
hanuisa(hanisa) : songaragi bureojisyeotgunyo!

● 어휘 (kosa kata) / 문법 (pelajaran tata bahasa)

교통사고+를 당하+ㄴ 사람+이 진찰+을 받+으러 병원+에 가+았+다.

환자 : 의사 선생님, 도대체 어디+가 아프+ㄴ지 잘 모르+겠+어요.

의사 : 일단, 손가락+으로 여기저기 한번 누르(눌ㄹ)+<u>어 보</u>+세요.

환자 : 어디+를 누르(눌ㄹ)+어도 까무러치+ㄹ 만큼 아프(아ㅍ)+아요.

의사 : 그럼, 제+가 한번 누르(눌ㄹ)+<u>어 보</u>+ㄹ게요.

　　　　어떻(어떠)+세요?

환자 : 그다지 아프+<u>ㄴ 것 같</u>+<u>지 않</u>+은데요.

결국 그 환자+는 다른 병원+을 찾아가+았+지만 역시 아프+ㄴ 곳+을 정확히 찾+<u>지 못하</u>+였+다.

답답하+였던 그 환자+는 어느 한의원+에 들어가+았+다.

환자 : 정확히 어디+가 아프+ㄴ지 잘 모르+겠+지만

　　　　어디+를 누르(눌ㄹ)+<u>어 보</u>+아도 아프(아ㅍ)+<u>아 죽</u>+겠+어요.

　　　　제발 좀 찾+<u>아 주</u>+세요.

한의사 선생님+은 의미심장하+ㄴ 표정+을 짓(지)+으며 말하+였+다.

한의사 : 손가락+이 부러지+시+었+군요!

교통사고+를 당하+ㄴ 사람+이 진찰+을 받+으러 병원+에 가+았+다.
당한   갔다

- **교통사고 (nomina)** : 자동차나 기차 등이 다른 교통 기관과 부딪치거나 사람을 치는 사고.
kecelakaan lalu-lintas
kecelakaan yang terjadi ketika mobil atau kereta api dsb bersenggolan dengan alat transportasi lain atau orang tertabrak

- **를** : 동작이 직접적으로 영향을 미치는 대상을 나타내는 조사.
Tiada Penjelasan Arti
partikel yang menyatakan objek dari suatu gerakan yang secara langsung memberikan pengaruh

- **당하다 (verba)** : 좋지 않은 일을 겪다.
Tiada Penjelasan Arti
mengalami hal yang tidak baik seperti dipulangkan dari sekolah, dipecat, dsb

- **-ㄴ** : 앞의 말이 관형어의 기능을 하게 만들고 사건이나 동작이 과거에 일어났음을 나타내는 어미.
yang
akhiran yang membuat kata di depannya berfungsi sebagai kata pewatas, dan menyatakan bahwa tindakan dan peristiwa terjadi di masa lampau

- **사람 (nomina)** : 생각할 수 있으며 언어와 도구를 만들어 사용하고 사회를 이루어 사는 존재.
manusia, orang
keberadaan yang bisa berpikir, membuat bahasa dan alat lalu menggunakannya, dan membentuk masyarakat

- **이** : 어떤 상태나 상황의 대상이나 동작의 주체를 나타내는 조사.
Tiada Penjelasan Arti
partikel yang menyatakan objek dari suatu keadaan atau kondisi atau pelaku dari suatu tindakan

- **진찰 (nomina)** : 의사가 치료를 위하여 환자의 병이나 상태를 살핌.
pemeriksaan kesehatan, pemeriksaan medis
kegiatan dokter memeriksa keadaan pasien, kondisi penyakit dengan tujuan untuk menyembuhkan

- **을** : 동작이 직접적으로 영향을 미치는 대상을 나타내는 조사.
Tiada Penjelasan Arti
partikel yang menyatakan objek dari suatu gerakan yang secara langsung memberikan pengaruh

• 받다 (verba) : 다른 사람이 하는 행동, 심리적인 작용 등을 당하거나 입다.
  menerima, mendapat
  terkena atau menderita karena tindakan yang dilakukan orang lain, efek mental, dsb

• -으러 : 가거나 오거나 하는 동작의 목적을 나타내는 연결 어미.
  untuk
  kata penutup sambung yang menyatakan tujuan dari tindakan pergi atau datang

• 병원 (nomina) : 시설을 갖추고 의사와 간호사가 병든 사람을 치료해 주는 곳.
  rumah sakit
  bangunan yang dilengkapi fasilitas tertentu tempat dokter dan perawat mengobati atau merawat orang-orang yang menderita penyakit

• 에 : 앞말이 목적지이거나 어떤 행위의 진행 방향임을 나타내는 조사.
  ke
  partikel yang menyatakan kalimat di depan adalah tempat tujuan atau arah jalannya tindakan

• 가다 (verba) : 어떤 목적을 가지고 일정한 곳으로 움직이다.
  pergi
  memiliki tujuan kemudian bergerak ke tempat tertentu

• -았- : 사건이 과거에 일어났음을 나타내는 어미.
  sudah, telah, pasti akan
  akhiran kalimat yang menyatakan peristiwa terjadi di masa lampau

• -다 : 어떤 사건이나 사실, 상태를 서술함을 나타내는 종결 어미.
  Tiada Penjelasan Arti
  akhiran penutup untuk menyatakan suatu peristiwa, kenyataan, dan keadaan

---

환자 : 의사 선생님, 도대체 어디+가 아프+ㄴ지 잘 모르+겠+어요.
아픈지

• 의사 (nomina) : 일정한 자격을 가지고서 병을 진찰하고 치료하는 일을 직업으로 하는 사람.
  dokter
  orang yang memiliki pekerjaan mendiagnosa dan mengobati penyakit dengan berkualifikasi tertentu

• 선생님 (nomina) : 어떤 사람의 성이나 직업에 붙여 그 사람을 높이는 말.
  bapak, ibu
  kata untuk meninggikan orang yang memiliki marga atau pekerjaan

• 도대체 (adverbia) : 유감스럽게도 전혀.
sama sekali, sungguh-sungguh, benar-benar
sama sekali

• 어디 (pronomina) : 모르는 곳을 가리키는 말.
tempat yang tidak tahu, di/ke/dari mana
kata yang digunakan ketika menanyakan tempat yang tak diketahui

• 가 : 어떤 상태나 상황에 놓인 대상이나 동작의 주체를 나타내는 조사.
Tiada Penjelasan Arti
partikel yang menyatakan subjek sebuah keadaan atau situasi atau pelaku utama sebuah tindakan

• 아프다 (adjektiva) : 다치거나 병이 생겨 통증이나 괴로움을 느끼다.
sakit, nyeri
merasa sakit atau menderita karena terluka atau timbul penyakit

• -ㄴ지 : 뒤에 오는 말의 내용에 대한 막연한 이유나 판단을 나타내는 연결 어미.
barangkali karena
akhiran kalimat penyambung yang menyatakan alasan atau penilaian yang samar tentang isi kalimat di belakang

• 잘 (adverbia) : 분명하고 정확하게.
dengan baik/jelas/tepat
dengan jelas dan tepat

• 모르다 (verba) : 사람이나 사물, 사실 등을 알지 못하거나 이해하지 못하다.
tidak tahu
tidak bisa mengetahui atau mengerti orang atau benda, fakta, dsb

• -겠- : 완곡하게 말하는 태도를 나타내는 어미.
bolehkah, minta
akhiran untuk menandai pembicaraan secara halus

• -어요 : (두루높임으로) 어떤 사실을 서술하거나 질문, 명령, 권유함을 나타내는 종결 어미.
apakah, apa, ~saja, silakan
(dalam bentuk hormat) kata penutup final yang mengungkapkan suatu kenyataan atau menyatakan pertanyaan, perintah, atau ajakan

의사 : 일단, 손가락+으로 여기저기 한번 누르(눌러)+[어 보]+세요.
눌러 보세요

- 일단 (adverbia) : 우선 먼저.
  pertama-tama
  sebelumnya, lebih dahulu

- 손가락 (nomina) : 사람의 손끝의 다섯 개로 갈라진 부분.
  jari-jari tangan
  bagian di tangan manusia yang terbagi menjadi lima

- 으로 : 어떤 일의 수단이나 도구를 나타내는 조사.
  dengan
  partikel yang menyatakan cara atau alat suatu pekerjaan

- 여기저기 (nomina) : 분명하게 정해지지 않은 여러 장소나 위치.
  sana-sini
  beberapa tempat atau lokasi yang tidak ditentukan secara jelas

- 한번 (adverbia) : 어떤 일을 시험 삼아 시도함을 나타내는 말.
  coba
  kata untuk menyatakan mengerjakan sesuatu untuk mengetahui keadaannya dan sebagainya

- 누르다 (verba) : 물체의 전체나 부분에 대하여 위에서 아래로 힘을 주어 무게를 가하다.
  menekan
  memberi tekanan berat dari atas ke arah bawah pada semua atau sebagian objek

- -어 보다 : 앞의 말이 나타내는 행동을 시험 삼아 함을 나타내는 표현.
  mencoba
  ungkapan yang menyatakan menjadikan tindakan dalam kalimat yang disebutkan di depan sebagai sebuah percobaan

- -세요 : (두루높임으로) 설명, 의문, 명령, 요청의 뜻을 나타내는 종결 어미.
  apakah, silakan
  (dalam bentuk hormat) akhiran kalimat penutup yang menyatakan arti penjelasan, pertanyaan, perintah, permintaan, dsb

환자 : 어디+를 누르(눌ㄹ)+어도 까무러치+ㄹ 만큼 아프(아ㅍ)+아요.
눌러도　　　까무러칠　　　아파요

- 어디 (pronomina) : 정해져 있지 않거나 정확하게 말할 수 없는 어느 곳을 가리키는 말.
  suatu tempat
  tempat yang tidak ditentukan atau tidak diberitahukan dengan jelas

• 를 : 동작이 직접적으로 영향을 미치는 대상을 나타내는 조사.
　Tiada Penjelasan Arti
　partikel yang menyatakan objek dari suatu gerakan yang secara langsung memberikan pengaruh

• 누르다 (verba) : 물체의 전체나 부분에 대하여 위에서 아래로 힘을 주어 무게를 가하다.
　menekan
　memberi tekanan berat dari atas ke arah bawah pada semua atau sebagian objek

• -어도 : 앞에 오는 말을 가정하거나 인정하지만 뒤에 오는 말에는 관계가 없거나 영향을 끼치지 않음을 나타내는 연결 어미.
　walaupun, meskipun, biarpun, kendatipun
　akhiran penghubung untuk menyatakan bahwa tidak berhubungan atau tidak berpengaruh pada isi kalimat induk walaupun mengandaikan atau mengakui isi anak kalimat

• 까무러치다 (verba) : 정신을 잃고 쓰러지다.
　pingsan, tidak sadarkan diri
　hilang kesadaran dan jatuh

• -ㄹ : 앞의 말이 관형어의 기능을 하게 만드는 어미.
　yang
　kata sambung yang membuat kata di depannya berfungsi sebagai adnominal (kata penghias)

• 만큼 (nomina) : 앞의 내용과 같은 양이나 정도임을 나타내는 말.
　sama, setara dengan, se-
　kata yang memunculkan persamaan jumlah atau tingkat dengan isi yang ada di depan

• 아프다 (adjektiva) : 다치거나 병이 생겨 통증이나 괴로움을 느끼다.
　sakit, nyeri
　merasa sakit atau menderita karena terluka atau timbul penyakit

• -아요 : (두루높임으로) 어떤 사실을 서술하거나 질문, 명령, 권유함을 나타내는 종결 어미.
　cobalah, sebenarnya, apa
　(dalam bentuk hormat) kata penutup final yang mengungkapkan suatu kenyataan atau menyatakan pertanyaan, perintah, atau ajakan

---

> 의사 : 그럼, 제+가 한번 <u>누르(눌ㄹ)+[어 보]</u>+ㄹ게요. <u>어떻(어떠)+세요</u>?
> 　　　　　　　　　　　**눌러 볼게요**　　　　　　　**어떠세요**

• 그럼 (adverbia) : 앞의 내용을 받아들이거나 그 내용을 바탕으로 하여 새로운 주장을 할 때 쓰는 말.
　jadi, maka, kalau demikian
　kata yang digunakan saat menerima isi ucapan yang ada di depan atau membuat pernyataan baru berdasar latar belakang tersebut

• 제 (pronomina) : 말하는 사람이 자신을 낮추어 가리키는 말인 '저'에 조사 '가'가 붙을 때의 형태.
saya
bentuk ketika melekatkan partikel '가' ke '저' yang berarti 'saya' dalam bentuk sopan

• 가 : 어떤 상태나 상황에 놓인 대상이나 동작의 주체를 나타내는 조사.
Tiada Penjelasan Arti
partikel yang menyatakan subjek sebuah keadaan atau situasi atau pelaku utama sebuah tindakan

• 한번 (adverbia) : 어떤 일을 시험 삼아 시도함을 나타내는 말.
coba
kata untuk menyatakan mengerjakan sesuatu untuk mengetahui keadaannya dan sebagainya

• 누르다 (verba) : 물체의 전체나 부분에 대하여 위에서 아래로 힘을 주어 무게를 가하다.
menekan
memberi tekanan berat dari atas ke arah bawah pada semua atau sebagian objek

• -어 보다 : 앞의 말이 나타내는 행동을 시험 삼아 함을 나타내는 표현.
mencoba
ungkapan yang menyatakan menjadikan tindakan dalam kalimat yang disebutkan di depan sebagai sebuah percobaan

• -ㄹ게요 : (두루높임으로) 말하는 사람이 어떤 행동을 할 것을 듣는 사람에게 약속하거나 의지를 나타내는 표현.
saya akan~, saya mau
(dalam bentuk hormat) ungkapan yang menunjukkan hal orang yang berbicara berjanji atau memberitahukan akan melakukan suatu tindakan kepada orang yang mendengar

• 어떻다 (adjektiva) : 생각, 느낌, 상태, 형편 등이 어찌 되어 있다.
begitu, bagaimana
pikiran, perasaan, situasi, keadaan, dsb berada dalam keadaan entah bagaimana

• -세요 : (두루높임으로) 설명, 의문, 명령, 요청의 뜻을 나타내는 종결 어미.
apakah, silakan
(dalam bentuk hormat) akhiran kalimat penutup yang menyatakan arti penjelasan, pertanyaan, perintah, permintaan, dsb

---

환자 : 그다지 아프+[ㄴ 것 같]+[지 않]+은데요.
아픈 것 같지 않은데요

• 그다지 (adverbia) : 대단한 정도로는. 또는 그렇게까지는.
tidak seberapa
tidak sebegitunya, tidak terlalu

- **아프다 (adjektiva)** : 다치거나 병이 생겨 통증이나 괴로움을 느끼다.
  sakit, nyeri
  merasa sakit atau menderita karena terluka atau timbul penyakit

- **-ㄴ 것 같다** : 추측을 나타내는 표현.
  sepertinya, kelihatannya, nampaknya
  ungkapan yang menyatakan dugaan atau terkaan

- **-지 않다** : 앞의 말이 나타내는 행위나 상태를 부정하는 뜻을 나타내는 표현.
  tidak
  ungkapan yang menyatakan arti menidakkan tindakan atau keadaan dalam kalimat yang disebutkan di depan

- **-은데요** : (두루높임으로) 의외라 느껴지는 어떤 사실을 감탄하여 말할 때 쓰는 표현.
  nyatanya, manakah?, nyatanya, benar
  (dalam bentuk hormat) ungkapan yang digunakan ketika mengungkapkan seruan mengenai suatu kebenaran yang dianggap di luar dugaan

---

결국 그 환자+는 다른 병원+을 <u>찾아가</u>+았+<u>지만</u> 역시 <u>아프</u>+ㄴ 곳+을 정확히 <u>찾</u>+[<u>지 못하</u>]+였+다.
　　　　　　　　　　　　　찾아갔지만　　　　　　**아픈**　　　　　　　**찾지 못했다**

- **결국 (adverbia)** : 일의 결과로.
  akhirnya
  hasil dari sebuah pekerjaan

- **그 (pewatas)** : 앞에서 이미 이야기한 대상을 가리킬 때 쓰는 말.
  itu
  kata yang digunakan saat menunjuk sesuatu yang sudah diceritakan di depan

- **환자 (nomina)** : 몸에 병이 들거나 다쳐서 아픈 사람.
  pasien, penderita
  orang yang menderita penyakit atau terluka di badan

- **는** : 문장 속에서 어떤 대상이 화제임을 나타내는 조사.
  Tiada Penjelasan Arti
  partikel yang menyatakan suatu subjek dalam kalimat menjadi bahan pembicaraan

- **다른 (pewatas)** : 해당하는 것 이외의.
  yang lain, lain
  di luar sesuatu yang termasuk

• **병원 (nomina)** : 시설을 갖추고 의사와 간호사가 병든 사람을 치료해 주는 곳.
  rumah sakit
  bangunan yang dilengkapi fasilitas tertentu tempat dokter dan perawat mengobati atau merawat orang-orang yang menderita penyakit

• **을** : 동작의 도착지나 동작이 이루어지는 장소를 나타내는 조사.
  Tiada Penjelasan Arti
  partikel yang menyatakan tempat tujuan suatu gerakan atau terjadinya suatu gerakan

• **찾아가다 (verba)** : 사람을 만나거나 어떤 일을 하러 가다.
  pergi menemui
  pergi untuk menemui orang atau melakukan suatu hal

• **-았-** : 사건이 과거에 일어났음을 나타내는 어미.
  sudah, telah, pasti akan
  akhiran kalimat yang menyatakan peristiwa terjadi di masa lampau

• **-지만** : 앞에 오는 말을 인정하면서 그와 반대되거나 다른 사실을 덧붙일 때 쓰는 연결 어미.
  tetapi, namun, melainkan
  akhiran penghubung untuk menambahkan kenyataan yang berlawanan atau berbeda sambil mengakui isi anak kalimat.

• **역시 (adverbia)** : 이전과 마찬가지로.
  juga, masih
  sama dengan sebelumnya

• **아프다 (adjektiva)** : 다치거나 병이 생겨 통증이나 괴로움을 느끼다.
  sakit, nyeri
  merasa sakit atau menderita karena terluka atau timbul penyakit

• **-ㄴ** : 앞의 말이 관형어의 기능을 하게 만들고 현재의 상태를 나타내는 어미.
  yang
  akhiran yang membuat kata di depannya berfungsi sebagai kata pewatas, dan menyatakan keadaan saat ini

• **곳 (nomina)** : 일정한 장소나 위치.
  tempat
  tempat atau lokasi tertentu

• **을** : 동작이 직접적으로 영향을 미치는 대상을 나타내는 조사.
  Tiada Penjelasan Arti
  partikel yang menyatakan objek dari suatu gerakan yang secara langsung memberikan pengaruh

· 정확히 (adverbia) : 바르고 확실하게.
  dengan tepat, dengan akurat, dengan benar, dengan jelas, dengan betul
  dengan benar dan jelas

· 찾다 (verba) : 모르는 것을 알아내려고 노력하다. 또는 모르는 것을 알아내다.
  cari tahu
  berusaha mencari tahu yang tidak diketahui atau mencari tahu hal yang belum diketahui

· -지 못하다 : 앞의 말이 나타내는 행동을 할 능력이 없거나 주어의 의지대로 되지 않음을 나타내는 표
            현.
  tidak dapat, tidak bisa, tidak mampu
  ungkapan yang menyatakan tidak mampu melakukan tindakan yang disebutkan dalam
  kalimat di depan atau tidak dapat terjadi seperti keinginan subjek

· -였- : 사건이 과거에 일어났음을 나타내는 어미.
  sudah, telah, pasti akan
  akhiran kalimat yang menyatakan peristiwa terjadi di masa lampau

· -다 : 어떤 사건이나 사실, 상태를 서술함을 나타내는 종결 어미.
  Tiada Penjelasan Arti
  akhiran penutup untuk menyatakan suatu peristiwa, kenyataan, dan keadaan

---

답답하+였던 그 환자+는 어느 한의원+에 들어가+았+다.
답답했던   **들어갔다**

· 답답하다 (adjektiva) : 근심이나 걱정으로 마음이 초조하고 속이 시원하지 않다.
  cemas, sesak
  merasa cemas dan khawatir

· -였던 : 과거의 사건이나 상태를 다시 떠올리거나 그 사건이나 상태가 완료되지 않고 중단되었다는 의
         미를 나타내는 표현.
  yang dulu, yang dulu pernah
  ungkapan yang menunjukkan maksud mengingat kembali peristiwa atau kondisi di masa lalu
  atau perisitiwa atau kondisi tersebut tidak selesai dan terhenti di tengah-tengah

· 그 (pewatas) : 앞에서 이미 이야기한 대상을 가리킬 때 쓰는 말.
  itu
  kata yang digunakan saat menunjuk sesuatu yang sudah diceritakan di depan

· 환자 (nomina) : 몸에 병이 들거나 다쳐서 아픈 사람.
  pasien, penderita
  orang yang menderita penyakit atau terluka di badan

• 는 : 문장 속에서 어떤 대상이 화제임을 나타내는 조사.
  Tiada Penjelasan Arti
  partikel yang menyatakan suatu subjek dalam kalimat menjadi bahan pembicaraan

• 어느 (pewatas) : 확실하지 않거나 분명하게 말할 필요가 없는 사물, 사람, 때, 곳 등을 가리키는 말.
  sesuatu
  kata untuk menunjuk benda, orang, waktu, tempat, dsb yang tidak begitu jelas atau nyata

• 한의원 (nomina) : 우리나라 전통 의술로 환자를 치료하는 의원.
  klinik pengobatan tradisional Korea
  klinik yang mengobati pasien dengan ilmu pengobatan tradisional Korea

• 에 : 앞말이 목적지이거나 어떤 행위의 진행 방향임을 나타내는 조사.
  ke
  partikel yang menyatakan kalimat di depan adalah tempat tujuan atau arah jalannya tindakan

• 들어가다 (verba) : 밖에서 안으로 향하여 가다.
  masuk
  pergi mengarah ke dalam dari luar

• -았- : 사건이 과거에 일어났음을 나타내는 어미.
  sudah, telah, pasti akan
  akhiran kalimat yang menyatakan peristiwa terjadi di masa lampau

• -다 : 어떤 사건이나 사실, 상태를 서술함을 나타내는 종결 어미.
  Tiada Penjelasan Arti
  akhiran penutup untuk menyatakan suatu peristiwa, kenyataan, dan keadaan

---

환자 : 정확히 어디+가 <u>아프+ㄴ지</u> 잘 모르+겠+지만
아픈지

어디+를 <u>누르(눌르)+[어 보]</u>+아도 <u>아프(아프)+[아 죽]+겠+어요</u>.
눌러 보아도   아파 죽겠어요

• 정확히 (adverbia) : 바르고 확실하게.
  dengan tepat, dengan akurat, dengan benar, dengan jelas, dengan betul
  dengan benar dan jelas

• 어디 (pronomina) : 모르는 곳을 가리키는 말.
  tempat yang tidak tahu, di/ke/dari mana
  kata yang digunakan ketika menanyakan tempat yang tak diketahui

- 가 : 어떤 상태나 상황에 놓인 대상이나 동작의 주체를 나타내는 조사.
  Tiada Penjelasan Arti
  partikel yang menyatakan subjek sebuah keadaan atau situasi atau pelaku utama sebuah tindakan

- **아프다 (adjektiva)** : 다치거나 병이 생겨 통증이나 괴로움을 느끼다.
  sakit, nyeri
  merasa sakit atau menderita karena terluka atau timbul penyakit

- -ㄴ지 : 뒤에 오는 말의 내용에 대한 막연한 이유나 판단을 나타내는 연결 어미.
  barangkali karena
  akhiran kalimat penyambung yang menyatakan alasan atau penilaian yang samar tentang isi kalimat di belakang

- **잘 (adverbia)** : 분명하고 정확하게.
  dengan baik/jelas/tepat
  dengan jelas dan tepat

- **모르다 (verba)** : 사람이나 사물, 사실 등을 알지 못하거나 이해하지 못하다.
  tidak tahu
  tidak bisa mengetahui atau mengerti orang atau benda, fakta, dsb

- -겠- : 완곡하게 말하는 태도를 나타내는 어미.
  bolehkah, minta
  akhiran untuk menandai pembicaraan secara halus

- -지만 : 앞에 오는 말을 인정하면서 그와 반대되거나 다른 사실을 덧붙일 때 쓰는 연결 어미.
  tetapi, namun, melainkan
  akhiran penghubung untuk menambahkan kenyataan yang berlawanan atau berbeda sambil mengakui isi anak kalimat.

- **어디 (pronomina)** : 정해져 있지 않거나 정확하게 말할 수 없는 어느 곳을 가리키는 말.
  suatu tempat
  tempat yang tidak ditentukan atau tidak diberitahukan dengan jelas

- 를 : 동작이 직접적으로 영향을 미치는 대상을 나타내는 조사.
  Tiada Penjelasan Arti
  partikel yang menyatakan objek dari suatu gerakan yang secara langsung memberikan pengaruh

- **누르다 (verba)** : 물체의 전체나 부분에 대하여 위에서 아래로 힘을 주어 무게를 가하다.
  menekan
  memberi tekanan berat dari atas ke arah bawah pada semua atau sebagian objek

• -어 보다 : 앞의 말이 나타내는 행동을 시험 삼아 함을 나타내는 표현.
mencoba
ungkapan yang menyatakan menjadikan tindakan dalam kalimat yang disebutkan di depan sebagai sebuah percobaan

• -아도 : 앞에 오는 말을 가정하거나 인정하지만 뒤에 오는 말에는 관계가 없거나 영향을 끼치지 않음을 나타내는 연결 어미.
walaupun, meskipun, biarpun, kendatipun
akhiran penghubung untuk menyatakan bahwa tidak berhubungan atau tidak berpengaruh pada isi kalimat induk walaupun mengandaikan atau mengakui isi anak kalimat

• 아프다 (adjektiva) : 다치거나 병이 생겨 통증이나 괴로움을 느끼다.
sakit, nyeri
merasa sakit atau menderita karena terluka atau timbul penyakit

• -아 죽다 : 앞의 말이 나타내는 상태의 정도가 매우 심함을 나타내는 표현.
setengah mati, nyaris mati, hampir mati
ungkapan yang menyatakan bahwa taraf keadaan atau perasaan dalam kalimat yang disebutkan di depan sangat parah atau berlebihan

• -겠- : 완곡하게 말하는 태도를 나타내는 어미.
bolehkah, minta
akhiran untuk menandai pembicaraan secara halus

• -어요 : (두루높임으로) 어떤 사실을 서술하거나 질문, 명령, 권유함을 나타내는 종결 어미.
apakah, apa, ~saja, silakan
(dalam bentuk hormat) kata penutup final yang mengungkapkan suatu kenyataan atau menyatakan pertanyaan, perintah, atau ajakan

---

환자 : 제발 좀 찾+[아 주]+세요.
찾아 주세요

• 제발 (adverbia) : 간절히 부탁하는데.
mohon
memohon dengan sepenuh hati

• 좀 (adverbia) : 주로 부탁이나 동의를 구할 때 부드러운 느낌을 주기 위해 넣는 말.
Tiada Penjelasan Arti
kata yang biasanya dibubuhkan untuk memberikan kesan halus saat memohon atau meminta persetujuan

• **찾다 (verba)** : 모르는 것을 알아내려고 노력하다. 또는 모르는 것을 알아내다.
  cari tahu
  berusaha mencari tahu yang tidak diketahui atau mencari tahu hal yang belum diketahui

• **-아 주다** : 남을 위해 앞의 말이 나타내는 행동을 함을 나타내는 표현.
  mohon, minta, karena
  ungkapan yang menyatakan melakukan tindakan yang disebutkan dalam kalimat di depan untuk orang lain

• **-세요** : (두루높임으로) 설명, 의문, 명령, 요청의 뜻을 나타내는 종결 어미.
  apakah, silakan
  (dalam bentuk hormat) akhiran kalimat penutup yang menyatakan arti penjelasan, pertanyaan, perintah, permintaan, dsb

---

한의사 선생님+은 <u>의미심장하+ㄴ</u> 표정+을 <u>짓(지)+으며</u> <u>말하+였+다</u>.
             의미심장한   **지으며**   **말했다**

• **한의사 (nomina)** : 우리나라 전통 의술로 치료하는 의사.
  dokter pengobatan tradisional Korea
  dokter yang mengobati dengan ilmu pengobatan atau teknik medis tradisional Korea

• **선생님 (nomina)** : 어떤 사람의 성이나 직업에 붙여 그 사람을 높이는 말.
  bapak, ibu
  kata untuk meninggikan orang yang memiliki marga atau pekerjaan

• **은** : 문장 속에서 어떤 대상이 화제임을 나타내는 조사.
  Tiada Penjelasan Arti
  partikel yang menyatakan suatu objek menjadi topik di dalam kalimat

• **의미심장하다 (adjektiva)** : 뜻이 매우 깊다.
  bermakna dalam
  berarti yang sangat dalam atau implisit

• **-ㄴ** : 앞의 말이 관형어의 기능을 하게 만들고 현재의 상태를 나타내는 어미.
  yang
  akhiran yang membuat kata di depannya berfungsi sebagai kata pewatas, dan menyatakan keadaan saat ini

• **표정 (nomina)** : 마음속에 품은 감정이나 생각 등이 얼굴에 드러남. 또는 그런 모습.
  raut wajah, air muka
  hal perasaan atau pikiran dsb yang tersimpan di dalam hati tampak di wajah, atau rupa yang demikian

- 을 : 동작이 직접적으로 영향을 미치는 대상을 나타내는 조사.
  Tiada Penjelasan Arti
  partikel yang menyatakan objek dari suatu gerakan yang secara langsung memberikan pengaruh

- 짓다 (verba) : 어떤 표정이나 태도 등을 얼굴이나 몸에 나타내다.
  memperlihatkan, menunjukkan
  memperlihatkan suatu ekspresi atau sikap dsb pada wajah atau tubuh

- -으며 : 두 가지 이상의 동작이나 상태가 함께 일어남을 나타내는 연결 어미.
  serta, dan, sambil
  kata penutup sambung yang menyatakan dua atau lebih tindakan atau keadaan muncul bersamaan

- 말하다 (verba) : 어떤 사실이나 자신의 생각 또는 느낌을 말로 나타내다.
  mengatakan
  menyampaikan sebuah kenyataan, pikiran, atau perasaan diri sendiri lewat kata-kata

- -였- : 사건이 과거에 일어났음을 나타내는 어미.
  sudah, telah, pasti akan
  akhiran kalimat yang menyatakan peristiwa terjadi di masa lampau

- -다 : 어떤 사건이나 사실, 상태를 서술함을 나타내는 종결 어미.
  Tiada Penjelasan Arti
  akhiran penutup untuk menyatakan suatu peristiwa, kenyataan, dan keadaan

한의사 : 손가락+이 부러지+시+었+군요!
부러지셨군요

- 손가락 (nomina) : 사람의 손끝의 다섯 개로 갈라진 부분.
  jari-jari tangan
  bagian di tangan manusia yang terbagi menjadi lima

- 이 : 어떤 상태나 상황의 대상이나 동작의 주체를 나타내는 조사.
  Tiada Penjelasan Arti
  partikel yang menyatakan objek dari suatu keadaan atau kondisi atau pelaku dari suatu tindakan

- 부러지다 (verba) : 단단한 물체가 꺾여 둘로 겹쳐지거나 동강이 나다.
  patah
  benda yang keras tertekuk sehingga terlipat atau terbelah menjadi dua

• -시- : 높이고자 하는 인물과 관계된 소유물이나 신체의 일부가 문장의 주어일 때 그 인물을 높이는 뜻
　　을 나타내는 어미.
Tiada Penjelasan Arti
akhiran kalimat yang menyatakan arti meninggikan benda milik atau bagian tubuh orang
yang hendak ditinggikan jika menjadi subjek atau topik

• -었- : 어떤 사건이 과거에 완료되었거나 그 사건의 결과가 현재까지 지속되는 상황을 나타내는 어미.
sudah, pasti, yakin
akhiran kalimat yang menyatakan sebuah peristiwa sudah selesai di masa lampau atau
menyatakan keadaan di mana hasil peristiwa tersebut terus berlangsung hingga sekarang

• -군요 : (두루높임으로) 새롭게 알게 된 사실에 주목하거나 감탄함을 나타내는 표현.
wah, ternyata
(dalam bentuk hormat) ungkapan yang menunjukkan hal meyakinkan atau menyadari suatu
hal dengan baru sehingga terkejut

< 8 단원(bagian) >

제목 : 소는 왜 안 보이니?

● 본문 (tulisan utama)

어느 초등학교 미술 시간이었다.

선생님 : 여러분! 지금은 미술 시간이에요.

　　　　오늘은 목장 풍경을 한번 그려 보세요.

시간이 한참 지난 후에 선생님께서는 아이들 자리를 돌아다니며 그림을 살펴보았다.

선생님 : 소가 참 한가로워 보이네요.

　　　　잘 그렸어요.

이렇게 선생님께서는 학생들의 그림을 보면서 칭찬을 해 주셨다.

그런데 한 학생의 스케치북은 백지상태 그대로였다.

선생님 : 넌 어떤 그림을 그린 거니?

학생 : 풀을 뜯고 있는 소를 그렸어요.

선생님 : 그런데 풀은 어디 있니?

학생 : 소가 이미 다 먹어 버렸어요.

선생님 : 그럼 소는 왜 안 보이니?

학생 : 선생님도 참, 소가 풀을 다 먹었는데 여기에 있겠어요?

● 발음 (pelafalan)

어느 초등학교 미술 시간이었다.
어느 초등학꾜 미술 시가니얻따.
eoneu chodeunghaggyo misul siganieotda.

선생님 : 여러분! 지금은 미술 시간이에요.
선생님 : 여러분! 지그믄 미술 시가니에요.
seonsaengnim : yeoreobun! jigeumeun misul siganieyo.

오늘은 목장 풍경을 한번 그려 보세요.
오느른 목짱 풍경을 한번 그려 보세요.
oneureun mokjang punggyeongeul hanbeon geuryeo boseyo.

시간이 한참 지난 후에 선생님께서는 아이들 자리를 돌아다니며 그림을 살펴보았다.
시가니 한참 지난 후에 선생님께서는 아이들 자리를 도라다니며 그리믈 살펴보앋따.
sigani hancham jinan hue seonsaengnimkkeseoneun aideul jarireul doradanimyeo geurimeul salpyeoboatda.

선생님 : 소가 참 한가로워 보이네요.
선생님 : 소가 참 한가로워 보이네요.
seonsaengnim : soga cham hangarowo boineyo.

잘 그렸어요.
잘 그려써요.
jal geuryeosseoyo.

이렇게 선생님께서는 학생들의 그림을 보면서 칭찬을 해 주셨다.
이러케 선생님께서는 학쌩드레 그리믈 보면서 칭차늘 해 주셛따.
ireoke seonsaengnimkkeseoneun haksaengdeurui(haksaengdeure) geurimeul bomyeonseo chingchaneul hae jusyeotda.

그런데 한 학생의 스케치북은 백지상태 그대로였다.
그런데 한 학쌩에 스케치부근 백찌상태 그대로엳따.
geureonde han haksaengui(haksaenge) seukechibugeun baekjisangtae geudaeroyeotda.

선생님 : 넌 어떤 그림을 그린 거니?
선생님 : 넌 어떤 그리믈 그린 거니?
seonsaengnim : neon eotteon geurimeul geurin geoni?

학생 : 풀을 뜯고 있는 소를 그렸어요.
학쌩 : 푸를 뜯꼬 인는 소를 그려써요.
haksaeng : pureul tteutgo inneun soreul geuryeosseoyo.

선생님 : 그런데 풀은 어디 있니?
선생님 : 그런데 푸른 어디 인니?
seonsaengnim : geureonde pureun eodi inni?

학생 : 소가 이미 다 먹어 버렸어요.
학쌩 : 소가 이미 다 머거 버려써요.
haksaeng : soga imi da meogeo beoryeosseoyo.

선생님 : 그럼 소는 왜 안 보이니?
선생님 : 그럼 소는 왜 안 보이니?
seonsaengnim : geureom soneun wae an boini?

학생 : 선생님도 참, 소가 풀을 다 먹었는데 여기에 있겠어요?
학쌩 : 선생님도 참, 소사 푸를 다 머건는데 여기에 읻께써요?
haksaeng : seonsaengnimdo cham, soga pureul da meogeonneunde yeogie itgesseoyo?

● 어휘 (kosa kata) / 문법 (pelajaran tata bahasa)

어느 초등학교 미술 시간+이+었+다.

선생님 : 여러분! 지금+은 미술 시간+이+에요.

　　　　오늘+은 목장 풍경+을 한번 그리+<u>어 보</u>+세요.

시간+이 한참 지나+<u>ㄴ 후에</u> 선생님+께서+는 아이+들 자리+를 돌아다니+며 그림+을 살펴보+았+다.

선생님 : 소+가 참 한가롭(한가로우)+<u>어 보이</u>+네요.

　　　　잘 그리+었+어요.

이렇+게 선생님+께서+는 학생+들+의 그림+을 보+면서 칭찬+을 하+<u>여 주</u>+시+었+다.

그런데 한 학생+의 스케치북+은 백지상태 그대로+이+었+다.

선생님 : 너+는 어떤 그림+을 그리+<u>ㄴ 것(거)</u>+(이)+니?

학생 : 풀+을 뜯+<u>고 있</u>+는 소+를 그리+었+어요.

선생님 : 그런데 풀+은 어디 있+니?

학생 : 소+가 이미 다 먹+<u>어 버리</u>+었+어요.

선생님 : 그럼 소+는 왜 안 보이+니?

학생 : 선생님+도 참, 소+가 풀+을 다 먹+었+는데 여기+에 있+겠+어요?

어느 초등학교 미술 시간+이+었+다.

• **어느 (pewatas)** : 확실하지 않거나 분명하게 말할 필요가 없는 사물, 사람, 때, 곳 등을 가리키는 말.

  sesuatu

  kata untuk menunjuk benda, orang, waktu, tempat, dsb yang tidak begitu jelas atau nyata

• **초등학교 (nomina)** : 학교 교육의 첫 번째 단계로 만 여섯 살에 입학하여 육 년 동안 기본 교육을 받는
  학교.

  sekolah dasar (SD)

  tingkat sekolah paling dasar yang bisa dimasuki pertama kali oleh anak berumur 6 tahun dan pendidikannya berjalan selama 6 tahun

• **미술 (nomina)** : 그림이나 조각처럼 눈으로 볼 수 있는 아름다움을 표현한 예술.

  seni, ilmu seni, kesenian

  seni yang mengekspresikan keindahan yang dapat dinikmati langsung dengan mata seperti gambar atau patung

• **시간 (nomina)** : 어떤 일이 시작되어 끝날 때까지의 동안.

  waktu, masa, periode

  selama dimulai sampai selesainya suatu waktu

• **이다** : 주어가 지시하는 대상의 속성이나 부류를 지정하는 뜻을 나타내는 서술격 조사.

  adalah

  partikel kasus predikatif yang menyatakan maksud menentukan karakter atau jenis dari objek yang diindikasikan subjek

• **-었-** : 사건이 과거에 일어났음을 나타내는 어미.

  sudah, pasti, yakin

  akhiran kalimat yang menyatakan peristiwa terjadi di masa lampau

• **-다** : 어떤 사건이나 사실, 상태를 서술함을 나타내는 종결 어미.

  Tiada Penjelasan Arti

  (dalam bentuk sangat rendah) akhiran penutup untuk menyatakan suatu peristiwa, kenyataan, dan keadaan

---

선생님 : 여러분! 지금+은 미술 시간+이+에요.

• **여러분 (pronomina)** : 듣는 사람이 여러 명일 때 그 사람들을 높여 이르는 말.

  Anda sekalian, saudara sekalian

  (dalam bentuk formal atau sopan) kalian

• **지금 (nomina)** : 말을 하고 있는 바로 이때.
sekarang
saat sedang bicara

• **은** : 문장 속에서 어떤 대상이 화제임을 나타내는 조사.
Tiada Penjelasan Arti
partikel yang menyatakan suatu objek menjadi topik di dalam kalimat

• **미술 (nomina)** : 그림이나 조각처럼 눈으로 볼 수 있는 아름다움을 표현한 예술.
seni, ilmu seni, kesenian
seni yang mengekspresikan keindahan yang dapat dinikmati langsung dengan mata seperti gambar atau patung

• **시간 (nomina)** : 어떤 일이 시작되어 끝날 때까지의 동안.
waktu, masa, periode
selama dimulai sampai selesainya suatu waktu

• **이다** : 주어가 지시하는 대상의 속성이나 부류를 지정하는 뜻을 나타내는 서술격 조사.
adalah
partikel kasus predikatif yang menyatakan maksud menentukan karakter atau jenis dari objek yang diindikasikan subjek

• **-에요** : (두루높임으로) 어떤 사실을 서술하거나 질문함을 나타내는 종결 어미.
apakah, adalah
(dalam bentuk hormat) kata penutup final yang mengungkapkan suatu kenyataan atau menyatakan pertanyaan, perintah, atau ajakan

---

선생님 : 오늘+은 목장 풍경+을 한번 <u>그리+[어 보]+세요</u>.
그려 보세요

• **오늘 (nomina)** : 지금 지나가고 있는 이날.
hari ini
hari ini yang sekarang sedang dilalui sekarang

• **은** : 문장 속에서 어떤 대상이 화제임을 나타내는 조사.
Tiada Penjelasan Arti
partikel yang menyatakan suatu objek menjadi topik di dalam kalimat

• **목장 (nomina)** : 우리와 풀밭 등을 갖추어 소나 말이나 양 등을 놓아 기르는 곳.
peternakan
tempat untuk memelihara sapi, kuda atau domba dsb yang memiliki kandang dan padang rumput

• **풍경 (nomina)** : 감정을 불러일으키는 경치나 상황.

pemandangan, keindahan

pemandangan atau kondisi yang menarik perasaan atau emosi

• **을** : 동작이 직접적으로 영향을 미치는 대상을 나타내는 조사.

Tiada Penjelasan Arti

partikel yang menyatakan objek dari suatu gerakan yang secara langsung memberikan pengaruh

• **한번 (adverbia)** : 어떤 일을 시험 삼아 시도함을 나타내는 말.

coba

kata untuk menyatakan mengerjakan sesuatu untuk mengetahui keadaannya dan sebagainya

• **그리다 (verba)** : 연필이나 붓 등을 이용하여 사물을 선이나 색으로 나타내다.

menggambar, melukis

merealisasikan benda dengan garis-garis atau warna-warna menggunakan pensil atau kuas, dsb

• **-어 보다** : 앞의 말이 나타내는 행동을 시험 삼아 함을 나타내는 표현.

mencoba

ungkapan yang menyatakan menjadikan tindakan dalam kalimat yang disebutkan di depan sebagai sebuah percobaan

• **-세요** : (두루높임으로) 설명, 의문, 명령, 요청의 뜻을 나타내는 종결 어미.

apakah, silakan

(dalam bentuk hormat) akhiran kalimat penutup yang menyatakan arti penjelasan, pertanyaan, perintah, permintaan, dsb

---

시간+이 한참 지나+[ㄴ 후에] 선생님+께서+는 아이+들 자리+를 돌아다니+며 그림+을 살펴보+았+다.
지난 후에

• **시간 (nomina)** : 자연히 지나가는 세월.

masa, waktu

masa yang mengalir dengan sendirinya

• **이** : 어떤 상태나 상황의 대상이나 동작의 주체를 나타내는 조사.

Tiada Penjelasan Arti

partikel yang menyatakan objek dari suatu keadaan atau kondisi atau pelaku dari suatu tindakan

• **한참 (nomina)** : 시간이 꽤 지나는 동안.

sekian lama

selama waktu yang telah berlalu

• **지나다 (verba)** : 시간이 흘러 그 시기에서 벗어나다.

   lalu, lewat

   waktu mengalir sehingga lepas dari masa tersebut

• **-ㄴ 후에** : 앞에 오는 말이 나타내는 행동을 하고 시간적으로 뒤에 다른 행동을 함을 나타내는 표현.

   sesudah, setelah, seusai, sehabis

   ungkapan untuk menyatakan melakukan tindakan lain setelah melakukan suatu tindakan dalam perkataan depan

• **선생님 (nomina)** : (높이는 말로) 학생을 가르치는 사람.

   bapak atau ibu guru

   (dalam sebutan hormat) orang yang mengajarkan murid

• **께서** : (높임말로) 가. 이. 어떤 동작의 주체가 높여야 할 대상임을 나타내는 조사.

   Tiada Penjelasan Arti

   (dalam sebutan hormat) partikel yang menyatakan subjek yang menjadi pelaku suatu tindakan yang ditinggikan

• **는** : 문장 속에서 어떤 대상이 화제임을 나타내는 조사.

   Tiada Penjelasan Arti

   partikel yang menyatakan suatu objek menjadi topik di dalam kalimat

• **아이 (nomina)** : 나이가 어린 사람.

   anak

   orang yang berusia muda

• **들** : '복수'의 뜻을 더하는 접미사.

   Tiada Penjelasan Arti

   akhiran yang menambahkan arti "jamak"

• **자리 (nomina)** : 사람이 앉을 수 있도록 만들어 놓은 곳.

   tempat duduk

   tempat yang dibuat agar orang dapat duduk

• **를** : 동작의 도착지나 동작이 이루어지는 장소를 나타내는 조사.

   Tiada Penjelasan Arti

   partikel yang menyatakan tempat tujuan suatu gerakan atau terjadinya suatu gerakan

• **돌아다니다 (verba)** : 여기저기를 두루 다니다.

   mondar-mandir

   berjalan kesana kemari

• -며 : 두 가지 이상의 동작이나 상태가 함께 일어남을 나타내는 연결 어미.

sambil, seraya

kata penutup sambung yang menyatakan dua atau lebih tindakan atau keadaan muncul bersamaan

• **그림 (nomina)** : 선이나 색채로 사물의 모양이나 이미지 등을 평면 위에 나타낸 것.

gambar, lukisan

suatu bentuk pada permukaan datar yang menunjukkan bentuk benda menggunakan garis dan warna

• 을 : 동작이 직접적으로 영향을 미치는 대상을 나타내는 조사.

Tiada Penjelasan Arti

partikel yang menyatakan objek dari suatu gerakan yang secara langsung memberikan pengaruh

• **살펴보다 (verba)** : 여기저기 빠짐없이 자세히 보다.

mengamati, memperhatikan

melihat dengan teliti di sana sini tanpa ada yang terlewat

• -았- : 사건이 과거에 일어났음을 나타내는 어미.

sudah, telah, pasti akan

akhiran kalimat yang menyatakan peristiwa terjadi di masa lampau

• -다 : 어떤 사건이나 사실, 상태를 서술함을 나타내는 종결 어미.

Tiada Penjelasan Arti

(dalam bentuk sangat rendah) akhiran penutup untuk menyatakan suatu peristiwa, kenyataan, dan keadaan

---

선생님 : 소+가 참 한가롭(한가로우)+[어 보이]+네요.

한가로워 보이네요

• **소 (nomina)** : 몸집이 크고 갈색이나 흰색과 검은색의 털이 있으며, 젖을 짜 먹거나 고기를 먹기 위해 기르는 짐승.

sapi

hewan bertubuh besar dan memiliki bulu warna coklat ,hitam, atau putih, yang dipelihara untuk susunya diperah atau dagingnya dimakan

• 가 : 어떤 상태나 상황에 놓인 대상이나 동작의 주체를 나타내는 조사.

Tiada Penjelasan Arti

partikel yang menyatakan subjek sebuah keadaan atau situasi atau pelaku utama sebuah tindakan

• **참 (adverbia)** : 사실이나 이치에 조금도 어긋남이 없이 정말로.

sungguh, benar-benar

dengan sungguh-sungguh tanpa terdapat kesimpangan sedikit pun dengan fakta atau alasan

• **한가롭다 (adjektiva)** : 바쁘지 않고 여유가 있는 듯하다.

senggang, luang, leluasa

tidak sibuk dan nampak senggang

• **-어 보이다** : 겉으로 볼 때 앞의 말이 나타내는 것처럼 느껴지거나 추측됨을 나타내는 표현.

tampak, terlihat

ungkapan yang menyatakan bahwa kalimat yang disebutkan di depan terasa atau diperkirakan seperti muncul atau terjadi

• **-네요** : (두루높임으로) 말하는 사람이 직접 경험하여 새롭게 알게 된 사실에 대해 감탄함을 나타낼 때 쓰는 표현.

wah, ternyata

(dalam bentuk hormat) ungkapan yang digunakan saat menunjukkan orang yang berbicara berpengalaman langsung lalu terkejut atau terkagum dengan kenyataan yang baru diketahui itu

---

선생님 : 잘 <u>그리</u>+<u>었</u>+<u>어요</u>.
        그렸어요

• **잘 (adverbia)** : 익숙하고 솜씨 있게.

dengan baik/bagus/pintar

dengan mahir

• **그리다 (verba)** : 연필이나 붓 등을 이용하여 사물을 선이나 색으로 나타내다.

menggambar, melukis

merealisasikan benda dengan garis-garis atau warna-warna menggunakan pensil atau kuas, dsb

• **-었-** : 어떤 사건이 과거에 완료되었거나 그 사건의 결과가 현재까지 지속되는 상황을 나타내는 어미.

sudah, pasti, yakin

akhiran kalimat yang menyatakan sebuah peristiwa sudah selesai di masa lampau atau menyatakan keadaan di mana hasil peristiwa tersebut terus berlangsung hingga sekarang

• **-어요** : (두루높임으로) 어떤 사실을 서술하거나 질문, 명령, 권유함을 나타내는 종결 어미.

apakah, apa, ~saja, silakan

(dalam bentuk hormat) kata penutup final yang mengungkapkan suatu kenyataan atau menyatakan pertanyaan, perintah, atau ajakan

이렇+게 선생님+께서+는 학생+들+의 그림+을 보+면서 칭찬+을 <u>하+[여 주]+시+었+다</u>.
해 주셨다

- **이렇다 (adjektiva)** : 상태, 모양, 성질 등이 이와 같다.
  demikian, begitu, begini
  keadaan, bentuk, karakter, dsb sama dengan ini

- **-게** : 앞의 말이 뒤에서 가리키는 일의 목적이나 결과, 방식, 정도 등이 됨을 나타내는 연결 어미.
  dengan
  kata penutup sambung yang menyatakan isi kalimat di depan dibutuhkan sementara kalimat di belakang terus dilanjutkan(formal, kedudukan penerima sangat rendah)

- **선생님 (nomina)** : (높이는 말로) 학생을 가르치는 사람.
  bapak atau ibu guru
  (dalam sebutan hormat) orang yang mengajarkan murid

- **께서** : (높임말로) 가. 이. 어떤 동작의 주체가 높여야 할 대상임을 나타내는 조사.
  Tiada Penjelasan Arti
  (dalam sebutan hormat) partikel yang menyatakan subjek yang menjadi pelaku suatu tindakan yang ditinggikan

- **는** : 문장 속에서 어떤 대상이 화제임을 나타내는 조사.
  Tiada Penjelasan Arti
  partikel yang menyatakan suatu objek menjadi topik di dalam kalimat

- **학생 (nomina)** : 학교에 다니면서 공부하는 사람.
  pelajar
  orang yang bersekolah untuk menimba ilmu

- **들** : '복수'의 뜻을 더하는 접미사.
  Tiada Penjelasan Arti
  akhiran yang menambahkan arti "jamak"

- **의** : 앞의 말이 뒤의 말에 대하여 소유, 소속, 소재, 관계, 기원, 주체의 관계를 가짐을 나타내는 조사.
  dari, milik
  partikel yang menyatakan perkataan di depan memiliki hubungan kepemilikian, bagian tempat diri bekerja, bahan, hubungan, asal, topik dengan perkataan di belakang

- **그림 (nomina)** : 선이나 색채로 사물의 모양이나 이미지 등을 평면 위에 나타낸 것.
  gambar, lukisan
  suatu bentuk pada permukaan datar yang menunjukkan bentuk benda menggunakan garis dan warna

• 을 : 동작이 직접적으로 영향을 미치는 대상을 나타내는 조사.
Tiada Penjelasan Arti
partikel yang menyatakan objek dari suatu gerakan yang secara langsung memberikan pengaruh

• 보다 (verba) : 책이나 신문, 지도 등의 글자나 그림, 기호 등을 읽고 내용을 이해하다.
membaca
membaca tulisan atau gambar seperti buku atau koran, peta, dsb serta mengerti isinya

• -면서 : 두 가지 이상의 동작이나 상태가 함께 일어남을 나타내는 연결 어미.
sambil, seraya
kata penutup sambung yang digunakan saat dua atau lebih tindakan atau keadaan muncul bersamaan

• 칭찬 (nomina) : 좋은 점이나 잘한 일 등을 매우 훌륭하게 여기는 마음을 말로 나타냄. 또는 그런 말.
pujian
hal menunjukkan atau memperlihatkan kebaikan atau kehebatan seseorang dengan kata-kata, atau perkataan yang demikian

• 을 : 동작이 직접적으로 영향을 미치는 대상을 나타내는 조사.
Tiada Penjelasan Arti
partikel yang menyatakan objek dari suatu gerakan yang secara langsung memberikan pengaruh

• 하다 (verba) : 어떤 행동이나 동작, 활동 등을 행하다.
melakukan, mengerjakan, menjalankan
melaksanakan suatu tindakan atau aksi, kegiatan, dsb

• -여 주다 : 남을 위해 앞의 말이 나타내는 행동을 함을 나타내는 표현.
memberi
ungkapan yang menyatakan melakukan tindakan yang disebutkan dalam kalimat di depan untuk orang lain

• -시- : 어떤 동작이나 상태의 주체를 높이는 뜻을 나타내는 어미.
Tiada Penjelasan Arti
akhiran kalimat yang menyatakan arti meninggikan subjek atau topik suatu tindakan atau keadaan

• -었- : 사건이 과거에 일어났음을 나타내는 어미.
sudah, pasti, yakin
akhiran kalimat yang menyatakan peristiwa terjadi di masa lampau

• -다 : 어떤 사건이나 사실, 상태를 서술함을 나타내는 종결 어미.
Tiada Penjelasan Arti
(dalam bentuk sangat rendah) akhiran penutup untuk menyatakan suatu peristiwa, kenyataan, dan keadaan

---

그런데 한 학생+의 스케치북+은 백지상태 <u>그대로+이+었+다</u>.
그대로였다

• **그런데 (adverbia)** : 이야기를 앞의 내용과 관련시키면서 다른 방향으로 바꿀 때 쓰는 말.
tetapi
kata yang digunakan untuk mengganti cerita ke arah lain sambil mengaitkan dengan isi cerita sebelumnya

• **한 (pewatas)** : 여럿 중 하나인 어떤.
satu
suatu

• **학생 (nomina)** : 학교에 다니면서 공부하는 사람.
pelajar
orang yang bersekolah untuk menimba ilmu

• **의** : 앞의 말이 뒤의 말에 대하여 소유, 소속, 소재, 관계, 기원, 주체의 관계를 가짐을 나타내는 조사.
dari, milik
partikel yang menyatakan perkataan di depan memiliki hubungan kepemilikian, bagian tempat diri bekerja, bahan, hubungan, asal, topik dengan perkataan di belakang

• **스케치북 (nomina)** : 그림을 그릴 수 있는 하얀 도화지를 여러 장 묶어 놓은 책.
buku sketsa
sesuatu yang terletak dalam beberapa lembar kertas gambar berwarna putih untuk bisa dipakai menggambar

• **은** : 문장 속에서 어떤 대상이 화제임을 나타내는 조사.
Tiada Penjelasan Arti
partikel yang menyatakan suatu objek menjadi topik di dalam kalimat

• **백지상태 (nomina)** : 종이에 아무것도 쓰지 않은 상태.
(keadaan) kertas polos, kertas kosong
keadaan kertas yang tidak ditulisi apapun

• **그대로 (nomina)** : 그것과 똑같은 것.
Tiada Penjelasan Arti
sama seperti itu

• 이다 : 주어가 지시하는 대상의 속성이나 부류를 지정하는 뜻을 나타내는 서술격 조사.

adalah

partikel kasus predikatif yang menyatakan maksud menentukan karakter atau jenis dari objek yang diindikasikan subjek

• -었- : 사건이 과거에 일어났음을 나타내는 어미.

sudah, pasti, yakin

akhiran kalimat yang menyatakan peristiwa terjadi di masa lampau

• -다 : 어떤 사건이나 사실, 상태를 서술함을 나타내는 종결 어미.

Tiada Penjelasan Arti

(dalam bentuk sangat rendah) akhiran penutup untuk menyatakan suatu peristiwa, kenyataan, dan keadaan

---

선생님 : 너+는 어떤 그림+을 그리+[ㄴ 것(거)]+(이)+니?
넌   그린 거니

• 너 (pronomina) : 듣는 사람이 친구나 아랫사람일 때, 그 사람을 가리키는 말.

kamu

kata untuk menunjuk lawan bicara yang merupakan teman atau orang yang lebih muda

• 는 : 문장 속에서 어떤 대상이 화제임을 나타내는 조사.

Tiada Penjelasan Arti

partikel yang menyatakan suatu objek menjadi topik di dalam kalimat

• 어떤 (pewatas) : 사람이나 사물의 특징, 내용, 성격, 성질, 모양 등이 무엇인지 물을 때 쓰는 말.

bagaimana, seperti apa

kata yang digunakan saat menanyakan seperti apa karakteristik, isi, sifat, kualitas, bentuk, dsb

• 그림 (nomina) : 선이나 색채로 사물의 모양이나 이미지 등을 평면 위에 나타낸 것.

gambar, lukisan

suatu bentuk pada permukaan datar yang menunjukkan bentuk benda menggunakan garis dan warna

• 을 : 서술어의 명사형 목적어임을 나타내는 조사.

Tiada Penjelasan Arti

partikel yang menyatakan objek berkata benda dari suatu predikat

• 그리다 (verba) : 연필이나 붓 등을 이용하여 사물을 선이나 색으로 나타내다.

menggambar, melukis

merealisasikan benda dengan garis-garis atau warna-warna menggunakan pensil atau kuas, dsb

• -ㄴ 것 : 명사가 아닌 것을 문장에서 명사처럼 쓰이게 하거나 '이다' 앞에 쓰일 수 있게 할 때 쓰는 표현.

yang

ungkapan yang dapat membuat suatu kelas kata bisa digunakan sebagai kata benda dalam kalimat dan berfungsi sebagai subjek atau objek, atau dapat membuat suatu kelas kata bisa digunakan di depan '이다'

• 이다 : 주어가 지시하는 대상의 속성이나 부류를 지정하는 뜻을 나타내는 서술격 조사.

adalah

partikel kasus predikatif yang menyatakan maksud menentukan karakter atau jenis dari objek yang diindikasikan subjek

• -니 : (아주낮춤으로) 물음을 나타내는 종결 어미.

-kah?

(dalam bentuk sangat rendah) akhiran penutup yang menyatakan pertanyaan

---

학생 : 풀+을 뜯+[고 있]+는 소+를 <u>그리+었+어요</u>.
그렸어요

• 풀 (nomina) : 줄기가 연하고, 대개 한 해를 지내면 죽는 식물.

rumput

tanaman yang batangnya lemah, sebagian besar mati setelah lewat satu tahun

• 을 : 동작이 직접적으로 영향을 미치는 대상을 나타내는 조사.

Tiada Penjelasan Arti

partikel yang menyatakan objek dari suatu gerakan yang secara langsung memberikan pengaruh

• 뜯다 (verba) : 풀이나 질긴 음식을 입에 물고 떼어서 먹다.

mencabik, mengunyah

menggigit lalu merobek rumput atau makanan yang alot dengan gigi

• -고 있다 : 앞의 말이 나타내는 행동이 계속 진행됨을 나타내는 표현.

sedang

ungkapan yang menyatakan bahwa tindakan yang disebutkan dalam kalimat di depan terus berjalan

• -는 : 앞의 말이 관형어의 기능을 하게 만들고 사건이나 동작이 현재 일어남을 나타내는 어미.

yang

akhiran untuk membuat kata di depannya berfungsi sebagai pewatas dan menyatakan kejadian atau tindakan terjadi sekarang

• 소 (nomina) : 몸집이 크고 갈색이나 흰색과 검은색의 털이 있으며, 젖을 짜 먹거나 고기를 먹기 위해
　　　　　　기르는 짐승.

sapi

hewan bertubuh besar dan memiliki bulu warna coklat ,hitam, atau putih, yang dipelihara untuk susunya diperah atau dagingnya dimakan

• 를 : 동작이 직접적으로 영향을 미치는 대상을 나타내는 조사.

Tiada Penjelasan Arti

partikel yang menyatakan objek dari suatu gerakan yang secara langsung memberikan pengaruh

• 그리다 (verba) : 연필이나 붓 등을 이용하여 사물을 선이나 색으로 나타내다.

menggambar, melukis

merealisasikan benda dengan garis-garis atau warna-warna menggunakan pensil atau kuas, dsb

• -었- : 어떤 사건이 과거에 완료되었거나 그 사건의 결과가 현재까지 지속되는 상황을 나타내는 어미.

sudah, pasti, yakin

akhiran kalimat yang menyatakan sebuah peristiwa sudah selesai di masa lampau atau menyatakan keadaan di mana hasil peristiwa tersebut terus berlangsung hingga sekarang

• -어요 : (두루높임으로) 어떤 사실을 서술하거나 질문, 명령, 권유함을 나타내는 종결 어미.

apakah, apa, ~saja, silakan

(dalam bentuk hormat) kata penutup final yang mengungkapkan suatu kenyataan atau menyatakan pertanyaan, perintah, atau ajakan

---

선생님 : 그런데 풀+은 어디 있+니?

• 그런데 (adverbia) : 이야기를 앞의 내용과 관련시키면서 다른 방향으로 바꿀 때 쓰는 말.

tetapi

kata yang digunakan untuk mengganti cerita ke arah lain sambil mengaitkan dengan isi cerita sebelumnya

• 풀 (nomina) : 줄기가 연하고, 대개 한 해를 지내면 죽는 식물.

rumput

tanaman yang batangnya lemah, sebagian besar mati setelah lewat satu tahun

• 은 : 문장 속에서 어떤 대상이 화제임을 나타내는 조사.

Tiada Penjelasan Arti

partikel yang menyatakan suatu objek menjadi topik di dalam kalimat

• 어디 (pronomina) : 모르는 곳을 가리키는 말.
 tempat yang tidak tahu, di/ke/dari mana
 kata yang digunakan ketika menanyakan tempat yang tak diketahui

• 있다 (adjektiva) : 무엇이 어떤 곳에 자리나 공간을 차지하고 존재하는 상태이다.
 ada
 sesuatu dalam keadaan berada dan ada di suatu tempat atau ruang

• -니 : (아주낮춤으로) 물음을 나타내는 종결 어미.
 -kah?
 (dalam bentuk sangat rendah) akhiran penutup yang menyatakan pertanyaan

---

학생 : 소+가 이미 다 먹+[어 버리]+었+어요.
먹어 버렸어요

• **소 (nomina)** : 몸집이 크고 갈색이나 흰색과 검은색의 털이 있으며, 젖을 짜 먹거나 고기를 먹기 위해 기르는 짐승.
 sapi
 hewan bertubuh besar dan memiliki bulu warna coklat ,hitam, atau putih, yang dipelihara untuk susunya diperah atau dagingnya dimakan

• 가 : 어떤 상태나 상황에 놓인 대상이나 동작의 주체를 나타내는 조사.
 Tiada Penjelasan Arti
 partikel yang menyatakan subjek sebuah keadaan atau situasi atau pelaku utama sebuah tindakan

• **이미 (adverbia)** : 어떤 일이 이루어진 때가 지금 시간보다 앞서.
 sudah
 masa terjadinya sebuah peristiwa lebih dahulu daripada sekarang

• **다 (adverbia)** : 남거나 빠진 것이 없이 모두.
 semua, semuanya, seluruhnya
 semua tanpa ada yang tersisa atau terlewat

• **먹다 (verba)** : 음식 등을 입을 통하여 배 속에 들여보내다.
 makan
 memasukkan makanan ke dalam mulut lalu menelannya

• -어 버리다 : 앞의 말이 나타내는 행동이 완전히 끝났음을 나타내는 표현.
 sudah, telah
 ungkapan yang menyatakan bahwa tindakan dalam kalimat yang disebutkan di depan benar-benar selesai

• -었- : 어떤 사건이 과거에 완료되었거나 그 사건의 결과가 현재까지 지속되는 상황을 나타내는 어미.

sudah, pasti, yakin

akhiran kalimat yang menyatakan sebuah peristiwa sudah selesai di masa lampau atau menyatakan keadaan di mana hasil peristiwa tersebut terus berlangsung hingga sekarang

• -어요 : (두루높임으로) 어떤 사실을 서술하거나 질문, 명령, 권유함을 나타내는 종결 어미.

apakah, apa, ~saja, silakan

(dalam bentuk hormat) kata penutup final yang mengungkapkan suatu kenyataan atau menyatakan pertanyaan, perintah, atau ajakan

---

선생님 : 그럼 소+는 왜 안 보이+니?

• 그럼 (adverbia) : 앞의 내용을 받아들이거나 그 내용을 바탕으로 하여 새로운 주장을 할 때 쓰는 말.

jadi, maka, kalau demikian

kata yang digunakan saat menerima isi ucapan yang ada di depan atau membuat pernyataan baru berdasar latar belakang tersebut

• 소 (nomina) : 몸집이 크고 갈색이나 흰색과 검은색의 털이 있으며, 젖을 짜 먹거나 고기를 먹기 위해 기르는 짐승.

sapi

hewan bertubuh besar dan memiliki bulu warna coklat ,hitam, atau putih, yang dipelihara untuk susunya diperah atau dagingnya dimakan

• 는 : 문장 속에서 어떤 대상이 화제임을 나타내는 조사.

Tiada Penjelasan Arti

partikel yang menyatakan suatu objek menjadi topik di dalam kalimat

• 왜 (adverbia) : 무슨 이유로. 또는 어째서.

kenapa, mengapa

untuk alasan apa, atau bagaimana bisa

• 안 (adverbia) : 부정이나 반대의 뜻을 나타내는 말.

tidak

kata yang menampilkan lawan arti atau negatif

• 보이다 (verba) : 눈으로 대상의 존재나 겉모습을 알게 되다.

kelihatan

menjadi bisa diketahui keberadaan atau bentuk suatu objek dengan mata

• -니 : (아주낮춤으로) 물음을 나타내는 종결 어미.

-kah?

(dalam bentuk sangat rendah) akhiran penutup yang menyatakan pertanyaan

---

학생 : 선생님+도 참, 소+가 풀+을 다 먹+었+는데 여기+에 있+겠+어요?

- **선생님 (nomina)** : (높이는 말로) 학생을 가르치는 사람.
  bapak atau ibu guru
  (dalam sebutan hormat) orang yang mengajarkan murid

- **도** : 놀라움, 감탄, 실망 등의 감정을 강조함을 나타내는 조사.
  Tiada Penjelasan Arti
  partikel yang menyatakan penekanan perasaan seperti keterkejutan, seruan, kekecewaan, dsb

- **참 (interjeksi)** : 어이가 없거나 난처할 때 내는 소리.
  ya ampun
  suara yang dikeluarkan saat terkejut atau canggung

- **소 (nomina)** : 몸집이 크고 갈색이나 흰색과 검은색의 털이 있으며, 젖을 짜 먹거나 고기를 먹기 위해 기르는 짐승.
  sapi
  hewan bertubuh besar dan memiliki bulu warna coklat ,hitam, atau putih, yang dipelihara untuk susunya diperah atau dagingnya dimakan

- **가** : 어떤 상태나 상황에 놓인 대상이나 동작의 주체를 나타내는 조사.
  Tiada Penjelasan Arti
  partikel yang menyatakan subjek sebuah keadaan atau situasi atau pelaku utama sebuah tindakan

- **풀 (nomina)** : 줄기가 연하고, 대개 한 해를 지내면 죽는 식물.
  rumput
  tanaman yang batangnya lemah, sebagian besar mati setelah lewat satu tahun

- **을** : 동작이 직접적으로 영향을 미치는 대상을 나타내는 조사.
  Tiada Penjelasan Arti
  partikel yang menyatakan objek dari suatu gerakan yang secara langsung memberikan pengaruh

- **다 (adverbia)** : 남거나 빠진 것이 없이 모두.
  semua, semuanya, seluruhnya
  semua tanpa ada yang tersisa atau terlewat

- **먹다 (verba)** : 음식 등을 입을 통하여 배 속에 들여보내다.
  makan
  memasukkan makanan ke dalam mulut lalu menelannya

• -었- : 어떤 사건이 과거에 완료되었거나 그 사건의 결과가 현재까지 지속되는 상황을 나타내는 어미.

sudah, pasti, yakin

akhiran kalimat yang menyatakan sebuah peristiwa sudah selesai di masa lampau atau menyatakan keadaan di mana hasil peristiwa tersebut terus berlangsung hingga sekarang

• -는데 : 뒤의 말을 하기 위하여 그 대상과 관련이 있는 상황을 미리 말함을 나타내는 연결 어미.

sebenarnya, nyatanya

akhiran kalimat penyambung yang menyatakan mengatakan terlebih dahulu keadaan yang berhubungan sebelum mengatakan kalimat yang berhubungan

• **여기 (pronomina)** : 말하는 사람에게 가까운 곳을 가리키는 말.

sini

kata untuk menunjukkan tempat yang dekat dengan orang yang berbicara

• 에 : 앞말이 어떤 장소나 자리임을 나타내는 조사.

di, pada

partikel yang menyatakan kalimat di depan adalah tempat atau lokasi

• **있다 (verba)** : 사람이나 동물이 어느 곳에서 떠나거나 벗어나지 않고 머물다.

ada

orang atau binatang pergi atau lepas dan tidak tinggal di satu tempat

• -겠- : 완곡하게 말하는 태도를 나타내는 어미.

bolehkah, minta

akhiran untuk menandai pembicaraan secara halus

• -어요 : (두루높임으로) 어떤 사실을 서술하거나 질문, 명령, 권유함을 나타내는 종결 어미.

apakah, apa, ~saja, silakan

(dalam bentuk hormat) kata penutup final yang mengungkapkan suatu kenyataan atau menyatakan pertanyaan, perintah, atau ajakan

< 9 단원(bagian) >

제목 : 가장 큰 장애 요소는 무엇일까요?

● 본문 (tulisan utama)

한 중학교에서 선생님이 꿈의 중요성에 대해 이야기하고 있었다.

선생님 : 자, 여러분들에게 질문 하나 할게요.

　　　　여러분들이 꿈을 펼치려고 할 때 가장 큰 장애 요소는 무엇일까요?

　　　　잘 생각해 보세요.

　　　　힌트를 하나 줄게요.

　　　　답은 '자'로 시작하는 네 글자예요.

학생 1 : 정답은 자기 비하라고 생각합니다.

학생 2 : 정답은 자기 부정이라고 생각합니다.

선생님 : 맞아요.

　　　　자기 비하 또는 자기 부정은 꿈을 이루는 데 장애 요소가 돼요.

그때 한 학생이 천연덕스럽게 대답했다.

학생 3 : 정답은 자기 부모라고 생각합니다.

● 발음 (pelafalan)

한 중학교에서 선생님이 꿈의 중요성에 대해 이야기하고 있었다.
한 중학꾜에서 선생니미 꾸메 중요성에 대해 이야기하고 이썯따.
han junghakgyoeseo seonsaengnimi kkumui(kkume) jungyoseonge daehae iyagihago isseotda.

선생님 : 자, 여러분들에게 질문 하나 할게요.
선생님 : 자, 여러분드레게 질문 하나 할께요.
seonsaengnim : ja, yeoreobundeurege jilmun hana halgeyo.

여러분들이 꿈을 펼치려고 할 때 가장 큰 장애 요소는 무엇일까요?
여러분드리 꾸믈 펼치려고 할 때 가장 큰 장애 요소는 무어실까요?
yeoreobundeuri kkumeul pyeolchiryeogo hal ttae gajang keun jangae
yosoneun mueosilkkayo?

잘 생각해 보세요.
잘 생가캐 보세요.
jal saenggakae boseyo.

힌트를 하나 줄게요.
힌트를 하나 줄께요.
hinteureul hana julgeyo.

답은 '자'로 시작하는 네 글자예요.
다븐 '자'로 시자카는 네 글자예요.
dabeun 'ja'ro sijakaneun ne geuljayeyo.

학생 1 : 정답은 자기 비하라고 생각합니다.
학쌩 1 : 정다븐 자기 비하라고 생가캄니다.
haksaeng 1 : jeongdabeun jagi biharago saenggakamnida.

학생 2 : 정답은 자기 부정이라고 생각합니다.
학생 2 : 정다븐 자기 부정이라고 생가캄니다.
haksaeng 2 : jeongdabeun jagi bujeongirago saenggakamnida.

선생님 : 맞아요.
선생님 : 마자요.
seonsaengnim : majayo.

자기 비하 또는 자기 부정은 꿈을 이루는 데 장애 요소가 돼요.
자기 비하 또는 자기 부정은 꾸믈 이루는 데 장애 요소가 돼요.
jagi biha ttoneun jagi bujeongeun kkumeul iruneun de jangae yosoga
dwaeyo.

그때 한 학생이 천연덕스럽게 대답했다.
그때 한 학쌩이 처년덕쓰럽께 대다팯따.
geuttae han haksaengi cheonyeondeokseureopge daedapaetda.

학생 3 : 정답은 자기 부모라고 생각합니다.
학쌩 3 : 정다븐 자기 부모라고 생가캄니다.
haksaeng 3 : jeongdabeun jagi bumorago saenggakamnida.

● 어휘 (kosa kata) / 문법 (pelajaran tata bahasa)

한 중학교+에서 선생님+이 꿈+의 중요성+에 대하+여 이야기하+<u>고 있</u>+었+다.

선생님 : 자, 여러분+들+에게 질문 하나 하+ㄹ게요.

여러분+들+이 꿈+을 펼치+<u>려고 하</u>+ㄹ 때 가장 크+ㄴ 장애 요소+는

무엇+이+ㄹ까요?

잘 생각하+<u>여 보</u>+세요.

힌트+를 하나 주+ㄹ게요.

답+은 '자'+로 시작하+는 네 글자+이+에요.

학생 1 : 정답+은 자기 비하+(이)+라고 생각하+ㅂ니다.

학생 2 : 정답+은 자기 부정+이+라고 생각하+ㅂ니다.

선생님 : 맞+아요.

자기 비하 또는 자기 부정+은 꿈+을 이루+는 데 장애 요소+가 되+어요.

그때 한 학생+이 천연덕스럽+게 대답하+였+다.

학생 3 : 정답+은 자기 부모+(이)+라고 생각하+ㅂ니다.

> 한 중학교+에서 선생님+이 꿈+의 중요성+에 <u>대하</u>+여 이야기하+[고 있]+었+다.
> **대해**

• **한 (pewatas)** : 여럿 중 하나인 어떤.
 satu
 suatu

• **중학교 (nomina)** : 초등학교를 졸업하고 중등 교육을 받기 위해 다니는 학교.
 sekolah menengah pertama (SMP)
 tingkat sekolah sesudah SD

• **에서** : 앞말이 행동이 이루어지고 있는 장소임을 나타내는 조사.
 Tiada Penjelasan Arti
 partikel yang menyatakan bahwa kata di depannya adalah tempat tindakan terjadi

• **선생님 (nomina)** : (높이는 말로) 학생을 가르치는 사람.
 bapak atau ibu guru
 (dalam sebutan hormat) orang yang mengajarkan murid

• **이** : 어떤 상태나 상황의 대상이나 동작의 주체를 나타내는 조사.
 Tiada Penjelasan Arti
 partikel yang menyatakan objek dari suatu keadaan atau kondisi atau pelaku dari suatu tindakan

• **꿈 (nomina)** : 앞으로 이루고 싶은 희망이나 목표.
 impian, impian muluk
 harapan, tujuan dalam hati yang ingin dicapai di masa depan

• **의** : 앞의 말이 뒤의 말에 대하여 속성이나 수량을 한정하거나 같은 자격임을 나타내는 조사.
 dari
 perkataan yang menyatakan perkataan di depan membatasi karakter atau kuantitas atau kualifikasi yang sama dengan perkataan yang ada di belakang

• **중요성 (nomina)** : 귀중하고 꼭 필요한 요소나 성질.
 signifikansi, pentingnya
 unsur atau karakter yang sangat berharga dan pasti diperlukan

• **에** : 앞말이 말하고자 하는 특정한 대상임을 나타내는 조사.
 Tiada Penjelasan Arti
 partikel yang menyatakan kalimat di depan adalah objek tertentu yang ingin dikatakan

• **대하다 (verba)** : 대상이나 상대로 삼다.
 mengenai, tentang
 menganggap sebagai objek atau lawan

- **-여** : 앞의 말이 뒤의 말보다 먼저 일어났거나 뒤의 말에 대한 방법이나 수단이 됨을 나타내는 연결 어미.

  setelah, sesudah, selepas, lalu

  akhiran penghubung untuk menyatakan bahwa anak kalimat terjadi lebih dahulu daripada kalimat induk atau menjadi cara atau alat terhadap kalimat induk

- **이야기하다 (verba)** : 어떠한 사실이나 상태, 현상, 경험, 생각 등에 관해 누군가에게 말을 하다.

  menceritakan, mengatakan, membicarakan

  berbicara kepada seseorang mengenai suatu fakta, keadaan, fenomena, pengalaman, ide, dsb

- **-고 있다** : 앞의 말이 나타내는 행동이 계속 진행됨을 나타내는 표현.

  sedang

  ungkapan yang menyatakan bahwa tindakan yang disebutkan dalam kalimat di depan terus berjalan

- **-었-** : 사건이 과거에 일어났음을 나타내는 어미.

  sudah, pasti, yakin

  akhiran kalimat yang menyatakan peristiwa terjadi di masa lampau

- **-다** : 어떤 사건이나 사실, 상태를 서술함을 나타내는 종결 어미.

  Tiada Penjelasan Arti

  akhiran penutup untuk menyatakan suatu peristiwa, kenyataan, dan keadaan

---

> **선생님 :** 자, 여러분+들+에게 질문 하나 <u>하+ㄹ게요</u>.
> **할게요**

- **자 (interjeksi)** : 남의 주의를 끌려고 할 때에 하는 말.

  Nah!

  kata yang digunakan untuk menarik atau meminta perhatian orang lain

- **여러분 (pronomina)** : 듣는 사람이 여러 명일 때 그 사람들을 높여 이르는 말.

  Anda sekalian, saudara sekalian

  (dalam bentuk formal atau sopan) kalian

- **들** : '복수'의 뜻을 더하는 접미사.

  Tiada Penjelasan Arti

  akhiran yang menambahkan arti "jamak"

- **에게** : 어떤 행동이 미치는 대상임을 나타내는 조사.

  Tiada Penjelasan Arti

  partikel yang menyatakan sesuatu yang mendapat pengaruh dari sebuah tindakan

• 질문 (nomina) : 모르는 것이나 알고 싶은 것을 물음.
  pertanyaan
  hal menanyakan sesuatu yang tidak diketahui atau yang ingin diketahui

• 하나 (numeralia) : 숫자를 셀 때 맨 처음의 수.
  satu
  angka yang pertama kali muncul saat dihitung, atau angka yang dihasilkan dari tiga dikurangi dua

• 하다 (verba) : 어떤 행동이나 동작, 활동 등을 행하다.
  melakukan, mengerjakan, menjalankan
  melaksanakan suatu tindakan atau aksi, kegiatan, dsb

• -ㄹ게요 : (두루높임으로) 말하는 사람이 어떤 행동을 할 것을 듣는 사람에게 약속하거나 의지를 나타내는 표현.
  saya akan~, saya mau
  (dalam bentuk hormat) ungkapan yang menunjukkan hal orang yang berbicara berjanji atau memberitahukan akan melakukan suatu tindakan kepada orang yang mendengar

---

선생님 : 여러분+들+이 꿈+을 펼치+[려고 하]+[ㄹ 때] 가장 크+ㄴ 장애 요소+는
　　　　　　　　　　　펼치려고 할 때　　　　　　　큰

무엇+이+ㄹ까요?
무엇일까요

• 여러분 (pronomina) : 듣는 사람이 여러 명일 때 그 사람들을 높여 이르는 말.
  Anda sekalian, saudara sekalian
  (dalam bentuk formal atau sopan) kalian

• 들 : '복수'의 뜻을 더하는 접미사.
  Tiada Penjelasan Arti
  akhiran yang menambahkan arti "jamak"

• 이 : 어떤 상태나 상황의 대상이나 동작의 주체를 나타내는 조사.
  Tiada Penjelasan Arti
  partikel yang menyatakan objek dari suatu keadaan atau kondisi atau pelaku dari suatu tindakan

• 꿈 (nomina) : 앞으로 이루고 싶은 희망이나 목표.
  impian, impian muluk
  harapan, tujuan dalam hati yang ingin dicapai di masa depan

· 을 : 동작이 직접적으로 영향을 미치는 대상을 나타내는 조사.
Tiada Penjelasan Arti
partikel yang menyatakan objek dari suatu gerakan yang secara langsung memberikan pengaruh

· 펼치다 (verba) : 꿈이나 계획 등을 실제로 행하다.
mewujudkan, meraih
mewujudkan mimpi, rencana, dsb menjadi kenyataan

· -려고 하다 : 앞의 말이 나타내는 행동을 할 의도나 의향이 있음을 나타내는 표현.
bermaksud, akan, mau, hendak
ungkapan yang menyatakan bermaksud atau berhasrat melakukan tindakan dalam kalimat yang disebutkan di depan

· -ㄹ 때 : 어떤 행동이나 상황이 일어나는 동안이나 그 시기 또는 그러한 일이 일어난 경우를 나타내는 표현.
ketika, waktu, saat
ungkapan yang menunjukkan hal selama atau sewaktu suatu tindakan atau kondisi berlangsung, atau saat hal yang demikian terjadi

· 가장 (adverbia) : 여럿 가운데에서 제일로.
paling
yang sangat utama di antara beberapa

· 크다 (adjektiva) : 길이, 넓이, 높이, 부피 등이 보통 정도를 넘다.
besar
panjang, lebar, tinggi, volume, dsb melebihi biasanya

· -ㄴ : 앞의 말이 관형어의 기능을 하게 만들고 현재의 상태를 나타내는 어미.
yang
akhiran yang membuat kata di depannya berfungsi sebagai kata pewatas, dan menyatakan keadaan saat ini

· 장애 (nomina) : 가로막아서 어떤 일을 하는 데 거슬리거나 방해가 됨. 또는 그런 일이나 물건.
hambatan, rintangan
hal yang menghalangi atau menjadi gangguan ketika melakukan sesuatu, atau hal atau benda yang demikian

· 요소 (nomina) : 무엇을 이루는 데 반드시 있어야 할 중요한 성분이나 조건.
elemen penting, faktor utama
bahan atau syarat penting yang harus ada untuk mewujudkan sesuatu

· 는 : 문장 속에서 어떤 대상이 화제임을 나타내는 조사.
Tiada Penjelasan Arti
partikel yang menyatakan suatu objek menjadi topik di dalam kalimat

• 무엇 (pronomina) : 모르는 사실이나 사물을 가리키는 말.
apa
kata untuk menunjukkan atau menanyakan fakta, benda yang tidak diketahui

• 이다 : 주어가 지시하는 대상의 속성이나 부류를 지정하는 뜻을 나타내는 서술격 조사.
adalah
partikel kasus predikatif yang menyatakan maksud menentukan karakter atau jenis dari objek yang diindikasikan subjek

• -ㄹ까요 : (두루높임으로) 아직 일어나지 않았거나 모르는 일에 대해서 말하는 사람이 추측하며 질문할 때 쓰는 표현.
mungkinkah, apakah
(dalam bentuk hormat) ungkapan yang digunakan saat orang yang berbicara menebak atau bertanya tentang hal yang belum pernah terjadi atau yang tidak diketahui

> 선생님 : 잘 생각하+[여 보]+세요.
> 생각해 보세요
>
> 힌트+를 하나 주+ㄹ게요.
> 줄게요

• 잘 (adverbia) : 생각이 매우 깊고 조심스럽게.
dengan baik/tepat
dengan berpikir sangat dalam dan berhati-hati

• 생각하다 (verba) : 사람이 머리를 써서 판단하거나 인식하다.
berpikir
orang memikirkan dan menilai sesuatu menggunakan otak

• -여 보다 : 앞의 말이 나타내는 행동을 시험 삼아 함을 나타내는 표현.
mencoba
ungkapan yang menyatakan menjadikan tindakan dalam kalimat yang disebutkan di depan sebagai sebuah percobaan

• -세요 : (두루높임으로) 설명, 의문, 명령, 요청의 뜻을 나타내는 종결 어미.
apakah, silakan
(dalam bentuk hormat) akhiran kalimat penutup yang menyatakan arti penjelasan, pertanyaan, perintah, permintaan, dsb

• 힌트 (nomina) : 문제를 풀거나 일을 해결하는 데 도움이 되는 것.
isyarat, petunjuk, indikasi
sesuatu yang bantuan atau alat bantu dalam memecahkan masalah atau menyelesaikan masalah

• 를 : 동작이 직접적으로 영향을 미치는 대상을 나타내는 조사.
Tiada Penjelasan Arti
partikel yang menyatakan objek dari suatu gerakan yang secara langsung memberikan pengaruh

• 하나 (numeralia) : 숫자를 셀 때 맨 처음의 수.
satu
angka yang pertama kali muncul saat dihitung, atau angka yang dihasilkan dari tiga dikurangi dua

• 주다 (verba) : 남에게 경고, 암시 등을 하여 어떤 내용을 알 수 있게 하다.
memberi
memberi peringatan atau atau isyarat supaya dia mengetahuinya

• -ㄹ게요 : (두루높임으로) 말하는 사람이 어떤 행동을 할 것을 듣는 사람에게 약속하거나 의지를 나타내는 표현.
saya akan~, saya mau
(dalam bentuk hormat) ungkapan yang menunjukkan hal orang yang berbicara berjanji atau memberitahukan akan melakukan suatu tindakan kepada orang yang mendengar

---

선생님 : 답+은 '자'+로 시작하+는 네 글자+이+에요.
글자예요

• 답 (nomina) : 질문이나 문제가 요구하는 것을 밝혀 말함. 또는 그런 말.
kunci jawaban
hal mengungkapkan sesuatu yang diindikasikan pertanyaan atau soal, atau perkataan yang demikian

• 은 : 문장 속에서 어떤 대상이 화제임을 나타내는 조사.
Tiada Penjelasan Arti
partikel yang menyatakan suatu objek menjadi topik di dalam kalimat

• 로 : 움직임의 방향을 나타내는 조사.
ke
partikel yang menyatakan arah gerakan

- **시작하다 (verba)** : 어떤 일이나 행동의 처음 단계를 이루거나 이루게 하다.
  mulai, memulai
  menjalankan atau membuat melaksanakan tahap pertama dari suatu pekerjaan atau tindakan

- **-는** : 앞의 말이 관형어의 기능을 하게 만들고 사건이나 동작이 현재 일어남을 나타내는 어미.
  yang
  akhiran untuk membuat kata di depannya berfungsi sebagai pewatas dan menyatakan kejadian atau tindakan terjadi sekarang

- **네 (pewatas)** : 넷의.
  empat
  berjumlah empat

- **글자 (nomina)** : 말을 적는 기호.
  huruf, abjad
  sombol untuk menuliskan perkataan

- **이다** : 주어가 지시하는 대상의 속성이나 부류를 지정하는 뜻을 나타내는 서술격 조사.
  adalah
  partikel kasus predikatif yang menyatakan maksud menentukan karakter atau jenis dari objek yang diindikasikan subjek

- **-에요** : (두루높임으로) 어떤 사실을 서술하거나 질문함을 나타내는 종결 어미.
  apakah, adalah
  (dalam bentuk hormat) kata penutup final yang mengungkapkan suatu kenyataan atau menyatakan pertanyaan, perintah, atau ajakan

---

선생님 : 이 장애물+은 여러분+도 많이 <u>가지</u>+[고 있]+[을 것(거)]+이+에요.
가지고 있을 거예요

- **이 (pewatas)** : 바로 앞에서 이야기한 대상을 가리킬 때 쓰는 말.
  yang ini, ini
  kata yang digunakan saat menunjuk target yang baru dikatakan sebelumnya

- **장애물 (nomina)** : 가로막아서 어떤 일을 하는 데 거슬리거나 방해가 되는 사물.
  hambatan, rintangan
  objek yang menghalangi karena melawan atau menjadi gangguan saat melakukan sesuatu

- **은** : 문장 속에서 어떤 대상이 화제임을 나타내는 조사.
  Tiada Penjelasan Arti
  partikel yang menyatakan suatu objek menjadi topik di dalam kalimat

- 여러분 (pronomina) : 듣는 사람이 여러 명일 때 그 사람들을 높여 이르는 말.
  Anda sekalian, saudara sekalian
  (dalam bentuk formal atau sopan) kalian

- 도 : 이미 있는 어떤 것에 다른 것을 더하거나 포함함을 나타내는 조사.
  juga
  partikel yang menyatakan menambahkan atau mengikutsertakan sesuatu yang lain pada sesuatu yang sudah ada

- 많이 (adverbia) : 수나 양, 정도 등이 일정한 기준보다 넘게.
  dengan banyak
  dengan angka atau jumlah, kadar, dsb melebihi standar yang ditentukan

- 가지다 (verba) : 생각, 태도, 사상 등을 마음에 품다.
  memiliki, mempunyai
  mempunyai suatu pikiran, sikap, pandangan, dsb di hati

- -고 있다 : 앞의 말이 나타내는 행동의 결과가 계속됨을 나타내는 표현.
  sedang
  ungkapan yang menyatakan bahwa hasil dari tindakan yang disebutkan dalam kalimat di depan terus berjalan

- -을 것 : 명사가 아닌 것을 문장에서 명사처럼 쓰이게 하거나 '이다' 앞에 쓰일 수 있게 할 때 쓰는 표현.
  hendaknya
  ungkapan yang digunakan saat membuat sesuatu yang bukan kata benda seperti kata benda di dalam kalimat atau membuat sesuatu bisa digunakan di depan '이다'

- 이다 : 주어가 지시하는 대상의 속성이나 부류를 지정하는 뜻을 나타내는 서술격 조사.
  adalah
  partikel kasus predikatif yang menyatakan maksud menentukan karakter atau jenis dari objek yang diindikasikan subjek

- -에요 : (두루높임으로) 어떤 사실을 서술하거나 질문함을 나타내는 종결 어미.
  apakah, adalah
  (dalam bentuk hormat) kata penutup final yang mengungkapkan suatu kenyataan atau menyatakan pertanyaan, perintah, atau ajakan

---

학생 1 : 정답+은 자기 비하+(이)+라고 생각하+ㅂ니다.
           자기 비하라고   생각합니다

• 정답 (nomina) : 어떤 문제나 질문에 대한 옳은 답.
  jawaban yang benar, jawaban yang tepat, jawaban benar, jawaban tepat
  jawaban yang benar untuk suatu soal atau pertanyaan

• 은 : 문장 속에서 어떤 대상이 화제임을 나타내는 조사.
  Tiada Penjelasan Arti
  partikel yang menyatakan suatu objek menjadi topik di dalam kalimat

• 자기 (nomina) : 그 사람 자신.
  dirinya sendiri
  diri orang itu sendiri

• 비하 (nomina) : 자기 자신을 낮춤.
  perendahan diri, kerendahan hati
  hal merendahkan diri sendiri

• 이다 : 주어가 지시하는 대상의 속성이나 부류를 지정하는 뜻을 나타내는 서술격 조사.
  adalah
  partikel kasus predikatif yang menyatakan maksud menentukan karakter atau jenis dari objek yang diindikasikan subjek

• -라고 : 다른 사람에게서 들은 내용을 간접적으로 전달하거나 주어의 생각, 의견 등을 나타내는 표현.
  dikatakan seperti, meminta, menyuruh
  ungkapan yang menunjukkan hal menyampaikan hal yang didengar secara langsung dari orang lain atau pikiran, pendapat, dsb dari subyek

• 생각하다 (verba) : 사람이 머리를 써서 판단하거나 인식하다.
  berpikir
  orang memikirkan dan menilai sesuatu menggunakan otak

• -ㅂ니다 : (아주높임으로) 현재의 동작이나 상태, 사실을 정중하게 설명함을 나타내는 종결 어미.
  adalah
  (dalam bentuk sangat hormat) kata penutup final yang menyatakan menjelaskan tindakan, keadaan, atau kenyataan di masa kini dengan sopan

---

> 학생 2 : 정답+은 자기 부정+이+라고 생각하+ㅂ니다.
> **생각합니다**

• 정답 (nomina) : 어떤 문제나 질문에 대한 옳은 답.
  jawaban yang benar, jawaban yang tepat, jawaban benar, jawaban tepat
  jawaban yang benar untuk suatu soal atau pertanyaan

• 은 : 문장 속에서 어떤 대상이 화제임을 나타내는 조사.
  Tiada Penjelasan Arti
  partikel yang menyatakan suatu objek menjadi topik di dalam kalimat

• **자기 (nomina)** : 그 사람 자신.
  dirinya sendiri
  diri orang itu sendiri

• **부정 (nomina)** : 그렇지 않다고 판단하여 결정하거나 옳지 않다고 반대함.
  penolakan, penyangkalan
  hal melawan sesuatu karena dianggapnya tidak benar

• 이다 : 주어가 지시하는 대상의 속성이나 부류를 지정하는 뜻을 나타내는 서술격 조사.
  adalah
  partikel kasus predikatif yang menyatakan maksud menentukan karakter atau jenis dari
  objek yang diindikasikan subjek

• -라고 : 다른 사람에게서 들은 내용을 간접적으로 전달하거나 주어의 생각, 의견 등을 나타내는 표현.
  dikatakan seperti, meminta, menyuruh
  ungkapan yang menunjukkan hal menyampaikan hal yang didengar secara langsung dari
  orang lain atau pikiran, pendapat, dsb dari subyek

• **생각하다 (verba)** : 사람이 머리를 써서 판단하거나 인식하다.
  berpikir
  orang memikirkan dan menilai sesuatu menggunakan otak

• -ㅂ니다 : (아주높임으로) 현재의 동작이나 상태, 사실을 정중하게 설명함을 나타내는 종결 어미.
  adalah
  (dalam bentuk sangat hormat) kata penutup final yang menyatakan menjelaskan tindakan,
  keadaan, atau kenyataan di masa kini dengan sopan

선생님 : 맞+아요.

• **맞다 (verba)** : 문제에 대한 답이 틀리지 않다.
  benar, betul
  jawaban yang tidak salah

• -아요 : (두루높임으로) 어떤 사실을 서술하거나 질문, 명령, 권유함을 나타내는 종결 어미.
  cobalah, sebenarnya, apa
  (dalam bentuk hormat) kata penutup final yang mengungkapkan suatu kenyataan atau
  menyatakan pertanyaan, perintah, atau ajakan

> **선생님** : 자기 비하 또는 자기 부정+은 꿈+을 이루+는 데 장애 요소+가 되+어요.
> 돼요

- **자기 (nomina)** : 그 사람 자신.
  dirinya sendiri
  diri orang itu sendiri

- **비하 (nomina)** : 자기 자신을 낮춤.
  perendahan diri, kerendahan hati
  hal merendahkan diri sendiri

- **또는 (adverbia)** : 그렇지 않으면.
  atau
  kalau tidak (begitu)

- **자기 (nomina)** : 그 사람 자신.
  dirinya sendiri
  diri orang itu sendiri

- **부정 (nomina)** : 그렇지 않다고 판단하여 결정하거나 옳지 않다고 반대함.
  penolakan, penyangkalan
  hal melawan sesuatu karena dianggapnya tidak benar

- **은** : 문장 속에서 어떤 대상이 화제임을 나타내는 조사.
  Tiada Penjelasan Arti
  partikel yang menyatakan suatu objek menjadi topik di dalam kalimat

- **꿈 (nomina)** : 앞으로 이루고 싶은 희망이나 목표.
  impian, impian muluk
  harapan, tujuan dalam hati yang ingin dicapai di masa depan

- **을** : 동작이 직접적으로 영향을 미치는 대상을 나타내는 조사.
  Tiada Penjelasan Arti
  partikel yang menyatakan objek dari suatu gerakan yang secara langsung memberikan pengaruh

- **이루다 (verba)** : 뜻대로 되어 바라는 결과를 얻다.
  mewujudkan, membentuk, membuat
  mendapatkan hasil yang sesuai dengan yang dimaksud

- **-는** : 앞의 말이 관형어의 기능을 하게 만들고 사건이나 동작이 현재 일어남을 나타내는 어미.
  yang
  akhiran untuk membuat kata di depannya berfungsi sebagai pewatas dan menyatakan kejadian atau tindakan terjadi sekarang

• 데 (nomina) : 일이나 것.
hal, sesuatu
'hal' atau 'sesuatu'

• 장애 (nomina) : 가로막아서 어떤 일을 하는 데 거슬리거나 방해가 됨. 또는 그런 일이나 물건.
hambatan, rintangan
hal yang menghalangi atau menjadi gangguan ketika melakukan sesuatu, atau hal atau benda yang demikian

• 요소 (nomina) : 무엇을 이루는 데 반드시 있어야 할 중요한 성분이나 조건.
elemen penting, faktor utama
bahan atau syarat penting yang harus ada untuk mewujudkan sesuatu

• 가 : 바뀌게 되는 대상이나 부정하는 대상임을 나타내는 조사.
Tiada Penjelasan Arti
partikel yang menyatakan pelengkap yang menjadi berubah, atau yang dianggap negatif

• 되다 (verba) : 어떤 특별한 뜻을 가지는 상태에 놓이다.
menjadi
diletakkan dalam keadaan yang memiliki arti tertentu

• -어요 : (두루높임으로) 어떤 사실을 서술하거나 질문, 명령, 권유함을 나타내는 종결 어미.
cobalah, sebenarnya, apa
(dalam bentuk hormat) kata penutup final yang mengungkapkan suatu kenyataan atau menyatakan pertanyaan, perintah, atau ajakan

---

그때 한 학생+이 천연덕스럽+게 대답하+였+다.
대답했다

• 그때 (nomina) : 앞에서 이야기한 어떤 때.
waktu itu, saat itu
suatu waktu yang telah disebut sebelumnya

• 한 (pewatas) : 여럿 중 하나인 어떤.
satu
suatu

• 학생 (nomina) : 학교에 다니면서 공부하는 사람.
pelajar
orang yang bersekolah untuk menimba ilmu

- 이 : 어떤 상태나 상황의 대상이나 동작의 주체를 나타내는 조사.
  Tiada Penjelasan Arti
  partikel yang menyatakan objek dari suatu keadaan atau kondisi atau pelaku dari suatu tindakan

- 천연덕스럽다 (adjektiva) : 생긴 그대로 조금도 거짓이나 꾸밈이 없고 자연스러운 데가 있다.
  alamiah, alami, santai, kasual
  apa adanya tanpa dibuat-buat atau hiasan serta memiliki sisi alamiah

- -게 : 앞의 말이 뒤에서 가리키는 일의 목적이나 결과, 방식, 정도 등이 됨을 나타내는 연결 어미.
  dengan
  kata penutup sambung yang menyatakan isi kalimat di depan dibutuhkan sementara kalimat di belakang terus dilanjutkan(formal, kedudukan penerima sangat rendah)

- 대답하다 (verba) : 묻거나 요구하는 것에 해당하는 것을 말하다.
  menjawab
  mengatakan sesuatu yang berhubungan dengan yang ditanyakan atau diminta

- -였- : 사건이 과거에 일어났음을 나타내는 어미.
  sudah, pasti, yakin
  akhiran kalimat yang menyatakan peristiwa terjadi di masa lampau

- -다 : 어떤 사건이나 사실, 상태를 서술함을 나타내는 종결 어미.
  Tiada Penjelasan Arti
  akhiran penutup untuk menyatakan suatu peristiwa, kenyataan, dan keadaan

---

학생 3 : 정답+은 <u>자기 부모</u>+(이)+라고 <u>생각하</u>+ㅂ니다.
자기 부모라고   생각합니다

- 정답 (nomina) : 어떤 문제나 질문에 대한 옳은 답.
  jawaban yang benar, jawaban yang tepat, jawaban benar, jawaban tepat
  jawaban yang benar untuk suatu soal atau pertanyaan

- 은 : 문장 속에서 어떤 대상이 화제임을 나타내는 조사.
  Tiada Penjelasan Arti
  partikel yang menyatakan suatu objek menjadi topik di dalam kalimat

- 자기 (nomina) : 그 사람 자신.
  dirinya sendiri
  diri orang itu sendiri

· 부모 (nomina) : 아버지와 어머니.
orangtua
ayah dan ibu

· 이다 : 주어가 지시하는 대상의 속성이나 부류를 지정하는 뜻을 나타내는 서술격 조사.
adalah
partikel kasus predikatif yang menyatakan maksud menentukan karakter atau jenis dari
objek yang diindikasikan subjek

· -라고 : 다른 사람에게서 들은 내용을 간접적으로 전달하거나 주어의 생각, 의견 등을 나타내는 표현.
dikatakan seperti, meminta, menyuruh
ungkapan yang menunjukkan hal menyampaikan hal yang didengar secara langsung dari
orang lain atau pikiran, pendapat, dsb dari subyek

· 생각하다 (verba) : 사람이 머리를 써서 판단하거나 인식하다.
berpikir
orang memikirkan dan menilai sesuatu menggunakan otak

· -ㅂ니다 : (아주높임으로) 현재의 동작이나 상태, 사실을 정중하게 설명함을 나타내는 종결 어미.
adalah
(dalam bentuk sangat hormat) kata penutup final yang menyatakan menjelaskan tindakan,
keadaan, atau kenyataan di masa kini dengan sopan

< 10 단원(bagian) >

제목 : 뭐, 없어진 물건이라도 있으세요?

● 본문 (tulisan utama)

북적거리는 쇼핑몰에서 한 여성이 핸드백을 잃어버렸다.

핸드백을 주운 정직한 소년은 그 여성에게 가방을 돌려줬다.

건네받은 핸드백 안을 이리저리 살펴보던 여자가 말했다.

여자 : 핸드백에 중요한 것이 많아서 못 찾을까 봐 걱정했는데 너무 고맙구나.

　　　그런데 음, 이상한 일이구나.

소년 : 뭐, 없어진 물건이라도 있으세요?

여자 : 그건 아니고, 지갑 안에 분명히 오만 원짜리 지폐 한 장이 들어 있었는데

　　　지금은 만 원짜리 다섯 장이 들어 있네.

　　　거참, 신기하네.

소년 : 아, 그거요.

　　　저번에 제가 어떤 여자분 지갑을 찾아 줬는데 그분이 잔돈이 없다고

　　　사례금을 안 주셨거든요.

● 발음 (pelafalan)

북적거리는 쇼핑몰에서 한 여성이 핸드백을 잃어버렸다.
북쩍꺼리는 쇼핑모레서 한 여성이 핸드배글 이러버렫따.
bukjeokgeorineun syopingmoreseo han yeoseongi haendeubaegeul ireobeoryeotda.

핸드백을 주운 정직한 소년은 그 여성에게 가방을 돌려줬다.
핸드배글 주운 정지칸 소녀는 그 여성에게 가방을 돌려줟따.
haendeubaegeul juun jeongjikan sonyeoneun geu yeoseongege gabangeul dollyeojwotda.

건네받은 핸드백 안을 이리저리 살펴보던 여자가 말했다.
건네바든 핸드백 아늘 이리저리 살펴보던 여자가 말핻따.
geonnebadeun haendeubaek aneul irijeori salpyeobodeon yeojaga malhaetda.

여자 : 핸드백에 중요한 것이 많아서 못 찾을까 봐 걱정했는데 너무 고맙구나.
여자 : 핸드배게 중요한 거시 마나서 몯 차즐까 봐 걱쩡핸는데 너무 고맙꾸나.
yeoja : haendeubaege jungyohan geosi manaseo mot chajeulkka bwa
geokjeonghaenneunde neomu gomapguna.

그런데 음, 이상한 일이구나.
그런데 음, 이상한 이리구나.
geureonde eum, isanghan iriguna.

소년 : 뭐, 없어진 물건이라도 있으세요?
소년 : 뭐, 업써진 물거니라도 이쓰세요?
sonyeon : mwo, eopseojin mulgeonirado isseuseyo?

여자 : 그건 아니고, 지갑 안에 분명히 오만 원짜리 지폐 한 장이 들어 있었는데
여자 : 그건 아니고, 지갑 아네 분명히 오만 원짜리 지폐 한 장이 드러 이썬는데
yeoja : geugeon anigo, jigap ane bunmyeonghi oman wonjjari jipye(jipe) han
jangi deureo isseonneunde

지금은 만 원짜리 다섯 장이 들어 있네.
지그믄 만 원짜리 다섣 장이 드러 인네.
jigeumeun man wonjjari daseot jangi deureo inne.

거참, 신기하네.

거참, 신기하네.

geocham, singihane.

소년 : 아, 그거요.

소년 : 아, 그거요.

sonyeon : a, geugeoyo.

저번에 제가 어떤 여자분 지갑을 찾아 줬는데 그분이 잔돈이 없다고

저버네 제가 어떤 여자분 지가블 차자 줜는데 그부니 잔도니 업따고

jeobeone jega eotteon yeojabun jigabeul chaja jwonneunde geubuni jandoni eopdago

사례금을 안 주셨거든요.

사례그믈 안 주셨꺼드뇨.

saryegeumeul an jusyeotgeodeunyo.

● 어휘 (kosa kata) / 문법 (pelajaran tata bahasa)

북적거리+는 쇼핑몰+에서 한 여성+이 핸드백+을 잃어버리+었+다.

핸드백+을 줍(주우)+ㄴ 정직하+ㄴ 소년+은 그 여성+에게 가방+을 돌려주+었+다.

건네받+은 핸드백 안+을 이리저리 살펴보+던 여자+가 말하+였+다.

여자 : 핸드백+에 중요하+ㄴ 것+이 많+아서 못 찾+을까 보+아 걱정하+였+는데 너무

고맙+구나.

그런데 음, 이상하+ㄴ 일+이+구나.

소년 : 뭐, 없어지+ㄴ 물건+이라도 있+으세요?

여자 : 그것(그거)+은 아니+고, 지갑 안+에 분명히 오만 원+짜리 지폐 한 장+이

들+어 있+었+는데 지금+은 만 원+짜리 다섯 장+이 들+어 있+네.

거참, 신기하+네.

소년 : 아, 그거+요.

저번+에 제+가 어떤 여자+분 지갑+을 찾+아 주+었+는데 그분+이 잔돈+이

없+다고 사례금+을 안 주+시+었+거든요.

북적거리+는 쇼핑몰+에서 한 여성+이 핸드백+을 <u>잃어버리</u>+었+다.
잃어버렸다

- **북적거리다 (verba)** : 많은 사람이 한곳에 모여 매우 어수선하고 시끄럽게 자꾸 떠들다.
  gaduh, bising, gempar, berisik, ramai
  banyak orang berkumpul di satu tempat serta terus-menerus berbicara dengan sangat gaduh dan berisik

- **-는** : 앞의 말이 관형어의 기능을 하게 만들고 사건이나 동작이 현재 일어남을 나타내는 어미.
  yang
  akhiran untuk membuat kata di depannya berfungsi sebagai pewatas dan menyatakan kejadian atau tindakan terjadi sekarang

- **쇼핑몰 (nomina)** : 여러 가지 물건을 파는 상점들이 모여 있는 곳.
  mal
  kompleks toko yang menjual bermacam-macam barang

- **에서** : 앞말이 행동이 이루어지고 있는 장소임을 나타내는 조사.
  Tiada Penjelasan Arti
  partikel yang menyatakan bahwa kata di depannya adalah tempat tindakan terjadi

- **한 (pewatas)** : 여럿 중 하나인 어떤.
  satu
  suatu

- **여성 (nomina)** : 어른이 되어 아이를 낳을 수 있는 여자.
  wanita, wanita dewasa
  perempuan yang sudah dewasa sehingga dapat melahirkan anak

- **이** : 어떤 상태나 상황의 대상이나 동작의 주체를 나타내는 조사.
  Tiada Penjelasan Arti
  partikel yang menyatakan objek dari suatu keadaan atau kondisi atau pelaku dari suatu tindakan

- **핸드백 (nomina)** : 여자들이 손에 들거나 한쪽 어깨에 메는 작은 가방.
  tas tangan wanita, tas wanita
  tas kecil yang dibawa wanita di tangan atau dipegang di satu sisi bahu

- **을** : 동작이 직접적으로 영향을 미치는 대상을 나타내는 조사.
  Tiada Penjelasan Arti
  partikel yang menyatakan objek dari suatu gerakan yang secara langsung memberikan pengaruh

•잃어버리다 (verba) : 가졌던 물건을 흘리거나 놓쳐서 더 이상 갖지 않게 되다.

menghilangkan, kehilangan

menjatuhkan atau melepaskan benda yang dibawa sehingga menjadi tidak memilikinya lagi

•-었- : 사건이 과거에 일어났음을 나타내는 어미.

sudah, pasti, yakin

akhiran kalimat yang menyatakan peristiwa terjadi di masa lampau

•-다 : 어떤 사건이나 사실, 상태를 서술함을 나타내는 종결 어미.

Tiada Penjelasan Arti

akhiran penutup untuk menyatakan suatu peristiwa, kenyataan, dan keadaan

---

핸드백+을 줍(주우)+ㄴ 정직하+ㄴ 소년+은 그 여성+에게 가방+을 돌려주+었+다.
　　　　　　주운　　　　정직한　　　　　　　　　　　　　　돌려줬다

•핸드백 (nomina) : 여자들이 손에 들거나 한쪽 어깨에 메는 작은 가방.

tas tangan wanita, tas wanita

tas kecil yang dibawa wanita di tangan atau dipegang di satu sisi bahu

•을 : 동작이 직접적으로 영향을 미치는 대상을 나타내는 조사.

Tiada Penjelasan Arti

partikel yang menyatakan objek dari suatu gerakan yang secara langsung memberikan pengaruh

•줍다 (verba) : 남이 잃어버린 물건을 집다.

memungut, mengambil

mengambil barang yang dibuang orang lain

•-ㄴ : 앞의 말이 관형어의 기능을 하게 만들고 사건이나 동작이 완료되어 그 상태가 유지되고 있음을 나타내는 어미.

yang

akhiran yang membuat kata di depannya berfungsi sebagai kata pewatas, dan menyatakan bahwa tindakan atau peristiwa sudah selesai dan menahan keadaan itu

•정직하다 (adjektiva) : 마음에 거짓이나 꾸밈이 없고 바르고 곧다.

jujur

benar dan lurus serta tidak ada kebohongan atau kepura-puraan dalam hati

•-ㄴ : 앞의 말이 관형어의 기능을 하게 만들고 현재의 상태를 나타내는 어미.

yang

akhiran yang membuat kata di depannya berfungsi sebagai kata pewatas, dan menyatakan keadaan saat ini

• 소년 (nomina) : 아직 어른이 되지 않은 어린 남자아이.
  anak laki-laki
  anak laki-laki muda yang belum tumbuh dewasa

• 은 : 문장 속에서 어떤 대상이 화제임을 나타내는 조사.
  Tiada Penjelasan Arti
  partikel yang menyatakan suatu objek menjadi topik di dalam kalimat

• 그 (pewatas) : 앞에서 이미 이야기한 대상을 가리킬 때 쓰는 말.
  itu
  kata yang digunakan saat menunjuk sesuatu yang sudah diceritakan di depan

• 여성 (nomina) : 어른이 되어 아이를 낳을 수 있는 여자.
  wanita, wanita dewasa
  perempuan yang sudah dewasa sehingga dapat melahirkan anak

• 에게 : 어떤 행동이 미치는 대상임을 나타내는 조사.
  Tiada Penjelasan Arti
  partikel yang menyatakan sesuatu yang mendapat pengaruh dari sebuah tindakan

• 가방 (nomina) : 물건을 넣어 손에 들거나 어깨에 멜 수 있게 만든 것.
  tas
  benda yang digunakan untuk menaruh barang-barang dan dibawa di tangan atau
  disampirkan di pundak

• 을 : 동작이 직접적으로 영향을 미치는 대상을 나타내는 조사.
  Tiada Penjelasan Arti
  partikel yang menyatakan objek dari suatu gerakan yang secara langsung memberikan
  pengaruh

• 돌려주다 (verba) : 빌리거나 뺏거나 받은 것을 주인에게 도로 주거나 갚다.
  mengembalikan, membayar, menebus
  memberi atau membayar kembali sesuatu yang dipinjam, diambil atau diterima dari
  pemiliknya

• -었- : 사건이 과거에 일어났음을 나타내는 어미.
  sudah, pasti, yakin
  akhiran kalimat yang menyatakan peristiwa terjadi di masa lampau

• -다 : 어떤 사건이나 사실, 상태를 서술함을 나타내는 종결 어미.
  Tiada Penjelasan Arti
  akhiran penutup untuk menyatakan suatu peristiwa, kenyataan, dan keadaan

건네받+은 핸드백 안+을 이리저리 살펴보+던 여자+가 말하+였+다.
말했다

- **건네받다 (verba)** : 다른 사람으로부터 어떤 것을 옮기어 받다.
  menerima kiriman, mendapat kiriman
  menerima sesuatu yang dikirimkan orang lain

- **-은** : 앞의 말이 관형어의 기능을 하게 만들고 사건이나 동작이 완료되어 그 상태가 유지되고 있음을 나타내는 어미.
  yang
  akhiran yang membuat kata di depannya berfungsi sebagai kata pewatas, dan menyatakan bahwa tindakan atau peristiwa sudah selesai dan menahan keadaan itu

- **핸드백 (nomina)** : 여자들이 손에 들거나 한쪽 어깨에 메는 작은 가방.
  tas tangan wanita, tas wanita
  tas kecil yang dibawa wanita di tangan atau dipegang di satu sisi bahu

- **안 (nomina)** : 어떤 물체나 공간의 둘레에서 가운데로 향한 쪽. 또는 그러한 부분.
  dalam
  bagian yang mengarah ke tengah dalam lingkar suatu benda atau ruang, atau bagian yang demikian

- **을** : 동작이 직접적으로 영향을 미치는 대상을 나타내는 조사.
  Tiada Penjelasan Arti
  partikel yang menyatakan objek dari suatu gerakan yang secara langsung memberikan pengaruh

- **이리저리 (adverbia)** : 방향을 정하지 않고 이쪽저쪽으로.
  kesana kemari
  tak tentu arah, ke mana-mana

- **살펴보다 (verba)** : 무엇을 찾거나 알아보다.
  memeriksa
  memeriksa atau mencari tahu sesuatu

- **-던** : 앞의 말이 관형어의 기능을 하게 만들고 사건이나 동작이 과거에 완료되지 않고 중단되었음을 나타내는 어미.
  yang
  akhiran yang membuat kata di depannya berfungsi sebagai pewatas dan menyatakan suatu peristiwa atau tindakan tidak diselesaikan tetapi dihentikan di masa lampau.

- **여자 (nomina)** : 여성으로 태어난 사람.
  perempuan, wanita
  orang yang lahir sebagai wanita

• 가 : 어떤 상태나 상황에 놓인 대상이나 동작의 주체를 나타내는 조사.
Tiada Penjelasan Arti
partikel yang menyatakan objek dari suatu keadaan atau kondisi atau pelaku dari suatu tindakan

• 말하다 (verba) : 어떤 사실이나 자신의 생각 또는 느낌을 말로 나타내다.
mengatakan
menyampaikan sebuah kenyataan, pikiran, atau perasaan diri sendiri lewat kata-kata

• -였- : 사건이 과거에 일어났음을 나타내는 어미.
sudah, pasti, yakin
akhiran kalimat yang menyatakan peristiwa terjadi di masa lampau

• -다 : 어떤 사건이나 사실, 상태를 서술함을 나타내는 종결 어미.
Tiada Penjelasan Arti
akhiran penutup untuk menyatakan suatu peristiwa, kenyataan, dan keadaan

---

여자 : 핸드백+에 중요하+[ㄴ 것]+이 많+아서 못 찾+[을까 보]+아 걱정하+였+는데
　　　　　　　　중요한 것이　　　　　　　　　찾을까 봐　　　걱정했는데

　　　너무 고맙+구나.

• 핸드백 (nomina) : 여자들이 손에 들거나 한쪽 어깨에 메는 작은 가방.
tas tangan wanita, tas wanita
tas kecil yang dibawa wanita di tangan atau dipegang di satu sisi bahu

• 에 : 앞말이 어떤 장소나 자리임을 나타내는 조사.
di, pada
partikel yang menyatakan kalimat di depan adalah tempat atau lokasi

• 중요하다 (adjektiva) : 귀중하고 꼭 필요하다.
penting
sangat berharga dan pasti diperlukan

• -ㄴ 것 : 명사가 아닌 것을 문장에서 명사처럼 쓰이게 하거나 '이다' 앞에 쓰일 수 있게 할 때 쓰는 표현.
yang
ungkapan yang dapat membuat suatu kelas kata bisa digunakan sebagai kata benda dalam kalimat dan berfungsi sebagai subjek atau objek, atau dapat membuat suatu kelas kata bisa digunakan di depan '이다'

• 이 : 어떤 상태나 상황의 대상이나 동작의 주체를 나타내는 조사.
Tiada Penjelasan Arti
partikel yang menyatakan objek dari suatu keadaan atau kondisi atau pelaku dari suatu tindakan

• 많다 (adjektiva) : 수나 양, 정도 등이 일정한 기준을 넘다.
banyak
angka atau jumlah, volume, tingkat, dsb melebihi standar tertentu

• -아서 : 이유나 근거를 나타내는 연결 어미.
karena, akibat
kata penutup sambung yang menyatakan alasan atau landasan

• 못 (adverbia) : 동사가 나타내는 동작을 할 수 없게.
tidak bisa, tidak mampu
tidak bisa melakukan suatu tindakan yang muncul di kata kerja

• 찾다 (verba) : 무엇을 얻거나 누구를 만나려고 여기저기를 살피다. 또는 그것을 얻거나 그 사람을 만나다.
mencari, bertemu, mendapatkan
memeriksa ke sana kemari untuk mendapatkan sesuatu atau bertemu seseorang, atau mendapatkan sesuatu atau bertemu seseorang

• -을까 보다 : 앞에 오는 말이 나타내는 상황이 될 것을 걱정하거나 두려워함을 나타내는 표현.
karena, sebab, gara-gara
ungkapan yang menyatakan kekhawatiran atau ketakutan bahwa keadaan dalam kalimat depan akan terjadi

• -아 : 앞에 오는 말이 뒤에 오는 말에 대한 원인이나 이유임을 나타내는 연결 어미.
karena, sebab
akhiran penghubung untuk menyatakan bahwa anak kalimat menjadi sebab atau alasan terhadap kalimat induk.

• 걱정하다 (verba) : 좋지 않은 일이 있을까 봐 두려워하고 불안해하다.
khawatir
takut dan gelisah kalau-kalau sesuatu yang tidak baik muncul

• -였- : 어떤 사건이 과거에 완료되었거나 그 사건의 결과가 현재까지 지속되는 상황을 나타내는 어미.
sudah, telah, pernah
akhiran kalimat yang menyatakan sebuah peristiwa sudah selesai di masa lampau atau menyatakan keadaan di mana hasil peristiwa tersebut terus berlangsung hingga sekarang

• -는데 : 뒤의 말을 하기 위하여 그 대상과 관련이 있는 상황을 미리 말함을 나타내는 연결 어미.

sebenarnya, nyatanya

akhiran kalimat penyambung yang menyatakan mengatakan terlebih dahulu keadaan yang berhubungan sebelum mengatakan kalimat yang berhubungan

• 너무 (adverbia) : 일정한 정도나 한계를 훨씬 넘어선 상태로.

terlalu, berlebihan

tarafnya melebihi batas tertentu

• 고맙다 (adjektiva) : 남이 자신을 위해 무엇을 해주어서 마음이 흐뭇하고 보답하고 싶다.

terima kasih

perasaan senang dan ingin membalas budi kepada orang lain yang telah melakukan kebaikan untuk kita

• -구나 : (아주낮춤으로) 새롭게 알게 된 사실에 어떤 느낌을 실어 말함을 나타내는 종결 어미.

ternyata

(dalam bentuk sangat rendah) kata penutup final yang menyatakan hal terkejut karena baru meyakini atau menyadari suatu fakta

---

여자 : 그런데 음, <u>이상하</u>+ㄴ 일+이+구나.
         이상한

• 그런데 (adverbia) : 이야기를 앞의 내용과 관련시키면서 다른 방향으로 바꿀 때 쓰는 말.

tetapi

kata yang digunakan untuk mengganti cerita ke arah lain sambil mengaitkan dengan isi cerita sebelumnya

• 음 (interjeksi) : 믿지 못할 때 내는 소리.

Hm!, Hah!, Heh!

suara yang dikeluarkan saat tidak dapat percaya

• 이상하다 (adjektiva) : 원래 알고 있던 것과 달리 별나거나 색다르다.

unik, khas, menonjol

unik dan khas berbeda dengan yang diketahui sebelumnya

• -ㄴ : 앞의 말이 관형어의 기능을 하게 만들고 현재의 상태를 나타내는 어미.

yang

akhiran yang membuat kata di depannya berfungsi sebagai kata pewatas, dan menyatakan keadaan saat ini

• 일 (nomina) : 어떤 내용을 가진 상황이나 사실.

hal, masalah, keadaan

kondisi atau fakta yang memiliki suatu isi

- 이다 : 주어가 지시하는 대상의 속성이나 부류를 지정하는 뜻을 나타내는 서술격 조사.
  adalah
  partikel kasus predikatif yang menyatakan maksud menentukan karakter atau jenis dari objek yang diindikasikan subjek

- -구나 : (아주낮춤으로) 새롭게 알게 된 사실에 어떤 느낌을 실어 말함을 나타내는 종결 어미.
  ternyata
  (dalam bentuk sangat rendah) kata penutup final yang menyatakan hal terkejut karena baru meyakini atau menyadari suatu fakta

---

소년 : 뭐, 없어지+ㄴ 물건+이라도 있+으세요?
　　　　　없어진

- 뭐 (interjeksi) : 놀랐을 때 내는 소리.
  apa
  suara pendek yang keluar saat terkejut

- 없어지다 (verba) : 사람, 사물, 현상 등이 어떤 곳에 자리나 공간을 차지하고 존재하지 않게 되다.
  hilang, lenyap
  orang, benda, fenomena, dsb menjadi tidak menempati suatu kedudukan atau tempat atau tidak ada di suatu tempat

- -ㄴ : 앞의 말이 관형어의 기능을 하게 만들고 사건이나 동작이 완료되어 그 상태가 유지되고 있음을 나타내는 어미.
  yang
  akhiran yang membuat kata di depannya berfungsi sebagai kata pewatas, dan menyatakan bahwa tindakan atau peristiwa sudah selesai dan menahan keadaan itu

- 물건 (nomina) : 일정한 모양을 갖춘 어떤 물질.
  benda
  objek material yang memiliki bentuk tertentu

- 이라도 : 불확실한 사실에 대한 말하는 이의 의심이나 의문을 나타내는 조사.
  pun
  partikel yang menyatakan kecurigaan atau keraguan dari orang yang berbicara mengenai fakta yang tidak jelas

- 있다 (adjektiva) : 무엇이 어떤 곳에 자리나 공간을 차지하고 존재하는 상태이다.
  ada
  sesuatu dalam keadaan berada dan ada di suatu tempat atau ruang

• -으세요 : (두루높임으로) 설명, 의문, 명령, 요청의 뜻을 나타내는 종결 어미.

apakah?, silakan, biar

(dalam bentuk hormat) kata penutup final yang menyatakan arti penjelasan, pertanyaan, perintah, permintaan, dsb

---

여자 : <u>그것(그거)+은</u> 아니+고, 지갑 안+에 분명히 오만 원+짜리 지폐 한 장+이
　　　그건

　　　들+[어 있]+었+는데 지금+은 만 원+짜리 다섯 장+이 들+[어 있]+네.

• 그것 (pronomina) : 앞에서 이미 이야기한 대상을 가리키는 말.

yang itu

kata untuk menunjuk kembali benda atau fakta yang telah dikatakan sebelumnya

• 은 : 문장 속에서 어떤 대상이 화제임을 나타내는 조사.

Tiada Penjelasan Arti

partikel yang menyatakan suatu objek menjadi topik di dalam kalimat

• 아니다 (adjektiva) : 어떤 사실이나 내용을 부정하는 뜻을 나타내는 말.

bukan

kata negatif yang tidak membenarkan suatu fakta atau keterangan tertentu

• -고 : 두 가지 이상의 대등한 사실을 나열할 때 쓰는 연결 어미.

dan

akhiran penghubung yang digunakan untuk menyusun dua atau lebih kenyataan yang setara

• 지갑 (nomina) : 돈, 카드, 명함 등을 넣어 가지고 다닐 수 있게 가죽이나 헝겊 등으로 만든 물건.

dompet

benda yang terbuat dari kulit atau kain dsb yang digunakan untuk menyimpan uang, kartu ATM, kartu nama, dan lain-lain

• 안 (nomina) : 어떤 물체나 공간의 둘레에서 가운데로 향한 쪽. 또는 그러한 부분.

dalam

bagian yang mengarah ke tengah dalam lingkar suatu benda atau ruang, atau bagian yang demikian

• 에 : 앞말이 어떤 장소나 자리임을 나타내는 조사.

di, pada

partikel yang menyatakan kalimat di depan adalah tempat atau lokasi

• 분명히 (adverbia) : 어떤 사실이 틀림이 없이 확실하게.
  dengan pasti, dengan jelas, dengan yakin, dengan benar
  dengan suatu fakta yang jelas tanpa salah

• 오만 : 50,000

• 원 (nomina) : 한국의 화폐 단위.
  Won
  mata uang Korea, satuan yang digunakan untuk menghitung uang Korea

• 짜리 : '그만한 수나 양을 가진 것' 또는 '그만한 가치를 가진 것'의 뜻을 더하는 접미사.
  seharga, sebanyak, yang berpakaian~
  akhiran yang menambahkan arti "sesuatu yang berjumlah demikian" atau "sesuatu yang
  bernilai demikian"

• 지폐 (nomina) : 종이로 만든 돈.
  uang kertas
  uang yang dibuat dengan cetakan kertas

• 한 (pewatas) : 하나의.
  satu
  satu

• 장 (nomina) : 종이나 유리와 같이 얇고 넓적한 물건을 세는 단위.
  lembar, helai, carik
  satuan yang digunakan untuk menghitung benda yang tipis dan lebar seperti kertas atau
  kaca

• 이 : 어떤 상태나 상황의 대상이나 동작의 주체를 나타내는 조사.
  Tiada Penjelasan Arti
  partikel yang menyatakan objek dari suatu keadaan atau kondisi atau pelaku dari suatu
  tindakan

• 들다 (verba) : 안에 담기거나 그 일부를 이루다.
  masuk, termasuk
  termasuk ke dalam atau terwujud sebagian

• -어 있다 : 앞의 말이 나타내는 상태가 계속됨을 나타내는 표현.
  sudah, telah, masih
  ungkapan untuk menyatakan bahwa keadaan dalam kalimat di depan terus berjalan

• -었- : 어떤 사건이 과거에 완료되었거나 그 사건의 결과가 현재까지 지속되는 상황을 나타내는 어미.
  sudah, pasti, yakin
  akhiran kalimat yang menyatakan sebuah peristiwa sudah selesai di masa lampau atau
  menyatakan keadaan di mana hasil peristiwa tersebut terus berlangsung hingga sekarang

• -는데 : 뒤의 말을 하기 위하여 그 대상과 관련이 있는 상황을 미리 말함을 나타내는 연결 어미.
sebenarnya, nyatanya
akhiran kalimat penyambung yang menyatakan mengatakan terlebih dahulu keadaan yang berhubungan sebelum mengatakan kalimat yang berhubungan

• 지금 (nomina) : 말을 하고 있는 바로 이때.
sekarang
saat sedang bicara

• 은 : 문장 속에서 어떤 대상이 화제임을 나타내는 조사.
Tiada Penjelasan Arti
partikel yang menyatakan suatu objek menjadi topik di dalam kalimat

• 만 : 10,000

• 원 (nomina) : 한국의 화폐 단위.
Won
mata uang Korea, satuan yang digunakan untuk menghitung uang Korea

• 짜리 : '그만한 수나 양을 가진 것' 또는 '그만한 가치를 가진 것'의 뜻을 더하는 접미사.
seharga, sebanyak, yang berpakaian~
akhiran yang menambahkan arti "sesuatu yang berjumlah demikian" atau "sesuatu yang bernilai demikian"

• 다섯 (pewatas) : 넷에 하나를 더한 수의.
lima
angka empat yang ditambahkan satu yang merupakan satuan untuk menyebutkan jumlah unit (diletakkan di depan kata benda)

• 장 (nomina) : 종이나 유리와 같이 얇고 넓적한 물건을 세는 단위.
lembar, helai, carik
satuan yang digunakan untuk menghitung benda yang tipis dan lebar seperti kertas atau kaca

• 이 : 어떤 상태나 상황의 대상이나 동작의 주체를 나타내는 조사.
Tiada Penjelasan Arti
partikel yang menyatakan objek dari suatu keadaan atau kondisi atau pelaku dari suatu tindakan

• 들다 (verba) : 안에 담기거나 그 일부를 이루다.
termasuk ke dalam atau terwujud sebagian

• -어 있다 : 앞의 말이 나타내는 상태가 계속됨을 나타내는 표현.
sudah, telah, masih
ungkapan untuk menyatakan bahwa keadaan dalam kalimat di depan terus berjalan

- -네 : (아주낮춤으로) 지금 깨달은 일에 대하여 말함을 나타내는 종결 어미.

  wah, ternyata

  (dalam bentuk sangat rendah) kata penutup final yang menyatakan perkataan tentang peristiwa yang sekarang disadari

---

여자 : 거참, 신기하+네.

- **거참** (interjeksi) : 안타까움이나 아쉬움, 놀라움의 뜻을 나타낼 때 하는 말.

  ya Tuhan, oh Tuhan, ya ampun

  kata yang digunakan untuk menyatakan perasaan saat merasa kasihan, takjub, atau tercengang

- **신기하다** (adjektiva) : 믿을 수 없을 정도로 색다르고 이상하다.

  menakjubkan, mengagumkan, memukau

  terpukau dan merasa aneh sampai-sampai sulit dipercaya

- -네 : (아주낮춤으로) 지금 깨달은 일에 대하여 말함을 나타내는 종결 어미.

  wah, ternyata

  (dalam bentuk sangat rendah) kata penutup final yang menyatakan perkataan tentang peristiwa yang sekarang disadari

---

소년 : 아, 그거+요.

- **아** (interjeksi) : 남에게 말을 걸거나 주의를 끌 때, 말에 앞서 내는 소리.

  ehm

  suara untuk memulai berbicara, atau menarik perhatian orang lain

- **그거** (pronomina) : 앞에서 이미 이야기한 대상을 가리키는 말.

  yang itu

  kata untuk menunjuk kembali benda atau fakta yang telah dikatakan sebelumnya

- 요 : 높임의 대상인 상대방에게 존대의 뜻을 나타내는 조사.

  Tiada Penjelasan Arti

  partikel yang menyatakan arti sopan atau hormat kepada lawan bicara yang ditinggikan

소년 : 저번+에 제+가 어떤 여자+분 지갑+을 <u>찾+[아 주]+었</u>+는데 그분+이 잔돈+이
찾아 줬는데

없+다고 사례금+을 안 <u>주+시+었</u>+거든요.
주셨거든요

• **저번 (nomina)** : 말하고 있는 때 이전의 지나간 차례나 때.
waktu itu, saat itu, sebelumnya
giliran atau waktu yang sudah lewat sebelum saat waktu sedang berbicara

• **에** : 앞말이 시간이나 때임을 나타내는 조사.
pada
partikel yang menyatakan kalimat di depan adalah waktu atau saat

• **제 (pronomina)** : 말하는 사람이 자신을 낮추어 가리키는 말인 '저'에 조사 '가'가 붙을 때의 형태.
saya
bentuk ketika melekatkan partikel '가' ke '저' yang berarti 'saya' dalam bentuk sopan

• **가** : 어떤 상태나 상황에 놓인 대상이나 동작의 주체를 나타내는 조사.
Tiada Penjelasan Arti
partikel yang menyatakan objek dari suatu keadaan atau kondisi atau pelaku dari suatu tindakan

• **어떤 (pewatas)** : 굳이 말할 필요가 없는 대상을 뚜렷하게 밝히지 않고 나타낼 때 쓰는 말.
seorang, sebuah, suatu
kata yang digunakan untuk menunjukkan sesuatu tanpa harus menerangkan dengan jelas objeknya

• **여자 (nomina)** : 여성으로 태어난 사람.
perempuan, wanita
orang yang lahir sebagai wanita

• **분** : '높임'의 뜻을 더하는 접미사.
orang
akhiran yang menambahkan arti "meninggikan"

• **지갑 (nomina)** : 돈, 카드, 명함 등을 넣어 가지고 다닐 수 있게 가죽이나 헝겊 등으로 만든 물건.
dompet
benda yang terbuat dari kulit atau kain dsb yang digunakan untuk menyimpan uang, kartu ATM, kartu nama, dan lain-lain

• 을 : 동작이 직접적으로 영향을 미치는 대상을 나타내는 조사.

    Tiada Penjelasan Arti

partikel yang menyatakan objek dari suatu gerakan yang secara langsung memberikan pengaruh

• **찾다 (verba)** : 무엇을 얻거나 누구를 만나려고 여기저기를 살피다. 또는 그것을 얻거나 그 사람을 만나다.

    mencari, bertemu, mendapatkan

memeriksa ke sana kemari untuk mendapatkan sesuatu atau bertemu seseorang, atau mendapatkan sesuatu atau bertemu seseorang

• -아 주다 : 남을 위해 앞의 말이 나타내는 행동을 함을 나타내는 표현.

    mohon, minta, karena

ungkapan yang menyatakan melakukan tindakan yang disebutkan dalam kalimat di depan untuk orang lain

• -었- : 사건이 과거에 일어났음을 나타내는 어미.

    sudah, pasti, yakin

akhiran kalimat yang menyatakan peristiwa terjadi di masa lampau

• -는데 : 뒤의 말을 하기 위하여 그 대상과 관련이 있는 상황을 미리 말함을 나타내는 연결 어미.

    sebenarnya, nyatanya

akhiran kalimat penyambung yang menyatakan mengatakan terlebih dahulu keadaan yang berhubungan sebelum mengatakan kalimat yang berhubungan

• **그분 (pronomina)** : (아주 높이는 말로) 그 사람.

    beliau

(dalam sebutan sangat hormat) orang itu

• 이 : 어떤 상태나 상황의 대상이나 동작의 주체를 나타내는 조사.

    Tiada Penjelasan Arti

partikel yang menyatakan objek dari suatu keadaan atau kondisi atau pelaku dari suatu tindakan

• **잔돈 (nomina)** : 단위가 작은 돈.

    uang kecil

uang yang bernominal kecil

• 이 : 어떤 상태나 상황의 대상이나 동작의 주체를 나타내는 조사.

    Tiada Penjelasan Arti

partikel yang menyatakan objek dari suatu keadaan atau kondisi atau pelaku dari suatu tindakan

• 없다 (adjektiva) : 사람, 사물, 현상 등이 어떤 곳에 자리나 공간을 차지하고 존재하지 않는 상태이다.
  tidak ada
  orang, benda, fenomena, dsb menjadi tidak menempati suatu kedudukan atau tempat atau tidak ada di suatu tempat

• -다고 : 어떤 행위의 목적, 의도를 나타내거나 어떤 상황의 이유, 원인을 나타내는 연결 어미.
  karena katanya
  akhiran kalimat penyambung yang menyatakan tujuan atau maksud suatu tindakan atau alasan atau penyebab suatu keadaan

• 사례금 (nomina) : 고마운 뜻을 나타내려고 주는 돈.
  renumerasi, uang penghargaan, uang hadiah
  uang yang diberikan untuk menyatakan maksud terima kasih

• 을 : 동작이 직접적으로 영향을 미치는 대상을 나타내는 조사.
  Tiada Penjelasan Arti
  partikel yang menyatakan objek dari suatu gerakan yang secara langsung memberikan pengaruh

• 안 (adverbia) : 부정이나 반대의 뜻을 나타내는 말.
  tidak
  kata yang menampilkan lawan arti atau negatif

• 주다 (verba) : 물건 등을 남에게 건네어 가지거나 쓰게 하다.
  kasih, memberi
  mengeluarkan barang dsb untuk orang lain kemudian membuat menjadi memiliki atau menggunakannya

• -시- : 어떤 동작이나 상태의 주체를 높이는 뜻을 나타내는 어미.
  Tiada Penjelasan Arti
  akhiran kalimat yang menyatakan arti meninggikan subjek atau topik suatu tindakan atau keadaan

• -었- : 사건이 과거에 일어났음을 나타내는 어미.
  sudah, pasti, yakin
  akhiran kalimat yang menyatakan peristiwa terjadi di masa lampau

• -거든요 : (두루높임으로) 앞의 내용에 대해 말하는 사람이 생각한 이유나 원인, 근거를 나타내는 표현.
  karena, soalnya, sebenarnya
  (dalam bentuk hormat) ungkapan yang menunjukkan alasan atau sebab, bukti yang dipikirkan orang yang berbicara mengenai keterangan di depan

< 11 단원(bagian) >

제목 : 새에 대한 논문을 쓰고 계시나 보죠?

● 본문 (tulisan utama)

강의 준비를 하기 위해 교수님 한 분이 컴퓨터를 켜고 있었다.

그런데 컴퓨터가 바이러스에 걸렸는지 작동되지 않아 수리 기사를 부르게 되었다.

수리공이 컴퓨터를 고치다가 저장된 파일을 보니 독수리, 참새, 앵무새, 까치, 비둘기, 제비 등 모두 새

이름으로 되어 있었다.

수리 기사는 궁금증을 참다못해 교수님에게 물었다.

수리 기사 : 교수님, 파일 이름을 모두 새 이름으로 지으셨네요.

　　　　　요즘 새에 대한 논문을 쓰고 계시나 보죠?

교수님이 울상을 지으면서 말했다.

교수님 : 아니에요.

　　　　실은 그것 때문에 짜증이 나서 미치겠어요.

　　　　파일 저장할 때마다 '새 이름으로 저장'이라고 나오는데 이제 생각나는

　　　　새 이름도 없는데.

● 발음 (pelafalan)

강의 준비를 하기 위해 교수님 한 분이 컴퓨터를 켜고 있었다.
강의 준비를 하기 위해 교수님 한 부니 컴퓨터를 켜고 이썯따.
gangui junbireul hagi wihae gyosunim han buni keompyuteoreul kyeogo isseotda.

그런데 컴퓨터가 바이러스에 걸렸는지 작동되지 않아 수리 기사를 부르게 되었다.
그런데 컴퓨터가 바이러스에 걸련는지 작똥되지 아나 수리 기사를 부르게 되얻따.
geureonde keompyuteoga baireoseue geollyeonneunji jakdongdoeji ana suri gisareul bureuge doeeotda.

수리공이 컴퓨터를 고치다가 저장된 파일을 보니 독수리, 참새, 앵무새, 까치, 비둘기, 제비 등 모두 새
수리공이 컴퓨터를 고치다가 저장된 파이를 보니 독쑤리, 참새, 앵무새, 까치, 비둘기, 제비 등 모두 새
surigongi keompyuteoreul gochidaga jeojangdoen paireul boni doksuri, chamsae, aengmusae, kkachi, bidulgi, jebi deung modu sae

이름으로 되어 있었다.
이르므로 되어 이썯따.
ireumeuro doeeo isseotda.

수리 기사는 궁금증을 참다못해 교수님에게 물었다.
수리 기사는 궁금쯩을 참따모태 교수니메게 무럳따.
suri gisaneun gunggeumjeungeul chamdamotae gyosunimege mureotda.

수리 기사 : 교수님, 파일 이름을 모두 새 이름으로 지으셨네요.
수리 기사 : 교수님, 파일 이르믈 모두 새 이르므로 지으션네요.
suri gisa : gyosunim, pail ireumeul modu sae ireumeuro jieusyeonneyo.

> **요즘 새에 대한 논문을 쓰고 계시나 보죠?**
> 요즘 새에 대한 논무늘 쓰고 게시나 보죠?
> yojeum saee daehan nonmuneul sseugo gyesina(gesina) bojyo?

교수님이 울상을 지으면서 말했다.
교수니미 울쌍을 지으면서 말핻따.
gyosunimi ulsangeul jieumyeonseo malhaetda.

교수님 : 아니에요.
교수님 : 아니에요.
gyosunim : anieyo.

실은 그것 때문에 짜증이 나서 미치겠어요.
시른 그걷 때무네 짜증이 나서 미치게써요.
sireun geugeot ttaemune jjajeungi naseo michigesseoyo.

파일 저장할 때마다 '새 이름으로 저장'이라고 나오는데 이제 생각나는
파일 저장할 때마다 '새 이르므로 저장'이라고 나오는데 이제 생강나는
pail jeojanghal ttaemada 'sae ireumeuro jeojang'irago naoneunde ije
saenggangnaneun

새 이름도 없는데.
새 이름도 엄는데.
sae ireumdo eomneunde.

● 어휘 (kosa kata) / 문법 (pelajaran tata bahasa)

강의 준비+를 하+<u>기 위해서</u> 교수+님 한 분+이 컴퓨터+를 켜+<u>고 있</u>+었+다.

그런데 컴퓨터+가 바이러스+에 걸리+었+는지 작동되+<u>지 않</u>+아 수리 기사+를 부르+<u>게 되</u>+었+다.

수리공+이 컴퓨터+를 고치+다가 저장되+ㄴ 파일+을 보+니 독수리, 참새, 앵무새, 까치, 비둘기, 제비 등

모두 새 이름+으로 되+<u>어 있</u>+었+다.

수리 기사+는 궁금증+을 참다못하+여 교수+님+에게 묻(물)+었+다.

수리 기사 : 교수+님, 파일 이름+을 모두 새 이름+으로 짓(지)+으시+었+네요.

　　　　　　요즘 새+<u>에 대한</u> 논문+을 쓰+<u>고 계시</u>+<u>나 보</u>+지요?

교수+님+이 울상+을 짓(지)+으면서 말하+였+다.

교수님 : 아니+에요.

　　　　실은 그것 때문+에 짜증+이 나+(아)서 미치+겠+어요.

　　　　파일 저장하+<u>ㄹ 때</u>+마다 '새 이름+으로 저장'+이라고 나오+는데

　　　　이제 생각나+는 새 이름+도 없+는데.

강의 준비+를 하+[기 위해서] 교수+님 한 분+이 컴퓨터+를 켜+[고 있]+었+다.

- 강의 (nomina) : 대학이나 학원, 기관 등에서 지식이나 기술 등을 체계적으로 가르침.

  kuliah, kelas

  proses memberikan pengajaran mengenai pengetahuan atau teknologi dsb secara sistematis di universitas atau tempat kursus

- 준비 (nomina) : 미리 마련하여 갖춤.

  persiapan, penyiapan

  hal mempersiapkan lebih awal dan memiliki

- 를 : 동작이 직접적으로 영향을 미치는 대상을 나타내는 조사.

  Tiada Penjelasan Arti

  partikel yang menyatakan objek dari suatu gerakan yang secara langsung memberikan pengaruh

- 하다 (verba) : 어떤 행동이나 동작, 활동 등을 행하다.

  melakukan, mengerjakan, menjalankan

  melaksanakan suatu tindakan atau aksi, kegiatan, dsb

- -기 위해서 : 어떤 일을 하는 목적인 의도를 나타내는 표현.

  untuk, demi

  ungkapan yang menunjukkan maksud yang adalah tujuan untuk melakukan sesuatu

- 교수 (nomina) : 대학에서 학문을 연구하고 가르치는 일을 하는 사람. 또는 그 직위.

  dosen, guru besar, profesor

  orang yang berprofesi mengajar dan meneliti di perguruan tinggi, atau untuk menyebut jabatan tersebut

- 님 : '높임'의 뜻을 더하는 접미사.

  bapak, ibu

  akhiran yang menambahkan arti "meninggikan"

- 한 (pewatas) : 하나의.

  satu

  satu

- 분 (nomina) : 사람을 높여서 세는 단위.

  orang

  satuan yang digunakan untuk menghitung orang yang ditinggikan

- 이 : 어떤 상태나 상황의 대상이나 동작의 주체를 나타내는 조사.

  Tiada Penjelasan Arti

  partikel yang menyatakan objek dari suatu keadaan atau kondisi atau pelaku dari suatu tindakan

- **컴퓨터 (nomina)** : 전자 회로를 이용하여 문서, 사진, 영상 등의 대량의 데이터를 빠르고 정확하게 처리하는 기계.

  komputer

  mesin hitung otomatis yang menggunakan jalur elektronik yang biasanya mengatur data berukuran besar seperti dokumen, foto, video, dsb dengan cepat dan tepat

- 를 : 동작이 직접적으로 영향을 미치는 대상을 나타내는 조사.

  Tiada Penjelasan Arti

  partikel yang menyatakan objek dari suatu gerakan yang secara langsung memberikan pengaruh

- **켜다 (verba)** : 전기 제품 등을 작동하게 만들다.

  menyalakan, mengaktifkan

  membuat barang-barang elektronik dsb berfungsi

- -고 있다 : 앞의 말이 나타내는 행동이 계속 진행됨을 나타내는 표현.

  sedang

  ungkapan yang menyatakan bahwa tindakan yang disebutkan dalam kalimat di depan terus berjalan

- -었- : 사건이 과거에 일어났음을 나타내는 어미.

  sudah, pasti, yakin

  akhiran kalimat yang menyatakan peristiwa terjadi di masa lampau

- -다 : 어떤 사건이나 사실, 상태를 서술함을 나타내는 종결 어미.

  Tiada Penjelasan Arti

  (dalam bentuk sangat rendah) akhiran penutup untuk menyatakan suatu peristiwa, kenyataan, dan keadaan

---

그런데 컴퓨터+가 바이러스+에 <u>걸리+었+는지</u> 작동되+[지 않]+아 수리 기사+를
걸렸는지

부르+[게 되]+었+다.

- **그런데 (adverbia)** : 이야기를 앞의 내용과 관련시키면서 다른 방향으로 바꿀 때 쓰는 말.

  tetapi

  kata yang digunakan untuk mengganti cerita ke arah lain sambil mengaitkan dengan isi cerita sebelumnya

• 컴퓨터 (nomina) : 전자 회로를 이용하여 문서, 사진, 영상 등의 대량의 데이터를 빠르고 정확하게 처리
　　　　　　　　하는 기계.

komputer

mesin hitung otomatis yang menggunakan jalur elektronik yang biasanya mengatur data berukuran besar seperti dokumen, foto, video, dsb dengan cepat dan tepat

• 가 : 어떤 상태나 상황에 놓인 대상이나 동작의 주체를 나타내는 조사.

Tiada Penjelasan Arti

partikel yang menyatakan objek dari suatu keadaan atau kondisi atau pelaku dari suatu tindakan

• 바이러스 (nomina) : 컴퓨터를 비정상적으로 작용하게 만드는 프로그램.

virus (komputer)

program yang membuat komputer tidak normal

• 에 : 앞말이 무엇의 조건, 환경, 상태 등임을 나타내는 조사.

karena, akibat, oleh, dalam

partikel yang menyatakan kalimat di depan adalah syarat, lingkungan, keadaan, dsb sesuatu

• 걸리다 (verba) : 어떤 상태에 빠지게 되다.

terkena, terperangkap

menjadi masuk ke suatu situasi

• -었- : 사건이 과거에 일어났음을 나타내는 어미.

sudah, pasti, yakin

akhiran kalimat yang menyatakan peristiwa terjadi di masa lampau

• -는지 : 뒤에 오는 말의 내용에 대한 막연한 이유나 판단을 나타내는 연결 어미.

mungkin karena

kata penutup sambung yang menyatakan alasan atau penilaian yang samar tentang isi kalimat di belakang

• 작동되다 (verba) : 기계 등이 움직여 일하다.

berjalan, berfungsi

mesin dsb bergerak dan bekerja

• -지 않다 : 앞의 말이 나타내는 행위나 상태를 부정하는 뜻을 나타내는 표현.

tidak

ungkapan yang menyatakan arti menidakkan tindakan atau keadaan dalam kalimat yang disebutkan di depan

• -아 : 앞에 오는 말이 뒤에 오는 말에 대한 원인이나 이유임을 나타내는 연결 어미.

karena, sebab

akhiran penghubung untuk menyatakan bahwa anak kalimat menjadi sebab atau alasan terhadap kalimat induk.

• 수리 (nomina) : 고장 난 것을 손보아 고침.
  perbaikan, pembetulan
  hal memperbaiki peralatan atau benda yang rusak

• 기사 (nomina) : 국가나 단체가 인정한 기술 자격증을 가진 기술자.
  teknisi, insyinyur
  teknisi, insinyur yang memiliki seritifikat keahlian yang diakui oleh negara atau suatu instansi

• 를 : 동작이 직접적으로 영향을 미치는 대상을 나타내는 조사.
  Tiada Penjelasan Arti
  partikel yang menyatakan objek dari suatu gerakan yang secara langsung memberikan pengaruh

• 부르다 (verba) : 부탁하여 오게 하다.
  memanggil, mendatangkan
  membuat datang

• -게 되다 : 앞의 말이 나타내는 상태나 상황이 됨을 나타내는 표현.
  menjadi
  ungkapan yang menyatakan keadaan atau situasi yang disebutkan dalam kalimat di depan terwujud, atau menyatakan terwujud dalam keadaan demikian

• -었- : 사건이 과거에 일어났음을 나타내는 어미.
  sudah, pasti, yakin
  akhiran kalimat yang menyatakan peristiwa terjadi di masa lampau

• -다 : 어떤 사건이나 사실, 상태를 서술함을 나타내는 종결 어미.
  Tiada Penjelasan Arti
  (dalam bentuk sangat rendah) akhiran penutup untuk menyatakan suatu peristiwa, kenyataan, dan keadaan

---

수리공+이 컴퓨터+를 고치+다가 저장되+ㄴ 파일+을 보+니 독수리, 참새, 앵무새, 까치, 비둘기, 제비
                              저장된

등 모두 새 이름+으로 되+[어 있]+었+다.

• 수리공 (nomina) : 고장 난 것을 고치는 일을 하는 사람.
  tukang reparasi
  orang yang berprofesi memperbaiki peralatan atau benda yang rusak

• 이 : 어떤 상태나 상황의 대상이나 동작의 주체를 나타내는 조사.
Tiada Penjelasan Arti
partikel yang menyatakan objek dari suatu keadaan atau kondisi atau pelaku dari suatu tindakan

• **컴퓨터 (nomina)** : 전자 회로를 이용하여 문서, 사진, 영상 등의 대량의 데이터를 빠르고 정확하게 처리하는 기계.
komputer
mesin hitung otomatis yang menggunakan jalur elektronik yang biasanya mengatur data berukuran besar seperti dokumen, foto, video, dsb dengan cepat dan tepat

• 를 : 동작이 직접적으로 영향을 미치는 대상을 나타내는 조사.
Tiada Penjelasan Arti
partikel yang menyatakan objek dari suatu gerakan yang secara langsung memberikan pengaruh

• **고치다 (verba)** : 고장이 나거나 못 쓰게 된 것을 손질하여 쓸 수 있게 하다.
memperbaiki, membetulkan
membuat baik sesuatu yang rusak dan yang tidak terpakai agar bisa digunakan atau dimanfaatkan kembali

• -다가 : 어떤 행동이 진행되는 중에 다른 행동이 나타남을 나타내는 연결 어미.
ketika
akhiran penghubung yang menunjukkan munculnya sebuah kejadian ketika kejadian lain yang masih berjalan

• **저장되다 (verba)** : 물건이나 재화 등이 모아져서 보관되다.
disimpan
benda atau barang dsb dikumpulkan dan disimpan

• -ㄴ : 앞의 말이 관형어의 기능을 하게 만들고 사건이나 동작이 완료되어 그 상태가 유지되고 있음을 나타내는 어미.
yang
akhiran yang membuat kata di depannya berfungsi sebagai kata pewatas, dan menyatakan bahwa tindakan atau peristiwa sudah selesai dan menahan keadaan itu

• **파일 (nomina)** : 컴퓨터의 기억 장치에 일정한 단위로 저장된 정보의 묶음.
file
kumpulan informasi yang tersimpan menurut satuan tertentu di perangkat memori komputer

• 을 : 동작이 직접적으로 영향을 미치는 대상을 나타내는 조사.
Tiada Penjelasan Arti
partikel yang menyatakan objek dari suatu gerakan yang secara langsung memberikan pengaruh

・보다 (verba) : 대상의 내용이나 상태를 알기 위하여 살피다.
 Tiada Penjelasan Arti
 memeriksa suatu objek untuk isi atau kondisinya.

・-니 : 앞에서 이야기한 내용과 관련된 다른 사실을 이어서 설명할 때 쓰는 연결 어미.
 berhubung, berkaitan, karena
 kata penutup sambung yang digunakan saat menjelaskan kenyataan lain yang berhubungan
 dengan isi kalimat di depan

・독수리 (nomina) : 갈고리처럼 굽은 날카로운 부리와 발톱을 가지고 있으며 빛깔이 검은 큰 새.
 elang, rajawali
 burung besar berwarna hitam yang memiliki paruh dan kuku yang tajam melengkung
 seperti kail

・참새 (nomina) : 주로 사람이 사는 곳 근처에 살며, 몸은 갈색이고 배는 회백색인 작은 새.
 burung gereja
 burung kecil berwarna coklat yang tinggal di sekitar perumahan manusia yang berbunyi
 "ciap ciap"

・앵무새 (nomina) : 사람의 말을 잘 흉내 내며 여러 빛깔을 가진 새.
 burung kakak tua, burung nuri
 burung yang pandai meniru perkataan orang dan memiliki bulu berwarna-warni

・까치 (nomina) : 머리에서 등까지는 검고 윤이 나며 어깨와 배는 흰, 사람의 집 근처에 사는 새.
 magpie, sejenis gagak
 burung berbulu hitam dari kepala hingga punggung, berkilat, dan pundak serta perutnya
 berbulu putih yang tinggal di dekat rumah manusia

・비둘기 (nomina) : 공원이나 길가 등에서 흔히 볼 수 있는, 다리가 짧고 날개가 큰 회색 혹은 하얀색의
 새.
 merpati, burung merpati
 burung dengan warna abu-abu atau putih yang berkaki pendek dan bersayap besar yang
 bisa sering dilihat di taman atau pinggir jalan

・제비 (nomina) : 등은 검고 배는 희며 매우 빠르게 날고, 봄에 한국에 날아왔다가 가을에 남쪽으로 날
 아가는 작은 여름 철새.
 burung layang-layang
 burung kecil musim panas yang punggungnya berwarna hitam dengan perut berwarna putih
 dan terbang dengan sangat cepat, datang ke Korea pada musim panas dan terbang ke arah
 selatan pada musim gugur

・등 (nomina) : 앞에서 말한 것 외에도 같은 종류의 것이 더 있음을 나타내는 말.
 dan lain-laiin, dan sebagainya
 kata untuk hal-hal di luar dari fakta yang dikatakan di depan atau yang termasuk ke
 dalamnya

- **모두** (adverbia) : 빠짐없이 다.
  semua, seluruhnya
  semua tanpa terkecuali

- **새** (nomina) : 몸에 깃털과 날개가 있고 날 수 있으며 다리가 둘인 동물.
  burung
  binatang, hewan yang memiliki bulu dan sayap di tubuhnya, bisa terbang dan berkaki dua

- **이름** (nomina) : 다른 것과 구별하기 위해 동물, 사물, 현상 등에 붙여서 부르는 말.
  nama, judul
  kata panggilan yang disematkan pada hewan, benda, fenomena, dsb untuk membedakannya dengan hal lain

- **으로** : 어떤 일의 방법이나 방식을 나타내는 조사.
  dengan
  partikel yang menyatakan cara atau tata cara suatu pekerjaan

- **되다** (verba) : 어떤 형태나 구조로 이루어지다.
  terdiri
  terbentuk atas suatu bentuk atau struktur

- **-어 있다** : 앞의 말이 나타내는 상태가 계속됨을 나타내는 표현.
  sudah, telah, masih
  ungkapan untuk menyatakan bahwa keadaan dalam kalimat di depan terus berjalan

- **-었-** : 사건이 과거에 일어났음을 나타내는 어미.
  sudah, pasti, yakin
  akhiran kalimat yang menyatakan peristiwa terjadi di masa lampau

- **-다** : 어떤 사건이나 사실, 상태를 서술함을 나타내는 종결 어미.
  Tiada Penjelasan Arti
  (dalam bentuk sangat rendah) akhiran penutup untuk menyatakan suatu peristiwa, kenyataan, dan keadaan

---

수리 기사+는 궁금증+을 <u>참다못하+여</u> 교수+님+에게 <u>묻(물)+었+다.</u>
참다못해　　　　　　　물었다

- **수리** (nomina) : 고장 난 것을 손보아 고침.
  perbaikan, pembetulan
  hal memperbaiki peralatan atau benda yang rusak

• **기사 (nomina)** : 국가나 단체가 인정한 기술 자격증을 가진 기술자.
  teknisi, insyinyur
  teknisi, insinyur yang memiliki seritifikat keahlian yang diakui oleh negara atau suatu instansi

• **는** : 문장 속에서 어떤 대상이 화제임을 나타내는 조사.
  Tiada Penjelasan Arti
  partikel yang menyatakan suatu subjek dalam kalimat menjadi bahan pembicaraan

• **궁금증 (nomina)** : 몹시 궁금한 마음.
  rasa penasaran
  rasa sangat ingin tahu

• **을** : 동작이 직접적으로 영향을 미치는 대상을 나타내는 조사.
  Tiada Penjelasan Arti
  partikel yang menyatakan objek dari suatu gerakan yang secara langsung memberikan pengaruh

• **참다못하다 (verba)** : 참을 수 있는 만큼 참다가 더 이상 참지 못하다.
  sudah tidak tertahankan lagi, sudah tidak bisa bersabar lagi
  tidak bisa lagi bersabar setelah bersabar dalam kadar yang sesuai kemampuannya

• **-여** : 앞의 말이 뒤의 말보다 먼저 일어났거나 뒤의 말에 대한 방법이나 수단이 됨을 나타내는 연결 어미.
  setelah, sesudah, selepas, lalu
  akhiran penghubung untuk menyatakan bahwa anak kalimat terjadi lebih dahulu daripada kalimat induk atau menjadi cara atau alat terhadap kalimat induk

• **교수 (nomina)** : 대학에서 학문을 연구하고 가르치는 일을 하는 사람. 또는 그 직위.
  dosen, guru besar, profesor
  orang yang berprofesi mengajar dan meneliti di perguruan tinggi, atau untuk menyebut jabatan tersebut

• **님** : '높임'의 뜻을 더하는 접미사.
  bapak, ibu
  akhiran yang menambahkan arti "meninggikan"

• **에게** : 어떤 행동이 미치는 대상임을 나타내는 조사.
  Tiada Penjelasan Arti
  partikel yang menyatakan sesuatu yang mendapat pengaruh dari sebuah tindakan

• **묻다 (verba)** : 대답이나 설명을 요구하며 말하다.
  bertanya, menanyakan
  berbicara sambil menuntut jawaban atau penjelasan

- -었- : 사건이 과거에 일어났음을 나타내는 어미.
  sudah, pasti, yakin
  akhiran kalimat yang menyatakan peristiwa terjadi di masa lampau

- -다 : 어떤 사건이나 사실, 상태를 서술함을 나타내는 종결 어미.
  Tiada Penjelasan Arti
  (dalam bentuk sangat rendah) akhiran penutup untuk menyatakan suatu peristiwa, kenyataan, dan keadaan

---

수리 기사 : 교수+님, 파일 이름+을 모두 새 이름+으로 <u>짓(지)</u>+으시+었+네요.
지으셨네요

- **교수 (nomina)** : 대학에서 학문을 연구하고 가르치는 일을 하는 사람. 또는 그 직위.
  dosen, guru besar, profesor
  orang yang berprofesi mengajar dan meneliti di perguruan tinggi, atau untuk menyebut jabatan tersebut

- **님** : '높임'의 뜻을 더하는 접미사.
  bapak, ibu
  akhiran yang menambahkan arti "meninggikan"

- **파일 (nomina)** : 컴퓨터의 기억 장치에 일정한 단위로 저장된 정보의 묶음.
  file
  kumpulan informasi yang tersimpan menurut satuan tertentu di perangkat memori komputer

- **이름 (nomina)** : 다른 것과 구별하기 위해 동물, 사물, 현상 등에 붙여서 부르는 말.
  nama, judul
  kata panggilan yang disematkan pada hewan, benda, fenomena, dsb untuk membedakannya dengan hal lain

- **을** : 동작이 직접적으로 영향을 미치는 대상을 나타내는 조사.
  Tiada Penjelasan Arti
  partikel yang menyatakan objek dari suatu gerakan yang secara langsung memberikan pengaruh

- **모두 (adverbia)** : 빠짐없이 다.
  semua, seluruhnya
  semua tanpa terkecuali

- **새 (nomina)** : 몸에 깃털과 날개가 있고 날 수 있으며 다리가 둘인 동물.
  burung
  binatang, hewan yang memiliki bulu dan sayap di tubuhnya, bisa terbang dan berkaki dua

- 이름 (nomina) : 다른 것과 구별하기 위해 동물, 사물, 현상 등에 붙여서 부르는 말.
  nama, judul
  kata panggilan yang disematkan pada hewan, benda, fenomena, dsb untuk membedakannya dengan hal lain

- 으로 : 어떤 일의 방법이나 방식을 나타내는 조사.
  dengan
  partikel yang menyatakan cara atau tata cara suatu pekerjaan

- 짓다 (verba) : 이름 등을 정하다.
  membuat
  memutuskan sebuah nama dsb

- -으시- : 어떤 동작이나 상태의 주체를 높이는 뜻을 나타내는 어미.
  Tiada Penjelasan Arti
  akhiran kalimat yang menyatakan arti meninggikan subjek suatu tindakan atau keadaan

- -었- : 어떤 사건이 과거에 완료되었거나 그 사건의 결과가 현재까지 지속되는 상황을 나타내는 어미.
  sudah, pasti, yakin
  akhiran kalimat yang menyatakan sebuah peristiwa sudah selesai di masa lampau atau menyatakan keadaan di mana hasil peristiwa tersebut terus berlangsung hingga sekarang

- -네요 : (두루높임으로) 말하는 사람이 직접 경험하여 새롭게 알게 된 사실에 대해 감탄함을 나타낼 때 쓰는 표현.
  wah, ternyata
  (dalam bentuk hormat) ungkapan yang digunakan saat menunjukkan orang yang berbicara berpengalaman langsung lalu terkejut atau terkagum dengan kenyataan yang baru diketahui itu

---

수리 기사 : 요즘 새+[에 대한] 논문+을 쓰+[고 계시]+[나 보]+지요?
쓰고 계시나 보죠

- 요즘 (nomina) : 아주 가까운 과거부터 지금까지의 사이.
  akhir-akhir ini, belakangan ini
  di antara waktu sampai sekarang dari waktu yang sangat dekat dengan saat ini.

- 새 (nomina) : 몸에 깃털과 날개가 있고 날 수 있으며 다리가 둘인 동물.
  semua, seluruhnya
  semua tanpa terkecuali

- 에 대한 : 뒤에 오는 명사를 수식하며 앞에 오는 명사를 뒤에 오는 명사의 대상으로 함을 나타내는 표현.

  mengenai, tentang

  ungkapan yang menunjukkan hal menerangkan kata benda di belakang kemudian menjadikan kata benda di depan sebagai objek kata benda di belakang

- 논문 (nomina) : 어떠한 주제에 대한 학술적인 연구 결과를 일정한 형식에 맞추어 체계적으로 쓴 글.

  skripsi, tesis, disertasi

  tulisan sistematis mengenai hasil sebuah penelitian dengan tema tertentu yang ditulis secara teknis menggunakan kaidah tertentu

- 을 : 동작이 직접적으로 영향을 미치는 대상을 나타내는 조사.

  Tiada Penjelasan Arti

  partikel yang menyatakan objek dari suatu gerakan yang secara langsung memberikan pengaruh

- 쓰다 (verba) : 머릿속의 생각이나 느낌 등을 종이 등에 글로 적어 나타내다.

  menulis, mencatat

  menulis dan memperlihatkan pikiran atau perasaan, dsb dari dalam hati di kertas dsb

- -고 계시다 : (높임말로) 앞의 말이 나타내는 행동이 계속 진행됨을 나타내는 표현.

  sedang, tengah

  (dalam sebutan hormat) ungkapan yang menyatakan bahwa tindakan yang disebutkan dalam kalimat di depan terus berjalan

- -나 보다 : 앞의 말이 나타내는 사실을 추측함을 나타내는 표현.

  mungkin, sepertinya, nampaknya, kelihatannya

  ungkapan untuk menduga kenyataan dalam perkataan depan

- -지요 : (두루높임으로) 말하는 사람이 듣는 사람에게 친근함을 나타내며 물을 때 쓰는 종결 어미.

  sih?

  (dalam bentuk hormat) kata penutup final yang digunakan saat pembicara bertanya sambil menunjukkan kedekatan kepada pendengar

---

교수+님+이 울상+을 짓(지)+으면서 말하+였+다.
지으면서   말했다

- 교수 (nomina) : 대학에서 학문을 연구하고 가르치는 일을 하는 사람. 또는 그 직위.

  dosen, guru besar, profesor

  orang yang berprofesi mengajar dan meneliti di perguruan tinggi, atau untuk menyebut jabatan tersebut

· 님 : '높임'의 뜻을 더하는 접미사.
 bapak, ibu
 akhiran yang menambahkan arti "meninggikan"

· 이 : 어떤 상태나 상황의 대상이나 동작의 주체를 나타내는 조사.
 Tiada Penjelasan Arti
 partikel yang menyatakan objek dari suatu keadaan atau kondisi atau pelaku dari suatu tindakan

· 울상 (nomina) : 울려고 하는 얼굴 표정.
 wajah ingin menangis
 raut wajah yang ingin menangis

· 을 : 동작이 직접적으로 영향을 미치는 대상을 나타내는 조사.
 Tiada Penjelasan Arti
 partikel yang menyatakan objek dari suatu gerakan yang secara langsung memberikan pengaruh

· 짓다 (verba) : 어떤 표정이나 태도 등을 얼굴이나 몸에 나타내다.
 memperlihatkan, menunjukkan
 memperlihatkan suatu ekspresi atau sikap dsb pada wajah atau tubuh

· -으면서 : 두 가지 이상의 동작이나 상태가 함께 일어남을 나타내는 연결 어미.
 sambil
 kata penutup sambung yang digunakan saat dua atau lebih tindakan atau keadaan muncul bersamaan

· 말하다 (verba) : 어떤 사실이나 자신의 생각 또는 느낌을 말로 나타내다.
 mengatakan
 menyampaikan sebuah kenyataan, pikiran, atau perasaan diri sendiri lewat kata-kata

· -였- : 사건이 과거에 일어났음을 나타내는 어미.
 sudah, pasti, yakin
 akhiran kalimat yang menyatakan peristiwa terjadi di masa lampau

· -다 : 어떤 사건이나 사실, 상태를 서술함을 나타내는 종결 어미.
 Tiada Penjelasan Arti
 (dalam bentuk sangat rendah) akhiran penutup untuk menyatakan suatu peristiwa, kenyataan, dan keadaan

---

교수님 : 아니+에요.

실은 그것 때문+에 짜증+이 <u>나+(아)서</u> 미치+겠+어요.
나서

• **아니다 (adjektiva)** : 어떤 사실이나 내용을 부정하는 뜻을 나타내는 말.
bukan
kata negatif yang tidak membenarkan suatu fakta atau keterangan tertentu

• **-에요** : (두루높임으로) 어떤 사실을 서술하거나 질문함을 나타내는 종결 어미.
apakah, adalah
(dalam bentuk hormat) kata penutup final yang mengungkapkan suatu kenyataan atau menyatakan pertanyaan, perintah, atau ajakan

• **실은 (adverbia)** : 사실을 말하자면. 실제로는.
sebenarnya, padahal
jika dikatakan yang sebenarnya

• **그것 (pronomina)** : 앞에서 이미 이야기한 대상을 가리키는 말.
itu, tersebut
kata yang menunjukkan benda atau sesuatu yang telah disebutkan sebelumnya

• **때문 (nomina)** : 어떤 일의 원인이나 이유.
karena, sebab, akibat
sebab atau alasan sebuah peristiwa

• **에** : 앞말이 어떤 일의 원인임을 나타내는 조사.
karena, akibat, sebab
partikel yang menyatakan kalimat di depan adalah penyebab suatu peristiwa

• **짜증 (nomina)** : 마음에 들지 않아서 화를 내거나 싫은 느낌을 겉으로 드러내는 일. 또는 그런 성미.
kejengkelan, kekesalan, kesebalan
tindakan memarahi karena tidak berkenan di hati atau menampakkan perasaan tidak suka, atau watak yang demikian

• **이** : 어떤 상태나 상황의 대상이나 동작의 주체를 나타내는 조사.
Tiada Penjelasan Arti
partikel yang menyatakan objek dari suatu keadaan atau kondisi atau pelaku dari suatu tindakan

• **나다 (verba)** : 어떤 감정이나 느낌이 생기다.
muncul, timbul
munculnya suatu emosi atau perasaan

• -아서 : 이유나 근거를 나타내는 연결 어미.
  karena, akibat
  kata penutup sambung yang menyatakan alasan atau landasan

• **미치다 (verba)** : 어떤 상태가 너무 심해서 정신이 없어질 정도로 괴로워하다.
  gila, teramat sangat
  menderita sampai kehilangan akal dalam suatu keadaan yang parah

• -겠- : 완곡하게 말하는 태도를 나타내는 어미.
  bolehkah, minta
  akhiran untuk menandai pembicaraan secara halus

• -어요 : (두루높임으로) 어떤 사실을 서술하거나 질문, 명령, 권유함을 나타내는 종결 어미.
  apakah, apa, ~saja, silakan
  (dalam bentuk hormat) kata penutup final yang mengungkapkan suatu kenyataan atau
  menyatakan pertanyaan, perintah, atau ajakan

교수님 : 파일 <u>저장하</u>+[ㄹ 때]+마다 '새 이름+으로 저장'+이라고 나오+는데
              저장할 때

        이제 생각나+는 새 이름+도 없+는데.

• **파일 (nomina)** : 컴퓨터의 기억 장치에 일정한 단위로 저장된 정보의 묶음.
  file
  kumpulan informasi yang tersimpan menurut satuan tertentu di perangkat memori komputer

• **저장하다 (verba)** : 물건이나 재화 등을 모아서 보관하다.
  menyimpan
  mengumpulkan dan menyimpan benda atau barang dsb

• -ㄹ 때 : 어떤 행동이나 상황이 일어나는 동안이나 그 시기 또는 그러한 일이 일어난 경우를 나타내는
          표현.
  ketika, waktu, saat
  ungkapan yang menunjukkan hal selama atau sewaktu suatu tindakan atau kondisi
  berlangsung, atau saat hal yang demikian terjadi

• **마다** : 하나하나 빠짐없이 모두의 뜻을 나타내는 조사.
  tiap, setiap
  partikel yang menyatakan arti semua atau satu per satu tanpa terkecuali

- 새 (pewatas) : 생기거나 만든 지 얼마 되지 않은.
  baru
  yang muncul atau dibuat belum lama

- 이름 (nomina) : 다른 것과 구별하기 위해 동물, 사물, 현상 등에 붙여서 부르는 말.
  nama, judul
  kata panggilan yang disematkan pada hewan, benda, fenomena, dsb untuk membedakannya dengan hal lain

- 으로 : 어떤 일의 방법이나 방식을 나타내는 조사.
  dengan
  partikel yang menyatakan cara atau tata cara suatu pekerjaan

- 저장 (nomina) : 물건이나 재화 등을 모아서 보관함.
  penyimpanan
  hal mengumpulkan dan menyimpan benda atau barang dsb

- 이라고 : 앞의 말이 원래 말해진 그대로 인용됨을 나타내는 조사.
  Tiada Penjelasan Arti
  partikel yang menyatakan kalimat di depan dikutip sesuai dengan perkataan aslinya

- 나오다 (verba) : 책, 신문, 방송 등에 글이나 그림 등이 실리거나 어떤 내용이 나타나다.
  muncul, keluar, dipublikasikan
  tulisan, gambar, dsb atau suatu isi muncul di buku, koran, siaran, dsb

- -는데 : 뒤의 말을 하기 위하여 그 대상과 관련이 있는 상황을 미리 말함을 나타내는 연결 어미.
  sebenarnya, nyatanya
  akhiran kalimat penyambung yang menyatakan mengatakan terlebih dahulu keadaan yang berhubungan sebelum mengatakan kalimat yang berhubungan

- 이제 (adverbia) : 말하고 있는 바로 이때에.
  sekarang, baru saat ini
  tepat saat yang dibicarakan

- 생각나다 (verba) : 새로운 생각이 머릿속에 떠오르다.
  muncul, terpikirkan
  pikiran baru muncul di dalam kepala

- -는 : 앞의 말이 관형어의 기능을 하게 만들고 사건이나 동작이 현재 일어남을 나타내는 어미.
  yang
  akhiran untuk membuat kata di depannya berfungsi sebagai pewatas dan menyatakan kejadian atau tindakan terjadi sekarang

• **새 (nomina)** : 몸에 깃털과 날개가 있고 날 수 있으며 다리가 둘인 동물.
  semua, seluruhnya
  semua tanpa terkecuali

• **이름 (nomina)** : 다른 것과 구별하기 위해 동물, 사물, 현상 등에 붙여서 부르는 말.
  nama, judul
  kata panggilan yang disematkan pada hewan, benda, fenomena, dsb untuk membedakannya
  dengan hal lain

• **도** : 이미 있는 어떤 것에 다른 것을 더하거나 포함함을 나타내는 조사.
  juga
  partikel yang menyatakan menambahkan atau mengikutsertakan sesuatu yang lain pada
  sesuatu yang sudah ada

• **없다 (adjektiva)** : 어떤 물건을 가지고 있지 않거나 자격이나 능력 등을 갖추지 않은 상태이다.
  tidak ada
  keadaan tidak memiliki suatu benda atau tidak mempunyai kelayakan atau kemampuan dsb

• **-는데** : (두루낮춤으로) 듣는 사람의 반응을 기대하며 어떤 일에 대해 감탄함을 나타내는 종결 어미.
  sebenarnya, nyatanya
  (dalam bentuk rendah) kata penutup final yang menyatakan seruan terhadap suatu peristiwa
  sambil mengharapkan tanggapan pendengar

< 12 단원(bagian) >

제목 : 이 늦은 시간에 여기서 뭐 하고 계세요?

● 본문 (tulisan utama)

늦은 밤 담력 훈련에 참가한 두 여자가 마지막 코스인 공동묘지를 지나가고 있었다.

그녀들은 무서웠지만 애써 태연한 모습으로 걸어가고 있었는데 갑자기 '톡탁톡탁' 하는 소리가 들려오기

시작했다.

깜짝 놀란 두 여자는 공포에 질려 가까스로 천천히 발걸음을 내딛고 있었다.

그때 눈앞에 망치를 들고 정으로 묘비를 쪼고 있는 노인의 모습이 희미하게 보였다.

순간 두 여자는 안도의 한숨을 내쉬며 말했다.

여자 1 : 할아버지, 귀신인 줄 알고 깜짝 놀랐잖아요.

　　　　그런데 이 늦은 시간에 여기서 뭐 하고 계세요?

여자 2 : 내일 밝을 때 하시는 게 좋을 것 같아요.

　　　　지금은 어두워서 위험하세요.

할아버지 : 음, 오늘 안에 빨리 끝내야 돼.

여자 1 : 그런데 묘비에 무슨 문제라도 있나요?

할아버지 : 글쎄, 어떤 멍청한 녀석들이 묘비에 내 이름을 잘못 써 놨잖아.

● 발음 (pelafalan)

늦은 밤 담력 훈련에 참가한 두 여자가 마지막 코스인 공동묘지를 지나가고 있었다.
느즌 밤 담녁 훌려네 참가한 두 여자가 마지막 코스인 공동묘지를 지나가고 이썯따.
neujeun bam damnyeok hullyeone chamgahan du yeojaga majimak koseuin gongdongmyojireul jinagago isseotda.

그녀들은 무서웠지만 애써 태연한 모습으로 걸어가고 있었는데 갑자기 '톡탁톡탁' 하는 소리가 들려오기
그녀드른 무서월찌만 애써 태연한 모스브로 거러가고 이썬는데 갑짜기 '톡탁톡탁' 하는 소리가 들려오기
geunyeodeureun museowotjiman aesseo taeyeonhan moseubeuro georeogago isseonneunde gapjagi 'toktaktoktak' haneun soriga deullyeoogi

시작했다.
시자캗따.
sijakaetda.

깜짝 놀란 두 여자는 공포에 질려 가까스로 천천히 발걸음을 내딛고 있었다.
깜짝 놀란 두 여자는 공포에 질려 가까스로 천천히 발꺼르믈 내딛꼬 이썯따.
kkamjjak nollan du yeojaneun gongpoe jillyeo gakkaseuro cheoncheonhi balgeoreumeul naeditgo isseotda.

그때 눈앞에 망치를 들고 정으로 묘비를 쪼고 있는 노인의 모습이 희미하게 보였다.
그때 누나페 망치를 들고 정으로 묘비를 쪼고 인는 노이네 모스비 히미하게 보옏따.
geuttae nunape mangchireul deulgo jeongeuro myobireul jjogo inneun noinui(noine) moseubi huimihage(himihage) boyeotda.

순간 두 여자는 안도의 한숨을 내쉬며 말했다.
순간 두 여자는 안도에 한수믈 내쉬며 말핻따.
sungan du yeojaneun andoui(andoe) hansumeul naeswimyeo malhaetda.

여자 1 : 할아버지, 귀신인 줄 알고 깜짝 놀랐잖아요.
여자 1 : 하라버지, 귀시닌 줄 알고 깜짝 놀랃짜나요.
yeoja 1 : harabeoji, gwisinin jul algo kkamjjak nollatjanayo.

그런데 이 늦은 시간에 여기서 뭐 하고 계세요?
그런데 이 느즌 시가네 여기서 뭐 하고 게세요?
geureonde i neujeun sigane yeogiseo mwo hago gyeseyo(geseyo)?

여자 2 : 내일 밝을 때 하시는 게 좋을 것 같아요.

여자 2 : 내일 발글 때 하시는 게 조을 껏 가타요.

yeoja 2 : naeil balgeul ttae hasineun ge joeul geot gatayo.

지금은 어두워서 위험하세요.

지그믄 어두워서 위험하세요.

jigeumeun eoduwoseo wiheomhaseyo.

할아버지 : 음, 오늘 안에 빨리 끝내야 돼.

하라버지 : 음, 오늘 아네 빨리 끈내야 돼.

harabeoji : eum, oneul ane ppalli kkeunnaeya dwae.

여자 1 : 그런데 묘비에 무슨 문제라도 있나요?

여자 1 : 그런데 묘비에 무슨 문제라도 인나요?

yeoja 1 : geureonde myobie museun munjerado innayo?

할아버지 : 글쎄, 어떤 멍청한 녀석들이 묘비에 내 이름을 잘못 써 났잖아.

하라버지 : 글쎄, 어떤 멍청한 녀석드리 묘비에 내 이르믈 잘몯 써 날짜나.

harabeoji : geulsse, eotteon meongcheonghan nyeoseokdeuri myobie nae ireumeul jalmot sseo nwatjana.

● 어휘 (kosa kata) / 문법 (pelajaran tata bahasa)

늦+은 밤 담력 훈련+에 참가하+ㄴ 두 여자+가 마지막 코스+이+ㄴ 공동묘지+를 지나가<u>+고 있</u>+었+다.

그녀+들+은 무섭(무서우)+었+지만 애쓰(애쓰)+어 태연하+ㄴ 모습+으로 걸어가<u>+고 있</u>+었+는데 갑자기

'톡탁톡탁' 하+는 소리+가 들려오+기 시작하+였+다.

깜짝 놀라+ㄴ 두 여자+는 공포+에 질리+어 가까스로 천천히 발걸음+을 내딛<u>+고 있</u>+었+다.

그때 눈앞+에 망치+를 들+고 정+으로 묘비+를 쪼<u>+고 있</u>+는 노인+의 모습+이 희미하+게 보이+었+다.

순간 두 여자+는 안도+의 한숨+을 내쉬+며 말하+였+다.

여자 1 : 할아버지, 귀신+이<u>+ㄴ 줄</u> 알+고 깜짝 놀라+았+잖아요.

　　　　　그런데 이 늦+은 시간+에 여기+서 뭐 하<u>+고 계시</u>+어요?

여자 2 : 내일 밝<u>+을 때</u> 하+시<u>+는 것(거)</u>+이 좋<u>+을 것 같</u>+아요.

　　　　　지금+은 어둡(어두우)+어서 위험하+세요.

할아버지 : 음, 오늘 안+에 빨리 끝내<u>+(어)야 되</u>+어.

여자 1 : 그런데 묘비+에 무슨 문제+라도 있+나요?

할아버지 : 글쎄, 어떤 멍청하+ㄴ 녀석+들+이 묘비+에 나+의 이름+을 잘못

　　　　　쓰(쓰)<u>+어</u> 놓+았+잖아.

늦+은 밤 담력 훈련+에 참가하+ㄴ 두 여자+가 마지막 코스+이+ㄴ 공동묘지+를 지나가+[고 있]+었+다.
　　　　　　　　　　참가한　　　　　　　　　　　　　코스인

• **늦다 (adjektiva)** : 적당한 때를 지나 있다. 또는 시기가 한창인 때를 지나 있다.
  larut, lewat, terlambat
  masa yang pantas sudah lewat, atau saat puncak sudah lewat

• **-은** : 앞의 말이 관형어의 기능을 하게 만들고 현재의 상태를 나타내는 어미.
  yang
  akhiran yang membuat kata di depannya berfungsi sebagai kata pewatas, dan menyatakan keadaan saat ini

• **밤 (nomina)** : 해가 진 후부터 다음 날 해가 뜨기 전까지의 어두운 동안.
  malam
  selama hari gelap setelah matahari terbenam hingga sebelum matahari terbit keesokan harinya

• **담력 (nomina)** : 겁이 없고 용감한 기운.
  keberanian
  energi berani dan tidak takut

• **훈련 (nomina)** : 가르쳐서 익히게 함.
  pelatihan, pendidikan, pengajaran
  hal mengajarkan kemduian mematangkan

• **에** : 앞말이 목적지이거나 어떤 행위의 진행 방향임을 나타내는 조사.
  ke
  partikel yang menyatakan kalimat di depan adalah tempat tujuan atau arah jalannya tindakan

• **참가하다 (verba)** : 모임이나 단체, 경기, 행사 등의 자리에 가서 함께하다.
  hadir, menyertai, menghadiri
  berhubungan sehingga masuk atau melakukannya bersama dengan suatu organisasi atau pertandingan, acara, dsb

• **-ㄴ** : 앞의 말이 관형어의 기능을 하게 만들고 사건이나 동작이 과거에 일어났음을 나타내는 어미.
  yang
  akhiran yang membuat kata di depannya berfungsi sebagai kata pewatas, dan menyatakan bahwa tindakan dan peristiwa terjadi di masa lampau

• **두 (pewatas)** : 둘의.
  dua
  berjumlah dua

• **여자** (nomina) : 여성으로 태어난 사람.
perempuan, wanita
orang yang lahir sebagai wanita

• **가** : 어떤 상태나 상황에 놓인 대상이나 동작의 주체를 나타내는 조사.
Tiada Penjelasan Arti
partikel yang menyatakan subjek sebuah keadaan atau situasi atau pelaku utama sebuah tindakan

• **마지막** (nomina) : 시간이나 순서의 맨 끝.
terakhir
akhir atau ujung dari waktu atau urutan

• **코스** (nomina) : 어떤 목적에 따라 정해진 길.
jalan khusus
jalan yang dibuat untuk tujuan tertentu

• **이다** : 주어가 지시하는 대상의 속성이나 부류를 지정하는 뜻을 나타내는 서술격 조사.
adalah
partikel kasus predikatif yang menyatakan maksud menentukan karakter atau jenis dari objek yang diindikasikan subjek

• **-ㄴ** : 앞의 말이 관형어의 기능을 하게 만들고 현재의 상태를 나타내는 어미.
yang
akhiran yang membuat kata di depannya berfungsi sebagai kata pewatas, dan menyatakan keadaan saat ini

• **공동묘지** (nomina) : 한 지역에 여러 사람의 무덤이 있어 공동으로 관리하는 무덤.
kuburan umum, makam umum
satu area kuburan yang terdapat banyak kuburan, dan digunakan secara bersama

• **를** : 동작의 도착지나 동작이 이루어지는 장소를 나타내는 조사.
Tiada Penjelasan Arti
partikel yang menyatakan tempat tujuan suatu gerakan atau terjadinya suatu gerakan

• **지나가다** (verba) : 어떤 곳을 통과하여 가다.
lewat, melewati
pergi melalui suatu tempat

• **-고 있다** : 앞의 말이 나타내는 행동이 계속 진행됨을 나타내는 표현.
sedang
ungkapan yang menyatakan bahwa tindakan yang disebutkan dalam kalimat di depan terus berjalan

• -었- : 사건이 과거에 일어났음을 나타내는 어미.
  sudah, pasti, yakin
  akhiran kalimat yang menyatakan peristiwa terjadi di masa lampau

• -다 : 어떤 사건이나 사실, 상태를 서술함을 나타내는 종결 어미.
  Tiada Penjelasan Arti
  akhiran penutup untuk menyatakan suatu peristiwa, kenyataan, dan keadaan

---

그녀+들+은 무섭(무서우)+었+지만 애쓰(애쓰)+어 태연하+ㄴ 모습+으로 걸어가+[고 있]+었+는데
무서웠지만   애써   태연한

갑자기 '톡탁톡탁' 하+는 소리+가 들려오+기 시작하+였+다.
시작했다

• 그녀 (pronomina) : 앞에서 이미 이야기한 여자를 가리키는 말.
  dia , ia (wanita)
  orang ketiga tunggal wanita, kata yang merujuk pada seorang wanita yang telah disebutkan sebelumnya

• 들 : '복수'의 뜻을 더하는 접미사.
  Tiada Penjelasan Arti
  akhiran yang menambahkan arti "jamak"

• 은 : 문장 속에서 어떤 대상이 화제임을 나타내는 조사.
  Tiada Penjelasan Arti
  partikel yang menyatakan suatu objek menjadi topik di dalam kalimat

• 무섭다 (adjektiva) : 어떤 대상이 꺼려지거나 무슨 일이 일어날까 두렵다.
  takut, menakutkan
  merasa takut sesuatu akan melukai atau sesuatu akan terjadi

• -었- : 사건이 과거에 일어났음을 나타내는 어미.
  sudah, pasti, yakin
  akhiran kalimat yang menyatakan peristiwa terjadi di masa lampau

• -지만 : 앞에 오는 말을 인정하면서 그와 반대되거나 다른 사실을 덧붙일 때 쓰는 연결 어미.
  tetapi, namun, melainkan
  akhiran penghubung untuk menambahkan kenyataan yang berlawanan atau berbeda sambil mengakui isi anak kalimat.

• 애쓰다 (verba) : 무엇을 이루기 위해 힘을 들이다.
  berusaha keras, berupaya keras
  mengeluarkan tenaga untuk mewujudkan sesuatu atau impian

• -어 : 앞의 말이 뒤의 말보다 먼저 일어났거나 뒤의 말에 대한 방법이나 수단이 됨을 나타내는 연결 어미.

setelah, sesudah, selepas, lalu

akhiran penghubung untuk menyatakan bahwa anak kalimat terjadi lebih dahulu daripada kalimat induk atau menjadi cara atau alat terhadap kalimat induk

• 태연하다 (adjektiva) : 당연히 머뭇거리거나 두려워할 상황에서 태도나 얼굴빛이 아무렇지도 않다.

tenang, berkepala dingin

sikap atau air wajah sama sekali tidak apa-apa dalam keadaan di mana sudah sewajarnya menarik diri atau takut

• -ㄴ : 앞의 말이 관형어의 기능을 하게 만들고 현재의 상태를 나타내는 어미.

yang

akhiran yang membuat kata di depannya berfungsi sebagai kata pewatas, dan menyatakan keadaan saat ini

• 모습 (nomina) : 겉으로 드러난 상태나 모양.

rupa, penampilan, sosok

kondisi atau bentuk yang tampak ke luar

• 으로 : 어떤 일의 방법이나 방식을 나타내는 조사.

dengan

partikel yang menyatakan cara atau tata cara suatu pekerjaan

• 걸어가다 (verba) : 목적지를 향하여 다리를 움직여 나아가다.

berjalan, berjalan kaki

berjalan menggunakan kaki menuju suatu tempat

• -고 있다 : 앞의 말이 나타내는 행동이 계속 진행됨을 나타내는 표현.

sedang

ungkapan yang menyatakan bahwa tindakan yang disebutkan dalam kalimat di depan terus berjalan

• -었- : 사건이 과거에 일어났음을 나타내는 어미.

sudah, pasti, yakin

akhiran kalimat yang menyatakan peristiwa terjadi di masa lampau

• -는데 : 뒤의 말을 하기 위하여 그 대상과 관련이 있는 상황을 미리 말함을 나타내는 연결 어미.

sebenarnya, nyatanya

akhiran kalimat penyambung yang menyatakan mengatakan terlebih dahulu keadaan yang berhubungan sebelum mengatakan kalimat yang berhubungan

• 갑자기 (adverbia) : 미처 생각할 틈도 없이 빨리.

tiba-tiba

tanpa ada waktu untuk berpikir, sangat cepat di luar dugaan

· **톡탁톡탁 (adverbia)** : 단단한 물건을 계속해서 가볍게 두드리는 소리.
  tik-tik, tuk-tuk, tok-tok
  bunyi terus-menerus mengetuk dengan ringan benda yang keras

· **하다 (verba)** : 그런 소리가 나다. 또는 그런 소리를 내다.
  Tiada Penjelasan Arti
  muncul suara demikian, atau mengeluarkan suara demikian

· **-는** : 앞의 말이 관형어의 기능을 하게 만들고 사건이나 동작이 현재 일어남을 나타내는 어미.
  yang
  akhiran untuk membuat kata di depannya berfungsi sebagai pewatas dan menyatakan kejadian atau tindakan terjadi sekarang

· **소리 (nomina)** : 물체가 진동하여 생긴 음파가 귀에 들리는 것.
  suara
  hal terdengarnya di telinga gelombang suara yang muncul oleh getaran objek

· **가** : 어떤 상태나 상황에 놓인 대상이나 동작의 주체를 나타내는 조사.
  Tiada Penjelasan Arti
  partikel yang menyatakan subjek sebuah keadaan atau situasi atau pelaku utama sebuah tindakan

· **들려오다 (verba)** : 어떤 소리나 소식 등이 들리다.
  terdengar
  suatu suara atau kabar dsb terdengar

· **-기** : 앞의 말이 명사의 기능을 하게 하는 어미.
  Tiada Penjelasan Arti
  akhiran yang membuat kata di depannya berfungsi sebagai kata benda

· **시작하다 (verba)** : 어떤 일이나 행동의 처음 단계를 이루거나 이루게 하다.
  mulai, memulai
  menjalankan atau membuat melaksanakan tahap pertama dari suatu pekerjaan atau tindakan

· **-였-** : 사건이 과거에 일어났음을 나타내는 어미.
  sudah, pasti, yakin
  akhiran kalimat yang menyatakan peristiwa terjadi di masa lampau

· **-다** : 어떤 사건이나 사실, 상태를 서술함을 나타내는 종결 어미.
  Tiada Penjelasan Arti
  akhiran penutup untuk menyatakan suatu peristiwa, kenyataan, dan keadaan

---

깜짝 놀라+ㄴ 두 여자+는 공포+에 질리+어 가까스로 천천히 발걸음+을 내딛+[고 있]+었+다.
　　　놀란　　　　　　　　　　　　질려

・**깜짝** (adverbia) : 갑자기 놀라는 모양.
Tiada Penjelasan Arti
bentuk tiba-tiba terkejut

・**놀라다** (verba) : 뜻밖의 일을 당하거나 무서워서 순간적으로 긴장하거나 가슴이 뛰다.
terkejut, kaget, terperanjat
sejenak tegang atau jantung berdegup karena takut atau menghadapi hal yang di luar dugaan

・**-ㄴ** : 앞의 말이 관형어의 기능을 하게 만들고 사건이나 동작이 과거에 일어났음을 나타내는 어미.
yang
akhiran yang membuat kata di depannya berfungsi sebagai kata pewatas, dan menyatakan bahwa tindakan dan peristiwa terjadi di masa lampau

・**두** (pewatas) : 둘의.
dua
berjumlah dua

・**여자** (nomina) : 여성으로 태어난 사람.
perempuan, wanita
orang yang lahir sebagai wanita

・**는** : 문장 속에서 어떤 대상이 화제임을 나타내는 조사.
Tiada Penjelasan Arti
partikel yang menyatakan suatu objek menjadi topik di dalam kalimat

・**공포** (nomina) : 두렵고 무서움.
horor, ketakutan
ketakutan dan kengerian

・**에** : 앞말이 어떤 일의 원인임을 나타내는 조사.
karena, akibat, sebab
partikel yang menyatakan kalimat di depan adalah penyebab suatu peristiwa

・**질리다** (verba) : 몹시 놀라거나 무서워서 얼굴빛이 변하다.
berubah
sangat kaget atau takut sehingga air mukanya berubah

- -어 : 앞에 오는 말이 뒤에 오는 말에 대한 원인이나 이유임을 나타내는 연결 어미.
  karena, sebab
  akhiran penghubung untuk menyatakan bahwa anak kalimat menjadi sebab atau alasan terhadap kalimat induk.

- 가까스로 (adverbia) : 매우 어렵게 힘을 들여.
  mujur, bernasib baik, hampir gagal tetapi akhirnya berhasil~
  sangat sulit dan berat

- 천천히 (adverbia) : 움직임이나 태도가 느리게.
  pelan-pelan, perlahan
  pergerakan atau sikapnya lambat

- 발걸음 (nomina) : 발을 옮겨 걷는 동작.
  langkah kaki
  gerakan memindahkan atau menjalankan kaki

- 을 : 동작이 직접적으로 영향을 미치는 대상을 나타내는 조사.
  Tiada Penjelasan Arti
  partikel yang menyatakan objek dari suatu gerakan yang secara langsung memberikan pengaruh

- 내딛다 (verba) : 서 있다가 앞쪽으로 발을 옮기다.
  melangkah
  berdiri lalu menjejakkan kaki ke depan

- -고 있다 : 앞의 말이 나타내는 행동이 계속 진행됨을 나타내는 표현.
  sedang
  ungkapan yang menyatakan bahwa tindakan yang disebutkan dalam kalimat di depan terus berjalan

- -었- : 사건이 과거에 일어났음을 나타내는 어미.
  sudah, pasti, yakin
  akhiran kalimat yang menyatakan peristiwa terjadi di masa lampau

- -다 : 어떤 사건이나 사실, 상태를 서술함을 나타내는 종결 어미.
  Tiada Penjelasan Arti
  akhiran penutup untuk menyatakan suatu peristiwa, kenyataan, dan keadaan

---

그때 눈앞+에 망치+를 들+고 정+으로 묘비+를 쪼+[고 있]+는 노인+의 모습+이 희미하+게 보이+었+다.
보였다

- 그때 (nomina) : 앞에서 이야기한 어떤 때.
  waktu itu, saat itu
  suatu waktu yang telah disebut sebelumnya

- 눈앞 (nomina) : 눈에 바로 보이는 곳.
  di depan mata, di hadapan
  tempat yang langsung terlihat oleh mata

- 에 : 앞말이 어떤 장소나 자리임을 나타내는 조사.
  di, pada
  partikel yang menyatakan kalimat di depan adalah tempat atau lokasi

- 망치 (nomina) : 쇠뭉치에 손잡이를 달아 단단한 물건을 두드리거나 못을 박는 데 쓰는 연장.
  palu, martil, godam
  perkakas berupa bongkah besi yang dilengkapi dengan gagang yang digunakan untuk memukul benda atau memakukan paku

- 를 : 동작이 직접적으로 영향을 미치는 대상을 나타내는 조사.
  Tiada Penjelasan Arti
  partikel yang menyatakan objek dari suatu gerakan yang secara langsung memberikan pengaruh

- 들다 (verba) : 손에 가지다.
  membawa, memegang
  digenggam di tangan, dikaitkan di lengan

- -고 : 앞의 말이 나타내는 행동이나 그 결과가 뒤에 오는 행동이 일어나는 동안에 그대로 지속됨을 나타내는 연결 어미.
  dan, dengan, sambil
  akhiran penghubung yang menyatakan bahwa tindakan atau hasil di kalimat depan terus berjalan selama tindakan di kalimat belakang terjadi.

- 정 (nomina) : 돌에 구멍을 뚫거나 돌을 쪼아서 다듬는 데 쓰는 쇠로 만든 연장.
  pahat
  alat yang dibuat dari besi yang digunakan untuk membuat lubang pada batu atau menghancurkan batu kemudian dihaluskan

- 으로 : 어떤 일의 수단이나 도구를 나타내는 조사.
  dengan
  partikel yang menyatakan cara atau alat suatu pekerjaan

- 묘비 (nomina) : 죽은 사람의 이름, 출생일, 사망일, 행적, 신분 등을 새겨서 무덤 앞에 세우는 비석.
  batu nisan, nisan
  batu nisan yang ditancapkan di depan kuburan yang bertuliskan nama, tanggal lahir, tanggal meninggal, jabatan, status, dsb dari orang yang meninggal

• 를 : 동작이 직접적으로 영향을 미치는 대상을 나타내는 조사.

Tiada Penjelasan Arti

partikel yang menyatakan objek dari suatu gerakan yang secara langsung memberikan pengaruh

• 쪼다 (verba) : 뾰족한 끝으로 쳐서 찍다.

mematuk, mencatuk, memagut

memukul atau menusuk dengan ujung yang lancip

• -고 있다 : 앞의 말이 나타내는 행동이 계속 진행됨을 나타내는 표현.

sedang

ungkapan yang menyatakan bahwa tindakan yang disebutkan dalam kalimat di depan terus berjalan

• -는 : 앞의 말이 관형어의 기능을 하게 만들고 사건이나 동작이 현재 일어남을 나타내는 어미.

yang

akhiran untuk membuat kata di depannya berfungsi sebagai pewatas dan menyatakan kejadian atau tindakan terjadi sekarang

• 노인 (nomina) : 나이가 들어 늙은 사람.

orang tua, manula

orang tua yang berusia lanjut

• 의 : 앞의 말이 뒤의 말에 대하여 소유, 소속, 소재, 관계, 기원, 주체의 관계를 가짐을 나타내는 조사.

dari, milik

partikel yang menyatakan perkataan di depan memiliki hubungan kepemilikian, bagian tempat diri bekerja, bahan, hubungan, asal, topik dengan perkataan di belakang

• 모습 (nomina) : 사람이나 사물의 생김새.

rupa, penampilan, sosok

penampilan orang atau benda

• 이 : 어떤 상태나 상황의 대상이나 동작의 주체를 나타내는 조사.

Tiada Penjelasan Arti

partikel yang menyatakan subjek sebuah keadaan atau situasi atau pelaku utama sebuah tindakan

• 희미하다 (adjektiva) : 분명하지 못하고 흐릿하다.

keruh, berkabut, tidak jelas

tidak jelas dan kabur

• -게 : 앞의 말이 뒤에서 가리키는 일의 목적이나 결과, 방식, 정도 등이 됨을 나타내는 연결 어미.

dengan

kata penutup sambung yang menyatakan isi kalimat di depan dibutuhkan sementara kalimat di belakang terus dilanjutkan(formal, kedudukan penerima sangat rendah)

· **보이다 (verba)** : 눈으로 대상의 존재나 겉모습을 알게 되다.

kelihatan

menjadi bisa diketahui keberadaan atau bentuk suatu objek dengan mata

· **-었-** : 사건이 과거에 일어났음을 나타내는 어미.

sudah, pasti, yakin

akhiran kalimat yang menyatakan peristiwa terjadi di masa lampau

· **-다** : 어떤 사건이나 사실, 상태를 서술함을 나타내는 종결 어미.

Tiada Penjelasan Arti

akhiran penutup untuk menyatakan suatu peristiwa, kenyataan, dan keadaan

---

순간 두 여자+는 안도+의 한숨+을 내쉬+며 말하+였+다.
말했다

· **순간 (nomina)** : 어떤 일이 일어나거나 어떤 행동이 이루어지는 바로 그때.

saat, ketika, masa

saat sebuah peristiwa terjadi atau sebuah tindakan berlangsung

· **두 (pewatas)** : 둘의.

dua

berjumlah dua

· **여자 (nomina)** : 여성으로 태어난 사람.

perempuan, wanita

orang yang lahir sebagai wanita

· **는** : 문장 속에서 어떤 대상이 화제임을 나타내는 조사.

Tiada Penjelasan Arti

partikel yang menyatakan suatu objek menjadi topik di dalam kalimat

· **안도 (nomina)** : 어떤 일이 잘되어 마음을 놓음.

ketenangan, kelegaan, perasaan lega

hal hati tenang dan lega karena suatu pekerjaan berjalan lancar

· **의** : 앞의 말이 뒤의 말에 대하여 속성이나 수량을 한정하거나 같은 자격임을 나타내는 조사.

dari

perkataan yang menyatakan perkataan di depan membatasi karakter atau kuantitas atau kualifikasi yang sama dengan perkataan yang ada di belakang

• **한숨 (nomina)** : 걱정이 있을 때나 긴장했다가 마음을 놓을 때 길게 몰아서 내쉬는 숨.

desahan, nafas panjang

nafas yang dikumpulkan kemudian dihempaskan dengan panjang saat merasa khawatir atau gugup kemudian tenang

• **을** : 동작이 직접적으로 영향을 미치는 대상을 나타내는 조사.

Tiada Penjelasan Arti

partikel yang menyatakan objek dari suatu gerakan yang secara langsung memberikan pengaruh

• **내쉬다 (verba)** : 숨을 몸 밖으로 내보내다.

mengembuskan, mendesah

mendorong nafas ke luar tubuh

• **-며** : 두 가지 이상의 동작이나 상태가 함께 일어남을 나타내는 연결 어미.

sambil, seraya

kata penutup sambung yang menyatakan dua atau lebih tindakan atau keadaan muncul bersamaan

• **말하다 (verba)** : 어떤 사실이나 자신의 생각 또는 느낌을 말로 나타내다.

mengatakan

menyampaikan sebuah kenyataan, pikiran, atau perasaan diri sendiri lewat kata-kata

• **-였-** : 사건이 과거에 일어났음을 나타내는 어미.

sudah, pasti, yakin

akhiran kalimat yang menyatakan peristiwa terjadi di masa lampau

• **-다** : 어떤 사건이나 사실, 상태를 서술함을 나타내는 종결 어미.

Tiada Penjelasan Arti

akhiran penutup untuk menyatakan suatu peristiwa, kenyataan, dan keadaan

---

여자 1 : 할아버지, <u>귀신+이+[ㄴ 줄]</u> 알+고 깜짝 <u>놀라+았+잖아요</u>.
귀신인 줄   놀랐잖아요

• **할아버지 (nomina)** : (친근하게 이르는 말로) 늙은 남자를 이르거나 부르는 말.

kakek

(dalam sebutan akrab) panggilan untuk menyebutkan laki-laki yang berusia lanjut

• **귀신 (nomina)** : 사람이 죽은 뒤에 남는다고 하는 영혼.

hantu

roh yang katanya tertinggal setelah orang mati

• 이다 : 주어가 지시하는 대상의 속성이나 부류를 지정하는 뜻을 나타내는 서술격 조사.

adalah

partikel kasus predikatif yang menyatakan maksud menentukan karakter atau jenis dari objek yang diindikasikan subjek

• -ㄴ 줄 : 어떤 사실이나 상태에 대해 알고 있거나 모르고 있음을 나타내는 표현.

bahwa

ungkapan untuk menyatakan mengetahui atau tidak mengetahui suatu kenyataan atau keadaan

• 알다 (verba) : 교육이나 경험, 생각 등을 통해 사물이나 상황에 대한 정보 또는 지식을 갖추다.

tahu, mengetahui

memiliki pengetahuan tentang benda atau keadaan melalui pendidikan atau pengalaman, pemikiran, dsb

• -고 : 앞의 말과 뒤의 말이 차례대로 일어남을 나타내는 연결 어미.

lalu

akhiran penghubung yang menyatakan bahwa kalimat di depan dan di belakang muncul secara berturut-turut

• 깜짝 (adverbia) : 갑자기 놀라는 모양.

Tiada Penjelasan Arti

bentuk tiba-tiba terkejut

• 놀라다 (verba) : 뜻밖의 일을 당하거나 무서워서 순간적으로 긴장하거나 가슴이 뛰다.

terkejut, kaget, terperanjat

sejenak tegang atau jantung berdegup karena takut atau menghadapi hal yang di luar dugaan

• -았- : 어떤 사건이 과거에 완료되었거나 그 사건의 결과가 현재까지 지속되는 상황을 나타내는 어미.

sudah, pasti, yakin

akhiran kalimat yang menyatakan sebuah peristiwa sudah selesai di masa lampau atau menyatakan keadaan di mana hasil peristiwa tersebut terus berlangsung hingga sekarang

• -잖아요 : (두루높임으로) 어떤 상황에 대해 말하는 사람이 상대방에게 확인하거나 정정해 주듯이 말함을 나타내는 표현.

~kan?

(dalam bentuk hormat) ungkapan yang menyatakan orang yang berbicara mengenai suatu keadaan memastikan atau mengatakan dengan benar kepada orang lain

여자 1 : 그런데 이 늦+은 시간+에 여기+서 뭐 하+[고 계시]+어요?
하고 계세요

• 그런데 (adverbia) : 이야기를 앞의 내용과 관련시키면서 다른 방향으로 바꿀 때 쓰는 말.

  tetapi

  kata yang digunakan untuk mengganti cerita ke arah lain sambil mengaitkan dengan isi cerita sebelumnya

• 이 (pewatas) : 말하는 사람에게 가까이 있거나 말하는 사람이 생각하고 있는 대상을 가리킬 때 쓰는 말.

  ini, si ini

  kata yang digunakan saat menunjuk target yang berada di dekat atau yang dipikirkan si pembicara

• 늦다 (adjektiva) : 적당한 때를 지나 있다. 또는 시기가 한창인 때를 지나 있다.

  larut, lewat, terlambat

  masa yang pantas sudah lewat, atau saat puncak sudah lewat

• -은 : 앞의 말이 관형어의 기능을 하게 만들고 현재의 상태를 나타내는 어미.

  yang

  akhiran yang membuat kata di depannya berfungsi sebagai kata pewatas, dan menyatakan keadaan saat ini

• 시간 (nomina) : 어떤 일을 하도록 정해진 때. 또는 하루 중의 어느 한 때.

  waktu, masa, saat

  waktu yang ditentukan untuk melakukan sesuatu, suatu waktu yang ada dalam satu hari

• 에 : 앞말이 시간이나 때임을 나타내는 조사.

  pada

  partikel yang menyatakan kalimat di depan adalah waktu atau saat

• 여기 (pronomina) : 말하는 사람에게 가까운 곳을 가리키는 말.

  sini

  kata untuk menunjukkan tempat yang dekat dengan orang yang berbicara

• 서 : 앞말이 행동이 이루어지고 있는 장소임을 나타내는 조사.

  di

  partikel yang menyatakan bahwa kata di depannya adalah tempat tindakan terjadi

• 뭐 (pronomina) : 모르는 사실이나 사물을 가리키는 말.

  apa

  kata yang merujuk pada kenyataan atau benda yang tidak diketahui

• 하다 (verba) : 어떤 행동이나 동작, 활동 등을 행하다.

  melakukan, mengerjakan, menjalankan

  melaksanakan suatu tindakan atau aksi, kegiatan, dsb

• -고 계시다 : (높임말로) 앞의 말이 나타내는 행동이 계속 진행됨을 나타내는 표현.
　sedang, tengah
　(dalam sebutan hormat) ungkapan yang menyatakan bahwa tindakan yang disebutkan dalam kalimat di depan terus berjalan

• -어요 : (두루높임으로) 어떤 사실을 서술하거나 질문, 명령, 권유함을 나타내는 종결 어미.
　apakah, apa, ~saja, silakan
　(dalam bentuk hormat) kata penutup final yang mengungkapkan suatu kenyataan atau menyatakan pertanyaan, perintah, atau ajakan

---

여자 2 : 내일 밝+[을 때] 하+시+[는 것(거)]+이 좋+[을 것 같]+아요.
하시는 게

• **내일 (adverbia)** : 오늘의 다음 날에.
　besok
　pada hari berikutnya setelah hari ini

• **밝다 (adjektiva)** : 빛을 많이 받아 어떤 장소가 환하다.
　terang, cerah
　suatu tempat terang karena mendapat banyak cahaya

• -을 때 : 어떤 행동이나 상황이 일어나는 동안이나 그 시기 또는 그러한 일이 일어난 경우를 나타내는 표현.
　ketika, saat
　ungkapan yang menyatakan selama atau saat terjadinya suatu tindakan atau keadaan, atau saat terjadinya hal demikian

• **하다 (verba)** : 어떤 행동이나 동작, 활동 등을 행하다.
　melakukan, mengerjakan, menjalankan
　melaksanakan suatu tindakan atau aksi, kegiatan, dsb

• -시- : 어떤 동작이나 상태의 주체를 높이는 뜻을 나타내는 어미.
　Tiada Penjelasan Arti
　akhiran kalimat yang menyatakan arti meninggikan subjek atau topik suatu tindakan atau keadaan

• -는 것 : 명사가 아닌 것을 문장에서 명사처럼 쓰이게 하거나 '이다' 앞에 쓰일 수 있게 할 때 쓰는 표현.
　yang
　ungkapan yang dapat membuat suatu kelas kata bisa digunakan sebagai kata benda dalam kalimat dan berfungsi sebagai subjek atau objek, atau dapat membuat suatu kelas kata bisa digunakan di depan '이다'

• 이 : 어떤 상태나 상황의 대상이나 동작의 주체를 나타내는 조사.
Tiada Penjelasan Arti
partikel yang menyatakan subjek sebuah keadaan atau situasi atau pelaku utama sebuah tindakan

• 좋다 (adjektiva) : 어떤 일을 하기가 쉽거나 편하다.
enak, nyaman, baik
suatu pekerjaan mudah atau nyaman untuk dilakukan

• -을 것 같다 : 추측을 나타내는 표현.
sepertinya, tampaknya kelihatannya
ungkapan yang menyatakan dugaan atau terkaan

• -아요 : (두루높임으로) 어떤 사실을 서술하거나 질문, 명령, 권유함을 나타내는 종결 어미.
apakah, apa, ~saja, silakan
(dalam bentuk hormat) kata penutup final yang mengungkapkan suatu kenyataan atau menyatakan pertanyaan, perintah, atau ajakan

---

여자 2 : 지금+은 <u>어둡(어두우)+어서</u> 위험하+세요.
어두워서

• 지금 (nomina) : 말을 하고 있는 바로 이때.
sekarang
saat sedang bicara

• 은 : 문장 속에서 어떤 대상이 화제임을 나타내는 조사.
Tiada Penjelasan Arti
partikel yang menyatakan suatu objek menjadi topik di dalam kalimat

• 어둡다 (adjektiva) : 빛이 없거나 약해서 밝지 않다.
gelap
tidak bersinar atau bersinar lemah sehingga tidak terang

• -어서 : 이유나 근거를 나타내는 연결 어미.
lalu, kemudian, karena, dengan
kata penutup sambung yang menyatakan alasan atau landasan

• 위험하다 (adjektiva) : 해를 입거나 다칠 가능성이 있어 안전하지 못하다.
berbahaya, berisiko, kritis, genting
tidak aman karena berkemungkinan merugikan atau mencelakai

• -세요 : (두루높임으로) 설명, 의문, 명령, 요청의 뜻을 나타내는 종결 어미.

apakah, silakan

(dalam bentuk hormat) akhiran kalimat penutup yang menyatakan arti penjelasan, pertanyaan, perintah, permintaan, dsb

---

할아버지 : 음, 오늘 안+에 빨리 끝내+[(어)야 되]+어.

끝내야 돼

• 음 (interjeksi) : 마음에 들지 않거나 걱정스러울 때 하는 소리.

hmm

suara yang dikeluarkan saat sesuatu tidak berkenan di hati atau saat khawatir

• 오늘 (adverbia) : 지금 지나가고 있는 이날.

hari ini

hari ini yang sekarang sedang dilalui sekarang

• 안 (nomina) : 일정한 기준이나 한계를 넘지 않은 정도.

dalam

ukuran yang tidak melampaui satu bagian atau standar tertentu

• 에 : 앞말이 시간이나 때임을 나타내는 조사.

pada

partikel yang menyatakan kalimat di depan adalah waktu atau saat

• 빨리 (adverbia) : 걸리는 시간이 짧게.

cepat, dengan cepat, secara cepat

waktu yang diperlukan pendek, dalam waktu yang pendek

• 끝내다 (verba) : 일을 마지막까지 이루다.

menyelesaikan

menyudahi semua pekerjaan

• -어야 되다 : 반드시 그럴 필요나 의무가 있음을 나타내는 표현.

harus~, wajib~

ungkapan yang menunjukkan keperluan atau kewajiban untuk harus melakukannya

• -어 : (두루낮춤으로) 어떤 사실을 서술하거나 물음, 명령, 권유를 나타내는 종결 어미.

-kah, -lah

(dalam bentuk rendah) akhiran penutup untuk menyatakan suatu kenyataan atau menandai pertanyaan, perintah, dan ajakan

여자 1 : 그런데 묘비+에 무슨 문제+라도 있+나요?

• 그런데 (adverbia) : 이야기를 앞의 내용과 관련시키면서 다른 방향으로 바꿀 때 쓰는 말.
tetapi
kata yang digunakan untuk mengganti cerita ke arah lain sambil mengaitkan dengan isi cerita sebelumnya

• 묘비 (nomina) : 죽은 사람의 이름, 출생일, 사망일, 행적, 신분 등을 새겨서 무덤 앞에 세우는 비석.
batu nisan, nisan
batu nisan yang ditancapkan di depan kuburan yang bertuliskan nama, tanggal lahir, tanggal meninggal, jabatan, status, dsb dari orang yang meninggal

• 에 : 앞말이 어떤 장소나 자리임을 나타내는 조사.
di, pada
partikel yang menyatakan kalimat di depan adalah tempat atau lokasi

• 무슨 (pewatas) : 확실하지 않거나 잘 모르는 일, 대상, 물건 등을 물을 때 쓰는 말.
apa
kata yang digunakan untuk menanyakan sesuatu, objek, benda, dsb yang tidak jelas atau tidak diketahui dengan baik

• 문제 (nomina) : 난처하거나 해결하기 어려운 일.
masalah
hal sulit untuk dihadapi atau dipecahkan

• 라도 : 불확실한 사실에 대한 말하는 이의 의심이나 의문을 나타내는 조사.
pun
partikel yang menyatakan kecurigaan atau keraguan dari orang yang berbicara mengenai fakta yang tidak jelas

• 있다 (adjektiva) : 어떤 사람에게 무슨 일이 생긴 상태이다.
terjadi sesuatu
keadaan sudah terjadi sesuatu pada seseorang

• -나요 : (두루높임으로) 앞의 내용에 대해 상대방에게 물어볼 때 쓰는 표현.
apakah, apa
(dalam bentuk hormat) ungkapan yang digunakan saat bertanya kepada lawan bicara mengenai hal di depan

---

할아버지 : 글쎄, 어떤 <u>멍청하+ㄴ</u> 녀석+들+이 묘비+에 <u>나+의</u> 이름+을 잘못
　　　　　　　　멍청한　　　　　　　　　　　　　　　　내

<u>쓰(ㅆ)+[어 놓]+았+잖아</u>.
　써 났잖아

• 글쎄 (interjeksi) : 말하는 이가 자신의 뜻이나 주장을 다시 강조하거나 고집할 때 쓰는 말.
sudah saya bilang, ngomong-ngomong
kata untuk menekankan kembali maksud atau pendapat dari yang berbicara

• 어떤 (pewatas) : 굳이 말할 필요가 없는 대상을 뚜렷하게 밝히지 않고 나타낼 때 쓰는 말.
seorang, sebuah, suatu
kata yang digunakan untuk menunjukkan sesuatu tanpa harus menerangkan dengan jelas objeknya

• 멍청하다 (adjektiva) : 일을 제대로 판단하지 못할 정도로 어리석다.
bodoh, tolol
tidak bisa menilai hal dengan baik dan bodoh

• -ㄴ : 앞의 말이 관형어의 기능을 하게 만들고 현재의 상태를 나타내는 어미.
yang
akhiran yang membuat kata di depannya berfungsi sebagai kata pewatas, dan menyatakan keadaan saat ini

• 녀석 (nomina) : (낮추는 말로) 남자.
Tiada Penjelasan Arti
(dalam sebutan rendah) laki-laki

• 들 : '복수'의 뜻을 더하는 접미사.
Tiada Penjelasan Arti
akhiran yang menambahkan arti "jamak"

• 이 : 어떤 상태나 상황의 대상이나 동작의 주체를 나타내는 조사.
Tiada Penjelasan Arti
partikel yang menyatakan subjek sebuah keadaan atau situasi atau pelaku utama sebuah tindakan

• 묘비 (nomina) : 죽은 사람의 이름, 출생일, 사망일, 행적, 신분 등을 새겨서 무덤 앞에 세우는 비석.
batu nisan, nisan
batu nisan yang ditancapkan di depan kuburan yang bertuliskan nama, tanggal lahir, tanggal meninggal, jabatan, status, dsb dari orang yang meninggal

• 에 : 앞말이 어떤 장소나 자리임을 나타내는 조사.

di, pada

partikel yang menyatakan kalimat di depan adalah tempat atau lokasi

• 나 (pronomina) : 말하는 사람이 친구나 아랫사람에게 자기를 가리키는 말.

aku

kata yang digunakan orang yang berbicara untuk menunjuk dirinya sendiri kepada teman atau orang yang berada di bawahnya

• 의 : 앞의 말이 뒤의 말에 대하여 소유, 소속, 소재, 관계, 기원, 주체의 관계를 가짐을 나타내는 조사.

dari, milik

partikel yang menyatakan perkataan di depan memiliki hubungan kepemilikian, bagian tempat diri bekerja, bahan, hubungan, asal, topik dengan perkataan di belakang

• 이름 (nomina) : 사람의 성과 그 뒤에 붙는 그 사람만을 부르는 말.

nama

kata panggilan yang disematkan hanya kepada seseorang selain nama keluarga/marga

• 을 : 동작이 직접적으로 영향을 미치는 대상을 나타내는 조사.

Tiada Penjelasan Arti

partikel yang menyatakan objek dari suatu gerakan yang secara langsung memberikan pengaruh

• 잘못 (adverbia) : 바르지 않게 또는 틀리게.

salah, tidak benar

dengan tidak benar atau dengan salah

• 쓰다 (verba) : 연필이나 펜 등의 필기도구로 종이 등에 획을 그어서 일정한 글자를 적다.

menulis

menarik garis dan menulis tulisan tertentu di kertas menggunakan alat tulis seperti pensil atau pulpen

• -어 놓다 : 앞의 말이 나타내는 행동을 끝내고 그 결과를 유지함을 나타내는 표현.

gara-gara, karena, sebab

ungkapan yang menyatakan menyelesaikan tindakan dalam kalimat yang disebutkan di depan dan mempertahankan hasilnya

• -았- : 어떤 사건이 과거에 완료되었거나 그 사건의 결과가 현재까지 지속되는 상황을 나타내는 어미.

sudah, pasti, yakin

akhiran kalimat yang menyatakan sebuah peristiwa sudah selesai di masa lampau atau menyatakan keadaan di mana hasil peristiwa tersebut terus berlangsung hingga sekarang

• -잖아 : (두루낮춤으로) 어떤 상황에 대해 말하는 사람이 상대방에게 확인하거나 정정해 주듯이 말함을
　　　　 나타내는 표현.

~kan?

(dalam bentuk rendah) ungkapan yang menyatakan orang yang berbicara mengenai suatu
keadaan memastikan atau mengatakan dengan benar kepada orang lain

< 13 단원(bagian) >

제목 : 엄마는 왜 흰머리가 있어?

● 본문 (tulisan utama)

어느 날 설거지를 하고 있는 엄마에게 어린 딸이 머리를 갸우뚱거리며 질문을 했다.

딸 : 엄마 머리 앞쪽에 하얀색 머리카락이 있어.

엄마 : 이제 엄마도 흰머리가 점점 많이 생기네.

딸 : 나는 흰머리가 없는데 엄마는 왜 흰머리가 있어?

　　흰머리가 왜 생기는지 궁금해.

엄마 : 우리 딸이 엄마 말을 안 들어서 엄마가 속이 상하거나 슬퍼지면 흰머리가

　　　한 개씩 생기더라고.

　　　그러니까 앞으로 엄마가 하는 말 잘 들어야 돼.

딸은 잠시 동안 생각을 하다가 엄마에게 다시 물었다.

딸 : 엄마, 외할머니 머리는 전부 하얀색인데?

● 발음 (pelafalan)

어느 날 설거지를 하고 있는 엄마에게 어린 딸이 머리를 갸우뚱거리며 질문을 했다.
어느 날 설거지를 하고 인는 엄마에게 어린 따리 머리를 갸우뚱거리며 질무늘 핻따.
eoneu nal seolgeojireul hago inneun eommaege eorin ttari meorireul gyauttunggeorimyeo jilmuneul haetda.

딸 : 엄마 머리 앞쪽에 하얀색 머리카락이 있어.
딸 : 엄마 머리 압쪼게 하얀색 머리카라기 이써.
ttal : eomma meori apjjoge hayansaek meorikaragi isseo.

엄마 : 이제 엄마도 흰머리가 점점 많이 생기네.
엄마 : 이제 엄마도 힌머리가 점점 마니 생기네.
eomma : ije eommado hinmeoriga jeomjeom mani saenggine.

딸 : 나는 흰머리가 없는데 엄마는 왜 흰머리가 있어?
딸 : 나는 힌머리가 엄는데 엄마는 왜 힌머리가 이써?
ttal : naneun hinmeoriga eomneunde eommaneun wae hinmeoriga isseo?

   흰머리가 왜 생기는지 궁금해.
   힌머리가 왜 생기는지 궁금해.
   hinmeoriga wae saenggineunji gunggeumhae.

엄마 : 우리 딸이 엄마 말을 안 들어서 엄마가 속이 상하거나 슬퍼지면 흰머리가
엄마 : 우리 따리 엄마 마를 안 드러서 엄마가 소기 상하거나 슬퍼지면 힌머리가
eomma : uri ttari eomma mareul an deureoseo eommaga sogi sanghageona
            seulpeojimyeon hinmeoriga

   한 개씩 생기더라고.
   한 개씩 생기더라고.
   han gaessik saenggideorago.

   그러니까 앞으로 엄마가 하는 말 잘 들어야 돼.
   그러니까 아프로 엄마가 하는 말 잘 드러야 돼.
   geureonikka apeuro eommaga haneun mal jal deureoya dwae.

딸은 잠시 동안 생각을 하다가 엄마에게 다시 물었다.
따른 잠시 동안 생가글 하다가 엄마에게 다시 무럳따.
ttareun jamsi dongan saenggageul hadaga eommaege dasi mureotda.

딸 : 엄마, 외할머니 머리는 전부 하얀색인데?
딸 : 엄마, 외할머니 머리는 전부 하얀새긴데?
ttal : eomma, oehalmeoni meorineun jeonbu hayansaeginde?

● 어휘 (kosa kata) / 문법 (pelajaran tata bahasa)

어느 날 설거지+를 하+<u>고 있</u>+는 엄마+에게 어리+ㄴ 딸+이 머리+를 갸우뚱거리+며 질문+을 하+였+다.

딸 : 엄마 머리 앞쪽+에 하얀색 머리카락+이 있+어.

엄마 : 이제 엄마+도 흰머리+가 점점 많이 생기+네.

딸 : 나+는 흰머리+가 없+는데 엄마+는 왜 흰머리+가 있+어?

　　　흰머리+가 왜 생기+는지 궁금하+여.

엄마 : 우리 딸+이 엄마 말+을 안 들+어서 엄마+가 속+이 상하+거나 슬프(슬ㅍ)+어지+면

　　　흰머리+가 한 개+씩 생기+더라고.

　　　그러니까 앞+으로 엄마+가 하+는 말 잘 들+<u>어야 되</u>+어.

딸+은 잠시 동안 생각+을 하+다가 엄마+에게 다시 묻(물)+었+다.

딸 : 엄마, 외할머니 머리+는 전부 하얀색+이+ㄴ데?

> 어느 날 설거지+를 하+[고 있]+는 엄마+에게 <u>어리+ㄴ</u> 딸+이 머리+를 갸우뚱거리+며 질문+을 <u>하+였+다</u>.
> <u>어린</u>　　　　　　　　　　　　　　　　　　　　　　　　　　　<u>했다</u>

- **어느 (pewatas)** : 확실하지 않거나 분명하게 말할 필요가 없는 사물, 사람, 때, 곳 등을 가리키는 말.
  sesuatu
  kata untuk menunjuk benda, orang, waktu, tempat, dsb yang tidak begitu jelas atau nyata

- **날 (nomina)** : 밤 열두 시에서 다음 밤 열두 시까지의 이십사 시간 동안.
  hari
  selama dua puluh empat jam dari jam dua belas malam sampai jam dua belas malam berikutnya

- **설거지 (nomina)** : 음식을 먹고 난 뒤에 그릇을 씻어서 정리하는 일.
  cuci piring
  hal mencuci piring setelah makan

- **를** : 동작이 직접적으로 영향을 미치는 대상을 나타내는 조사.
  Tiada Penjelasan Arti
  partikel yang menyatakan objek dari suatu gerakan yang secara langsung memberikan pengaruh

- **하다 (verba)** : 어떤 행동이나 동작, 활동 등을 행하다.
  melakukan, mengerjakan, menjalankan
  melaksanakan suatu tindakan atau aksi, kegiatan, dsb

- **-고 있다** : 앞의 말이 나타내는 행동이 계속 진행됨을 나타내는 표현.
  sedang
  ungkapan yang menyatakan bahwa tindakan yang disebutkan dalam kalimat di depan terus berjalan

- **-는** : 앞의 말이 관형어의 기능을 하게 만들고 사건이나 동작이 현재 일어남을 나타내는 어미.
  yang
  akhiran untuk membuat kata di depannya berfungsi sebagai pewatas dan menyatakan kejadian atau tindakan terjadi sekarang

- **엄마 (nomina)** : 격식을 갖추지 않아도 되는 상황에서 어머니를 이르거나 부르는 말.
  mama
  panggilan untuk menyebutkan ibu dalam situasi tidak resmi

- **에게** : 어떤 행동이 미치는 대상임을 나타내는 조사.
  Tiada Penjelasan Arti
  partikel yang menyatakan sesuatu yang mendapat pengaruh dari sebuah tindakan

· **어리다 (adjektiva)** : 나이가 적다.

 muda

 berusia muda

· **-ㄴ** : 앞의 말이 관형어의 기능을 하게 만들고 현재의 상태를 나타내는 어미.

 yang

 akhiran yang membuat kata di depannya berfungsi sebagai kata pewatas, dan menyatakan keadaan saat ini

· **딸 (nomina)** : 부모가 낳은 아이 중 여자. 여자인 자식.

 anak perempuan

 perempuan, anak perempuan di antara anak-anak yang lahir bagi orang tua, anak perempuan

· **이** : 어떤 상태나 상황의 대상이나 동작의 주체를 나타내는 조사.

 Tiada Penjelasan Arti

 partikel yang menyatakan objek dari suatu keadaan atau kondisi atau pelaku dari suatu tindakan

· **머리 (nomina)** : 사람이나 동물의 몸에서 얼굴과 머리털이 있는 부분을 모두 포함한 목 위의 부분.

 kepala

 bagian mulai dari atas leher termasuk seluruh bagian yang ada wajah dan bulu di tubuh orang atau binatang

· **를** : 동작이 직접적으로 영향을 미치는 대상을 나타내는 조사.

 Tiada Penjelasan Arti

 partikel yang menyatakan objek dari suatu gerakan yang secara langsung memberikan pengaruh

· **갸우뚱거리다 (verba)** : 물체가 자꾸 이쪽저쪽으로 기울어지며 흔들리다. 또는 그렇게 하다.

 bergoyang-goyang

 sesuatu terus bergeser dan bergerak ke sana kemari, atau membuatnya demikian

· **-며** : 두 가지 이상의 동작이나 상태가 함께 일어남을 나타내는 연결 어미.

 sambil, seraya

 kata penutup sambung yang menyatakan dua atau lebih tindakan atau keadaan muncul bersamaan

· **질문 (nomina)** : 모르는 것이나 알고 싶은 것을 물음.

 pertanyaan

 hal menanyakan sesuatu yang tidak diketahui atau yang ingin diketahui

• 을 : 동작이 직접적으로 영향을 미치는 대상을 나타내는 조사.
  Tiada Penjelasan Arti
  partikel yang menyatakan objek dari suatu gerakan yang secara langsung memberikan pengaruh

• **하다 (verba)** : 어떤 행동이나 동작, 활동 등을 행하다.
  melakukan, mengerjakan, menjalankan
  melaksanakan suatu tindakan atau aksi, kegiatan, dsb

• -였- : 사건이 과거에 일어났음을 나타내는 어미.
  sudah, telah, pernah
  akhiran kalimat yang menyatakan peristiwa terjadi di masa lampau

• -다 : 어떤 사건이나 사실, 상태를 서술함을 나타내는 종결 어미.
  Tiada Penjelasan Arti
  akhiran penutup untuk menyatakan suatu peristiwa, kenyataan, dan keadaan

---

딸 : 엄마 머리 앞쪽+에 하얀색 머리카락+이 있+어.

• **엄마 (nomina)** : 격식을 갖추지 않아도 되는 상황에서 어머니를 이르거나 부르는 말.
  mama
  panggilan untuk menyebutkan ibu dalam situasi tidak resmi

• **머리 (nomina)** : 사람이나 동물의 몸에서 얼굴과 머리털이 있는 부분을 모두 포함한 목 위의 부분.
  kepala
  bagian mulai dari atas leher termasuk seluruh bagian yang ada wajah dan bulu di tubuh orang atau binatang

• **앞쪽 (nomina)** : 앞을 향한 방향.
  arah depan
  arah menghadap depan

• 에 : 앞말이 어떤 장소나 자리임을 나타내는 조사.
  di, pada
  partikel yang menyatakan kalimat di depan adalah tempat atau lokasi

• **하얀색 (nomina)** : 눈이나 우유의 빛깔과 같이 밝고 선명한 흰색.
  warna putih
  warna putih terang dan jelas seperti warna salju atau susu

• **머리카락 (nomina)** : 머리털 하나하나.
  rambut
  helai-helai rambut

• 이 : 어떤 상태나 상황의 대상이나 동작의 주체를 나타내는 조사.

  Tiada Penjelasan Arti

  partikel yang menyatakan objek dari suatu keadaan atau kondisi atau pelaku dari suatu tindakan

• 있다 (adjektiva) : 무엇이 어떤 곳에 자리나 공간을 차지하고 존재하는 상태이다.

  ada

  sesuatu dalam keadaan berada dan ada di suatu tempat atau ruang

• -어 : (두루낮춤으로) 어떤 사실을 서술하거나 물음, 명령, 권유를 나타내는 종결 어미.

  -kah, -lah

  (dalam bentuk rendah) akhiran penutup untuk menyatakan suatu kenyataan atau menandai pertanyaan, perintah, dan ajakan

---

엄마 : 이제 엄마+도 흰머리+가 점점 많이 생기+네.

• 이제 (adverbia) : 지금의 시기가 되어.

  saat ini

  ketika saat ini tiba

• 엄마 (nomina) : 격식을 갖추지 않아도 되는 상황에서 어머니를 이르거나 부르는 말.

  mama

  panggilan untuk menyebutkan ibu dalam situasi tidak resmi

• 도 : 이미 있는 어떤 것에 다른 것을 더하거나 포함함을 나타내는 조사.

  juga

  partikel yang menyatakan menambahkan atau mengikutsertakan sesuatu yang lain pada sesuatu yang sudah ada

• 흰머리 (nomina) : 하얗게 된 머리카락.

  uban

  rambut yang menjadi putih

• 가 : 어떤 상태나 상황에 놓인 대상이나 동작의 주체를 나타내는 조사.

  Tiada Penjelasan Arti

  partikel yang menyatakan objek dari suatu keadaan atau kondisi atau pelaku dari suatu tindakan

• 점점 (adverbia) : 시간이 지남에 따라 정도가 조금씩 더.

  sedikit demi sedikit, lama-kelamaan, semakin, secara bertahap

  ukuran menurut berlalunya waktu sedikit demi sedikit makin

• 많이 (adverbia) : 수나 양, 정도 등이 일정한 기준보다 넘게.
  dengan banyak
  dengan angka atau jumlah, kadar, dsb melebihi standar yang ditentukan

• 생기다 (verba) : 없던 것이 새로 있게 되다.
  muncul, timbul
  sesuatu yang sebelumnya tidak ada menjadi ada dengan baru

• -네 : (아주낮춤으로) 지금 깨달은 일에 대하여 말함을 나타내는 종결 어미.
  wah, ternyata
  (dalam bentuk sangat rendah) kata penutup final yang menyatakan perkataan tentang peristiwa yang sekarang disadari

---

딸 : 나+는 흰머리+가 없+는데 엄마+는 왜 흰머리+가 있+어?

• 나 (pronomina) : 말하는 사람이 친구나 아랫사람에게 자기를 가리키는 말.
  aku
  kata yang digunakan orang yang berbicara untuk menunjuk dirinya sendiri kepada teman atau orang yang berada di bawahnya

• 는 : 어떤 대상이 다른 것과 대조됨을 나타내는 조사.
  Tiada Penjelasan Arti
  partikel yang menyatakan suatu subjek diperbandingkan dengan sesuatu yang lain

• 흰머리 (nomina) : 하얗게 된 머리카락.
  uban
  rambut yang menjadi putih

• 가 : 어떤 상태나 상황에 놓인 대상이나 동작의 주체를 나타내는 조사.
  Tiada Penjelasan Arti
  partikel yang menyatakan objek dari suatu keadaan atau kondisi atau pelaku dari suatu tindakan

• 없다 (adjektiva) : 사람, 사물, 현상 등이 어떤 곳에 자리나 공간을 차지하고 존재하지 않는 상태이다.
  tidak ada
  orang, benda, fenomena, dsb menjadi tidak menempati suatu kedudukan atau tempat atau tidak ada di suatu tempat

• -는데 : 뒤의 말을 하기 위하여 그 대상과 관련이 있는 상황을 미리 말함을 나타내는 연결 어미.
  sebenarnya, nyatanya
  akhiran kalimat penyambung yang menyatakan mengatakan terlebih dahulu keadaan yang berhubungan sebelum mengatakan kalimat yang berhubungan

• 엄마 (nomina) : 격식을 갖추지 않아도 되는 상황에서 어머니를 이르거나 부르는 말.

mama

panggilan untuk menyebutkan ibu dalam situasi tidak resmi

• 는 : 어떤 대상이 다른 것과 대조됨을 나타내는 조사.

Tiada Penjelasan Arti

partikel yang menyatakan suatu subjek diperbandingkan dengan sesuatu yang lain

• 왜 (adverbia) : 무슨 이유로. 또는 어째서.

kenapa, mengapa

untuk alasan apa, atau bagaimana bisa

• 흰머리 (nomina) : 하얗게 된 머리카락.

uban

rambut yang menjadi putih

• 가 : 어떤 상태나 상황에 놓인 대상이나 동작의 주체를 나타내는 조사.

Tiada Penjelasan Arti

partikel yang menyatakan objek dari suatu keadaan atau kondisi atau pelaku dari suatu tindakan

• 있다 (adjektiva) : 무엇이 어떤 곳에 자리나 공간을 차지하고 존재하는 상태이다.

ada

sesuatu dalam keadaan berada dan ada di suatu tempat atau ruang

• -어 : (두루낮춤으로) 어떤 사실을 서술하거나 물음, 명령, 권유를 나타내는 종결 어미.

-kah, -lah

(dalam bentuk rendah) akhiran penutup untuk menyatakan suatu kenyataan atau menandai pertanyaan, perintah, dan ajakan

---

딸 : 흰머리+가 왜 생기+는지 <u>궁금하+여</u>.

궁금해

• 흰머리 (nomina) : 하얗게 된 머리카락.

uban

rambut yang menjadi putih

• 가 : 어떤 상태나 상황에 놓인 대상이나 동작의 주체를 나타내는 조사.

Tiada Penjelasan Arti

partikel yang menyatakan objek dari suatu keadaan atau kondisi atau pelaku dari suatu tindakan

• 왜 (adverbia) : 무슨 이유로. 또는 어째서.
kenapa, mengapa
untuk alasan apa, atau bagaimana bisa

• 생기다 (verba) : 없던 것이 새로 있게 되다.
muncul, timbul
sesuatu yang sebelumnya tidak ada menjadi ada dengan baru

• -는지 : 뒤에 오는 말의 내용에 대한 막연한 이유나 판단을 나타내는 연결 어미.
mungkin karena
kata penutup sambung yang menyatakan alasan atau penilaian yang samar tentang isi kalimat di belakang

• 궁금하다 (adjektiva) : 무엇이 무척 알고 싶다.
ingin tahu, melit
sangat ingin tahu sesuatu

• -여 : (두루낮춤으로) 어떤 사실을 서술하거나 물음, 명령, 권유를 나타내는 종결 어미.
-kah, -lah
(dalam bentuk rendah) akhiran penutup untuk menyatakan suatu kenyataan atau menandai pertanyaan, perintah, dan ajakan

---

엄마 : 우리 딸+이 엄마 말+을 안 듣(들)+어서 엄마+가 속+이 상하+거나
들어서

슬프(슬프)+어지+면 흰머리+가 한 개+씩 생기+더라고.
슬퍼지면

• 우리 (pronomina) : 말하는 사람이 자기보다 높지 않은 사람에게 자기와 관련된 것을 친근하게 나타낼 때 쓰는 말.
kita, kami
kata akrab untuk menyebutkan beberapa orang yang dekat dengan pembicara saat berbicara dengan lawan bicara yang tidak lebih tinggi posisinya dari pembicara

• 딸 (nomina) : 부모가 낳은 아이 중 여자. 여자인 자식.
anak perempuan
perempuan, anak perempuan di antara anak-anak yang lahir bagi orang tua, anak perempuan

- 이 : 어떤 상태나 상황의 대상이나 동작의 주체를 나타내는 조사.

  Tiada Penjelasan Arti

  partikel yang menyatakan objek dari suatu keadaan atau kondisi atau pelaku dari suatu tindakan

- 엄마 (nomina) : 격식을 갖추지 않아도 되는 상황에서 어머니를 이르거나 부르는 말.

  mama

  panggilan untuk menyebutkan ibu dalam situasi tidak resmi

- 말 (nomina) : 생각이나 느낌을 표현하고 전달하는 사람의 소리.

  perkataan, kata-kata

  bunyi atau suara manusia yang merupakan ungkapan perasaan atau pikiran

- 을 : 동작이 직접적으로 영향을 미치는 대상을 나타내는 조사.

  Tiada Penjelasan Arti

  partikel yang menyatakan objek dari suatu gerakan yang secara langsung memberikan pengaruh

- 안 (adverbia) : 부정이나 반대의 뜻을 나타내는 말.

  tidak

  kata yang menampilkan lawan arti atau negatif

- 듣다 (verba) : 다른 사람이 말하는 대로 따르다.

  mendengar, mengikuti, menuruti

  mengikuti apa yang dikatakan orang lain

- -어서 : 이유나 근거를 나타내는 연결 어미.

  lalu, kemudian, karena, dengan

  kata penutup sambung yang menyatakan alasan atau landasan

- 엄마 (nomina) : 격식을 갖추지 않아도 되는 상황에서 어머니를 이르거나 부르는 말.

  mama

  panggilan untuk menyebutkan ibu dalam situasi tidak resmi

- 가 : 어떤 상태나 상황에 놓인 대상이나 동작의 주체를 나타내는 조사.

  Tiada Penjelasan Arti

  partikel yang menyatakan objek dari suatu keadaan atau kondisi atau pelaku dari suatu tindakan

- 속 (nomina) : 품고 있는 마음이나 생각.

  hati, pikiran, perasaan

  hati atau pikiran yang dipendam

• 이 : 어떤 상태나 상황의 대상이나 동작의 주체를 나타내는 조사.

Tiada Penjelasan Arti

partikel yang menyatakan objek dari suatu keadaan atau kondisi atau pelaku dari suatu tindakan

• **상하다 (verba)** : 싫은 일을 당하여 기분이 안 좋아지거나 마음이 불편해지다.

tersinggung, terluka, sakit

suasana hati menjadi tidak baik atau perasaan menjadi tidak nyaman karena tertimpa hal tidak yang tidak disukai

• **-거나** : 앞에 오는 말과 뒤에 오는 말 중에서 하나가 선택될 수 있음을 나타내는 연결 어미.

atau

akhiran kalimat penghubung yang menyatakan salah satu dari yang di depan atau di belakang dapat dipilih

• **슬프다 (adjektiva)** : 눈물이 날 만큼 마음이 아프고 괴롭다.

sedih

hati sakit dan menderita sampai mengeluarkan air mata

• **-어지다** : 앞에 오는 말이 나타내는 대로 행동하게 되거나 그 상태로 됨을 나타내는 표현.

Tiada Penjelasan Arti

ungkapan yang menyatakan melakukan atau menjadi sesuai dengan perkataan depan

• **-면** : 뒤에 오는 말에 대한 근거나 조건이 됨을 나타내는 연결 어미.

kalau, seandainya, apabila

akhiran penghubung untuk menyatakan menjadi landasan atau syarat terhadap kalimat induk

• **흰머리 (nomina)** : 하얗게 된 머리카락.

uban

rambut yang menjadi putih

• **가** : 어떤 상태나 상황에 놓인 대상이나 동작의 주체를 나타내는 조사.

Tiada Penjelasan Arti

partikel yang menyatakan objek dari suatu keadaan atau kondisi atau pelaku dari suatu tindakan

• **한 (pewatas)** : 하나의.

satu

satu

• **개 (nomina)** : 낱으로 떨어진 물건을 세는 단위.

buah

satuan yang digunakan untuk menghitung benda secara satuan

• 씩 : '그 수량이나 크기로 나님'의 뜻을 더하는 접미사.
per, setiap
akhiran yang menambahkan arti "membagi sesuai jumlah atau besar tersebut"

• 생기다 (verba) : 없던 것이 새로 있게 되다.
muncul, timbul
sesuatu yang sebelumnya tidak ada menjadi ada dengan baru

• -더라고 : (두루낮춤으로) 과거에 경험하여 새로 알게 된 사실에 대해 지금 상대방에게 옮겨 전할 때 쓰는 표현.
nyatanya
(dalam bentuk rendah) ungkapan yang digunakan untuk menyampaikan fakta yang dialami dan baru diketahui di masal lampau

---

엄마 : 그러니까 앞+으로 엄마+가 하+는 말 잘 듣(들)+[어야 되]+어.
들어야 돼

• 그러니까 (adverbia) : 그런 이유로. 또는 그런 까닭에.
karena itu, maka dari itu
untuk alasan itu, atau atas dasar itu

• 앞 (nomina) : 다가올 시간.
masa depan, masa mendatang
waktu yang akan datang

• 으로 : 시간을 나타내는 조사.
ke, pada, menjadi
partikel yang menyatakan waktu

• 엄마 (nomina) : 격식을 갖추지 않아도 되는 상황에서 어머니를 이르거나 부르는 말.
mama
panggilan untuk menyebutkan ibu dalam situasi tidak resmi

• 가 : 어떤 상태나 상황에 놓인 대상이나 동작의 주체를 나타내는 조사.
Tiada Penjelasan Arti
partikel yang menyatakan objek dari suatu keadaan atau kondisi atau pelaku dari suatu tindakan

• 하다 (verba) : 어떤 행동이나 동작, 활동 등을 행하다.
melakukan, mengerjakan, menjalankan
melaksanakan suatu tindakan atau aksi, kegiatan, dsb

• –는 : 앞의 말이 관형어의 기능을 하게 만들고 사건이나 동작이 현재 일어남을 나타내는 어미.

yang

akhiran untuk membuat kata di depannya berfungsi sebagai pewatas dan menyatakan kejadian atau tindakan terjadi sekarang

• 말 (nomina) : 생각이나 느낌을 표현하고 전달하는 사람의 소리.

perkataan, kata-kata

bunyi atau suara manusia yang merupakan ungkapan perasaan atau pikiran

• 잘 (adverbia) : 관심을 집중해서 주의 깊게.

dengan teliti

dengan memusatkan perhatian

• 듣다 (verba) : 다른 사람이 말하는 대로 따르다.

mendengar, mengikuti, menuruti

mengikuti apa yang dikatakan orang lain

• –어야 되다 : 반드시 그럴 필요나 의무가 있음을 나타내는 표현.

harus~, wajib~

ungkapan yang menunjukkan keperluan atau kewajiban untuk harus melakukannya

• –어 : (두루낮춤으로) 어떤 사실을 서술하거나 물음, 명령, 권유를 나타내는 종결 어미.

-kah, -lah

(dalam bentuk rendah) akhiran penutup untuk menyatakan suatu kenyataan atau menandai pertanyaan, perintah, dan ajakan

---

딸+은 잠시 동안 생각+을 하+다가 엄마+에게 다시 묻(물)+었+다.
물었다

• 딸 (nomina) : 부모가 낳은 아이 중 여자. 여자인 자식.

anak perempuan

perempuan, anak perempuan di antara anak-anak yang lahir bagi orang tua, anak perempuan

• 은 : 문장 속에서 어떤 대상이 화제임을 나타내는 조사.

Tiada Penjelasan Arti

partikel yang menyatakan suatu objek menjadi topik di dalam kalimat

• 잠시 (nomina) : 잠깐 동안.

sebentar, sejenak, sesaat

selama waktu yang sebentar

• 동안 (nomina) : 한때에서 다른 때까지의 시간의 길이.
  selama
  panjang waktu sejak satu saat hingga saat yang lain

• 생각 (nomina) : 사람이 머리를 써서 판단하거나 인식하는 것.
  pikiran
  hal orang menggunakan otaknya lalu menilai atau mengenali

• 을 : 동작이 직접적으로 영향을 미치는 대상을 나타내는 조사.
  Tiada Penjelasan Arti
  partikel yang menyatakan objek dari suatu gerakan yang secara langsung memberikan pengaruh

• 하다 (verba) : 어떤 행동이나 동작, 활동 등을 행하다.
  melakukan, mengerjakan, menjalankan
  melaksanakan suatu tindakan atau aksi, kegiatan, dsb

• -다가 : 어떤 행동이나 상태 등이 중단되고 다른 행동이나 상태로 바뀜을 나타내는 연결 어미.
  lalu, kemudian
  akhiran penghubung untuk menyatakan bahwa suatu tindakan atau keadaan dsb terhenti dan diubah menjadi tindakan atau keadaan lain

• 엄마 (nomina) : 격식을 갖추지 않아도 되는 상황에서 어머니를 이르거나 부르는 말.
  mama
  panggilan untuk menyebutkan ibu dalam situasi tidak resmi

• 에게 : 어떤 행동이 미치는 대상임을 나타내는 조사.
  Tiada Penjelasan Arti
  partikel yang menyatakan sesuatu yang mendapat pengaruh dari sebuah tindakan

• 다시 (adverbia) : 같은 말이나 행동을 반복해서 또.
  lagi, kembali
  mengulang lagi kata atau tindakan yang sama

• 묻다 (verba) : 대답이나 설명을 요구하며 말하다.
  bertanya, menanyakan
  berbicara sambil menuntut jawaban atau penjelasan

• -었- : 사건이 과거에 일어났음을 나타내는 어미.
  sudah, telah, pernah
  akhiran kalimat yang menyatakan peristiwa terjadi di masa lampau

• -다 : 어떤 사건이나 사실, 상태를 서술함을 나타내는 종결 어미.
  Tiada Penjelasan Arti
  akhiran penutup untuk menyatakan suatu peristiwa, kenyataan, dan keadaan

> 딸 : 엄마, 외할머니 머리+는 전부 <u>하얀색+이+ㄴ데</u>?
> **하얀색인데**

- **엄마 (nomina)** : 격식을 갖추지 않아도 되는 상황에서 어머니를 이르거나 부르는 말.
  mama
  panggilan untuk menyebutkan ibu dalam situasi tidak resmi

- **외할머니 (nomina)** : 어머니의 친어머니를 이르거나 부르는 말.
  nenek
  panggilan untuk menyebutkan ibu kandung dari ibu

- **머리 (nomina)** : 머리에 난 털.
  rambut
  bulu yang tumbuh di kepala

- **는** : 문장 속에서 어떤 대상이 화제임을 나타내는 조사.
  Tiada Penjelasan Arti
  partikel yang menyatakan suatu objek menjadi topik di dalam kalimat

- **전부 (adverbia)** : 빠짐없이 다.
  semua, semuanya, seluruhnya
  semua

- **하얀색 (nomina)** : 눈이나 우유의 빛깔과 같이 밝고 선명한 흰색.
  warna putih
  warna putih terang dan jelas seperti warna salju atau susu

- **이다** : 주어가 지시하는 대상의 속성이나 부류를 지정하는 뜻을 나타내는 서술격 조사.
  adalah
  partikel kasus predikatif yang menyatakan maksud menentukan karakter atau jenis dari objek yang diindikasikan subjek

- **-ㄴ데** : (두루낮춤으로) 듣는 사람의 반응을 기대하며 어떤 일에 대해 감탄함을 나타내는 종결 어미.
  lo
  (dalam bentuk rendah) akhiran penutup untuk menyatakan seruan terhadap suatu peristiwa sambil mengharapkan tanggapan pendengar

< 14 단원(bagian) >

제목 : 혹시 그 여자가 이 아이였습니까?

● 본문 (tulisan utama)

한 택시 기사가 젊은 여자 손님을 태우게 되었다.

그 여자는 집으로 가는 내내 창백한 얼굴로 멍하니 창밖을 바라보고 있었다.

이윽고 택시는 여자의 집에 도착했다.

여자 : 기사님, 잠시만 기다려 주세요.

　　　집에 들어가서 택시비 금방 가지고 나올게요.

하지만 한참을 기다려도 여자가 돌아오지 않자 화가 난 택시 기사는 그 집 문을 두드렸고, 잠시 후 안에서 중년의 남자가 나왔다.

택시 기사가 자초지종을 얘기하자 남자는 깜짝 놀라며 안으로 들어갔다가 사진 한 장을 들고 나와 택시 기사한테 물었다.

남자 : 혹시 그 여자가 이 아이였습니까?

택시 기사 : 네, 맞아요.

남자 : 아이고, 오늘이 네 제삿날인 줄 알고 왔구나.

흐느끼는 남자의 모습을 본 택시 기사는 순간 무서웠는지 그냥 도망가 버렸다.

그때 여자가 나오며 하는 말.

여자 : 아빠, 나 잘했지?

남자 : 오냐, 다음부터는 모범택시를 타도록 해라.

● 발음 (pelafalan)

한 택시 기사가 젊은 여자 손님을 태우게 되었다.
한 택씨 기사가 절믄 여자 손니믈 태우게 되얻따.
han taeksi gisaga jeolmeun yeoja sonnimeul taeuge doeeotda.

그 여자는 집으로 가는 내내 창백한 얼굴로 멍하니 창밖을 바라보고 있었다.
그 여자는 지브로 가는 내내 창배칸 얼굴로 멍하니 창바끌 바라보고 이썯따.
geu yeojaneun jibeuro ganeun naenae changbaekan eolgullo meonghani changbakkeul
barabogo isseotda.

이윽고 택시는 여자의 집에 도착했다.
이윽꼬 택씨는 여자에 지베 도차캗따.
ieukgo taeksineun yeojaui(yeojae) jibe dochakaetda.

여자 : 기사님, 잠시만 기다려 주세요.
여자 : 기사님, 잠시만 기다려 주세요.
yeoja : gisanim, jamsiman gidaryeo juseyo.

집에 들어가서 택시비 금방 가지고 나올게요.
지베 드러가서 택씨비 금방 가지고 나올께요.
jibe deureogaseo taeksibi geumbang gajigo naolgeyo.

하지만 한참을 기다려도 여자가 돌아오지 않자 화가 난 택시 기사는 그 집 문을 두드렸고, 잠시 후
하지만 한차믈 기다려도 여자가 도라오지 안차 화가 난 택씨 기사는 그 집 무늘 두드렫꼬, 잠시 후
hajiman hanchameul gidaryeodo yeojaga doraoji ancha hwaga nan taeksi gisaneun geu jip
muneul dudeuryeotgo, jamsi hu

안에서 중년의 남자가 나왔다.
아네서 중녀네 남자가 나왇따.
aneseo jungnyeonui(jungnyeone) namjaga nawatda.

택시 기사가 자초지종을 얘기하자 남자는 깜짝 놀라며 안으로 들어갔다가 사진 한 장을 들고 나와
택씨 기사가 자초지종을 얘기하자 남자는 깜짝 놀라며 아느로 드러갇따가 사진 한 장을 들고 나와
taeksi gisaga jachojijongeul yaegihaja namjaneun kkamjjak nollamyeo aneuro deureogatdaga
sajin han jangeul deulgo nawa

택시 기사한테 물었다.
택씨 기사한테 무럳따.
taeksi gisahante mureotda.

남자 : 혹시 그 여자가 이 아이였습니까?
남자 : 혹씨 그 여자가 이 아이열씀니까?
namja : hoksi geu yeojaga i aiyeotseumnikka?

택시 기사 : 네, 맞아요.
택씨 기사 : 네, 마자요.
taeksi gisa : ne, majayo.

남자 : 아이고, 오늘이 네 제삿날인 줄 알고 왔구나.
남자 : 아이고, 오느리 네 제산나린 줄 알고 왇꾸나.
namja : aigo, oneuri ne jesannarin jul algo watguna.

흐느끼는 남자의 모습을 본 택시 기사는 순간 무서웠는지 그냥 도망가 버렸다.
흐느끼는 남자에 모스블 본 택씨 기사는 순간 무서원는지 그냥 도망가 버렫따.
heuneukkineun namjaui(namjae) moseubeul bon taeksi gisaneun sungan museowonneunji geunyang domangga beoryeotda.

그때 여자가 나오며 하는 말.
그때 여자가 나오며 하는 말.
geuttae yeojaga naomyeo haneun mal.

여자 : 아빠, 나 잘했지?
여자 : 아빠, 나 잘핻찌?
yeoja : appa, na jalhaetji?

남자 : 오냐, 다음부터는 모범택시를 타도록 해라.
남자 : 오냐, 다음부터는 모범택씨를 타도록 해라.
namja : onya, daeumbuteoneun mobeomtaeksireul tadorok haera.

● 어휘 (kosa kata) / 문법 (pelajaran tata bahasa)

한 택시 기사+가 젊+은 여자 손님+을 태우+<u>게 되</u>+었+다.

그 여자+는 집+으로 가+는 내내 창백하+ㄴ 얼굴+로 멍하니 창밖+을 바라보+<u>고 있</u>+었+다.

이윽고 택시+는 여자+의 집+에 도착하+였+다.

여자 : 기사+님, 잠시+만 기다리+<u>어 주</u>+세요.

　　　　집+에 들어가+(아)서 택시+비 금방 가지+고 나오+ㄹ게요.

하지만 한참+을 기다리+어도 여자+가 돌아오+<u>지 않</u>+자 화+가 나+ㄴ 택시 기사+는 그 집 문+을

두드리+었+고, 잠시 후 안+에서 중년+의 남자+가 나오+았+다.

택시 기사+가 자초지종+을 얘기하+자 남자+는 깜짝 놀라+며 안+으로 들어가+았+다가 사진 한 장+을

들+고 나오+아 택시 기사+한테 묻(물)+었+다.

남자 : 혹시 그 여자+가 이 아이+이+었+습니까?

택시 기사 : 네, 맞+아요.

남자 : 아이고, 오늘+이 너+의 제삿날+이+<u>ㄴ 줄</u> 알+고 오+았+구나.

흐느끼+는 남자+의 모습+을 보+ㄴ 택시 기사+는 순간 무섭(무서우)+었+는지 그냥 도망가+<u>(아) 버리</u>+었+다.

그때 여자+가 나오+며 하+는 말.

여자 : 아빠, 나 잘하+였+지?

남자 : 오냐, 다음+부터+는 모범택시+를 타+<u>도록 하</u>+여라.

한 택시 기사+가 젊+은 여자 손님+을 태우+[게 되]+었+다.

- **한 (pewatas)** : 여럿 중 하나인 어떤.
  satu
  suatu

- **택시 (nomina)** : 돈을 받고 손님이 원하는 곳까지 태워 주는 일을 하는 승용차.
  taksi
  kendaraan umum yang mengantar tamu hingga ke tempat yang dituju dengan menerima sejumlah uang sesuai yang tertera dalam argo

- **기사 (nomina)** : 직업적으로 자동차나 기계 등을 운전하는 사람.
  supir, pengendara, pengemudi
  orang yang mengendarai mobil, mesin, dsb secara langsung

- **가** : 어떤 상태나 상황에 놓인 대상이나 동작의 주체를 나타내는 조사.
  Tiada Penjelasan Arti
  partikel yang menyatakan subjek sebuah keadaan atau situasi atau pelaku utama sebuah tindakan

- **젊다 (adjektiva)** : 나이가 한창때에 있다.
  muda
  usianya berada di masa puncak

- **-은** : 앞의 말이 관형어의 기능을 하게 만들고 현재의 상태를 나타내는 어미.
  yang
  akhiran yang membuat kata di depannya berfungsi sebagai kata pewatas, dan menyatakan keadaan saat ini

- **여자 (nomina)** : 여성으로 태어난 사람.
  perempuan, wanita
  orang yang lahir sebagai wanita

- **손님 (nomina)** : 버스나 택시 등과 같은 교통수단을 이용하는 사람.
  pengguna
  orang yang menggunakan alat transportasi, seperti bus atau taksi dsb

- **을** : 동작이 직접적으로 영향을 미치는 대상을 나타내는 조사.
  Tiada Penjelasan Arti
  partikel yang menyatakan objek dari suatu gerakan yang secara langsung memberikan pengaruh

• 태우다 (verba) : 차나 배와 같은 탈것이나 짐승의 등에 타게 하다.
  menaiki
  membuat orang naik ke angkutan seperti mobil atau kapal atau hewan

• -게 되다 : 앞의 말이 나타내는 상태나 상황이 됨을 나타내는 표현.
  menjadi
  ungkapan yang menyatakan keadaan atau situasi yang disebutkan dalam kalimat di depan terwujud, atau menyatakan terwujud dalam keadaan demikian

• -었- : 어떤 사건이 과거에 완료되었거나 그 사건의 결과가 현재까지 지속되는 상황을 나타내는 어미.
  sudah, pasti, yakin
  akhiran kalimat yang menyatakan sebuah peristiwa sudah selesai di masa lampau atau menyatakan keadaan di mana hasil peristiwa tersebut terus berlangsung hingga sekarang

• -다 : 어떤 사건이나 사실, 상태를 서술함을 나타내는 종결 어미.
  Tiada Penjelasan Arti
  akhiran penutup untuk menyatakan suatu peristiwa, kenyataan, dan keadaan

> 그 여자+는 집+으로 가+는 내내 창백하+ㄴ 얼굴+로 멍하니 창밖+을 바라보+[고 있]+었+다.
> 창백한

• 그 (pewatas) : 앞에서 이미 이야기한 대상을 가리킬 때 쓰는 말.
  itu
  kata yang digunakan saat menunjuk sesuatu yang sudah diceritakan di depan

• 여자 (nomina) : 여성으로 태어난 사람.
  perempuan, wanita
  orang yang lahir sebagai wanita

• 는 : 문장 속에서 어떤 대상이 화제임을 나타내는 조사.
  Tiada Penjelasan Arti
  partikel yang menyatakan suatu subjek dalam kalimat menjadi bahan pembicaraan

• 집 (nomina) : 사람이나 동물이 추위나 더위 등을 막고 그 속에 들어 살기 위해 지은 건물.
  rumah, tempat tinggal
  bangunan untuk orang atau hewan untuk menahan dingin atau panas dsb dan untuk ditinggali di dalamnya

• 으로 : 움직임의 방향을 나타내는 조사.
  ke
  partikel yang menyatakan arah gerakan

· **가다 (verba)** : 한 곳에서 다른 곳으로 장소를 이동하다.

　pergi

　bergerak dari satu tempat ke tempat lain

· **-는** : 앞의 말이 관형어의 기능을 하게 만들고 사건이나 동작이 현재 일어남을 나타내는 어미.

　yang

　akhiran untuk membuat kata di depannya berfungsi sebagai pewatas dan menyatakan kejadian atau tindakan terjadi sekarang

· **내내 (adverbia)** : 처음부터 끝까지 계속해서.

　terus-menerus, terus-terusan, tiada putusnya, tiada hentinya, bersinambungan

　terus-menerus sejak awal sampai akhir

· **창백하다 (adjektiva)** : 얼굴이나 피부가 푸른빛이 돌 만큼 핏기 없이 하얗다.

　pucat, pasi

　wajah atau kulit putih pucat sampai seperti warna batu

· **-ㄴ** : 앞의 말이 관형어의 기능을 하게 만들고 현재의 상태를 나타내는 어미.

　yang

　akhiran yang membuat kata di depannya berfungsi sebagai kata pewatas, dan menyatakan keadaan saat ini

· **얼굴 (nomina)** : 어떠한 심리 상태가 겉으로 드러난 표정.

　raut wajah, raut muka, air muka

　ekspresi wajah yang tampak ke luar karena pengaruh mental atau perasaan tertentu

· **로** : 어떤 일의 방법이나 방식을 나타내는 조사.

　dengan

　partikel yang menyatakan cara atau tata cara suatu pekerjaan

· **멍하니 (adverbia)** : 정신이 나간 것처럼 가만히.

　dengan termengu, dengan bengong

　dengan diam seperti kehilangan kesadaran

· **창밖 (nomina)** : 창문의 밖.

　luar jendela

　luar dari jendela

· **을** : 동작이 직접적으로 영향을 미치는 대상을 나타내는 조사.

　Tiada Penjelasan Arti

　partikel yang menyatakan objek dari suatu gerakan yang secara langsung memberikan pengaruh

• 바라보다 (verba) : 바로 향해 보다.
  menatap, memandang, menghadap
  menghadap dan melihat tepat

• -고 있다 : 앞의 말이 나타내는 행동이 계속 진행됨을 나타내는 표현.
  sedang
  ungkapan yang menyatakan bahwa tindakan yang disebutkan dalam kalimat di depan terus berjalan

• -었- : 어떤 사건이 과거에 완료되었거나 그 사건의 결과가 현재까지 지속되는 상황을 나타내는 어미.
  sudah, pasti, yakin
  akhiran kalimat yang menyatakan sebuah peristiwa sudah selesai di masa lampau atau menyatakan keadaan di mana hasil peristiwa tersebut terus berlangsung hingga sekarang

• -다 : 어떤 사건이나 사실, 상태를 서술함을 나타내는 종결 어미.
  Tiada Penjelasan Arti
  akhiran penutup untuk menyatakan suatu peristiwa, kenyataan, dan keadaan

---

이윽고 택시+는 여자+의 집+에 <u>도착하+였+다</u>.
                          도착했다

• 이윽고 (adverbia) : 시간이 얼마쯤 흐른 뒤에 드디어.
  Tiada Penjelasan Arti
  setelah beberapa saat, tidak lama setelah itu

• 택시 (nomina) : 돈을 받고 손님이 원하는 곳까지 태워 주는 일을 하는 승용차.
  taksi
  kendaraan umum yang mengantar tamu hingga ke tempat yang dituju dengan menerima sejumlah uang sesuai yang tertera dalam argo

• 는 : 문장 속에서 어떤 대상이 화제임을 나타내는 조사.
  Tiada Penjelasan Arti
  partikel yang menyatakan suatu subjek dalam kalimat menjadi bahan pembicaraan

• 여자 (nomina) : 여성으로 태어난 사람.
  perempuan, wanita
  orang yang lahir sebagai wanita

• 의 : 앞의 말이 뒤의 말에 대하여 소유, 소속, 소재, 관계, 기원, 주체의 관계를 가짐을 나타내는 조사.
  dari, milik
  partikel yang menyatakan perkataan di depan memiliki hubungan kepemilikian, bagian tempat diri bekerja, bahan, hubungan, asal, topik dengan perkataan di belakang

• 집 (nomina) : 사람이나 동물이 추위나 더위 등을 막고 그 속에 들어 살기 위해 지은 건물.
rumah, tempat tinggal
bangunan untuk orang atau hewan untuk menahan dingin atau panas dsb dan untuk ditinggali di dalamnya

• 에 : 앞말이 목적지이거나 어떤 행위의 진행 방향임을 나타내는 조사.
ke
partikel yang menyatakan kalimat di depan adalah tempat tujuan atau arah jalannya tindakan

• 도착하다 (verba) : 목적지에 다다르다.
tiba, sampai
mencapai tempat yang dituju

• -였- : 어떤 사건이 과거에 완료되었거나 그 사건의 결과가 현재까지 지속되는 상황을 나타내는 어미.
sudah, pasti, yakin
akhiran kalimat yang menyatakan sebuah peristiwa sudah selesai di masa lampau atau menyatakan keadaan di mana hasil peristiwa tersebut terus berlangsung hingga sekarang

• -다 : 어떤 사건이나 사실, 상태를 서술함을 나타내는 종결 어미.
Tiada Penjelasan Arti
akhiran penutup untuk menyatakan suatu peristiwa, kenyataan, dan keadaan

---

여자 : 기사+님, 잠시+만 기다리+[어 주]+세요.
기다려 주세요

• 기사 (nomina) : 직업적으로 자동차나 기계 등을 운전하는 사람.
supir, pengendara, pengemudi
orang yang mengendarai mobil, mesin, dsb secara langsung

• 님 : '높임'의 뜻을 더하는 접미사.
bapak, ibu
akhiran yang menambahkan arti "meninggikan"

• 잠시 (adverbia) : 잠깐 동안에.
sebentar
dalam waktu yang pendek

• 만 : 무엇을 강조하는 뜻을 나타내는 조사.
Tiada Penjelasan Arti
partikel yang menyatakan arti menekankan sesuatu

• **기다리다 (verba)** : 사람, 때가 오거나 어떤 일이 이루어질 때까지 시간을 보내다.
tunggu, menunggu
melewatkan waktu sampai seseorang atau sesuatu datang atau terwujud

• **-어 주다** : 남을 위해 앞의 말이 나타내는 행동을 함을 나타내는 표현.
membantu, menolong
ungkapan yang menyatakan melakukan tindakan yang disebutkan dalam kalimat di depan untuk orang lain

• **-세요** : (두루높임으로) 설명, 의문, 명령, 요청의 뜻을 나타내는 종결 어미.
apakah, silakan
(dalam bentuk hormat) akhiran kalimat penutup yang menyatakan arti penjelasan, pertanyaan, perintah, permintaan, dsb

---

여자 : 집+에 <u>들어가</u>+(아)서 택시+비 금방 가지+고 <u>나오</u>+ㄹ게요.
들어가서   나올게요

• **집 (nomina)** : 사람이나 동물이 추위나 더위 등을 막고 그 속에 들어 살기 위해 지은 건물.
rumah, tempat tinggal
bangunan untuk orang atau hewan untuk menahan dingin atau panas dsb dan untuk ditinggali di dalamnya

• **에** : 앞말이 목적지이거나 어떤 행위의 진행 방향임을 나타내는 조사.
ke
partikel yang menyatakan kalimat di depan adalah tempat tujuan atau arah jalannya tindakan

• **들어가다 (verba)** : 밖에서 안으로 향하여 가다.
masuk
pergi mengarah ke dalam dari luar

• **-아서** : 앞의 말과 뒤의 말이 순차적으로 일어남을 나타내는 연결 어미.
lalu, kemudian
kata penutup sambung yang menyatakan kalimat di depan dan kalimat di belakang muncul secara berurutan

• **택시 (nomina)** : 돈을 받고 손님이 원하는 곳까지 태워 주는 일을 하는 승용차.
taksi
kendaraan umum yang mengantar tamu hingga ke tempat yang dituju dengan menerima sejumlah uang sesuai yang tertera dalam argo

• 비 : '비용', '돈'의 뜻을 더하는 접미사.
ongkos, tarif, biaya, uang
akhiran yang menambahkan arti "biaya" atau "uang"

• 금방 (adverbia) : 시간이 얼마 지나지 않아 곧바로.
segera, langsung
sekarang

• 가지다 (verba) : 무엇을 손에 쥐거나 몸에 지니다.
memiliki, ada
membuat sesuatu ada di tangan atau tubuh dsb

• -고 : 앞의 말과 뒤의 말이 차례대로 일어남을 나타내는 연결 어미.
lalu
akhiran penghubung yang menyatakan bahwa kalimat di depan dan di belakang muncul secara berturut-turut

• 나오다 (verba) : 안에서 밖으로 오다.
keluar
datang dari dalam keluar

• -ㄹ게요 : (두루높임으로) 말하는 사람이 어떤 행동을 할 것을 듣는 사람에게 약속하거나 의지를 나타내는 표현.
saya akan~, saya mau
(dalam bentuk hormat) ungkapan yang menunjukkan hal orang yang berbicara berjanji atau memberitahukan akan melakukan suatu tindakan kepada orang yang mendengar

---

하지만 한참+을 <u>기다리+어도</u> 여자+가 돌아오+[지 않]+자 화+가 <u>나+ㄴ</u> 택시 기사+는 그 집 문+을
　　　　　　　기다려도　　　　　　　　　　　　　　**난**

<u>두드리+었+고</u>, 잠시 후 안+에서 중년+의 남자+가 <u>나오+았+다</u>.
두드렸고　　　　　　　　　　　　　**나왔다**

• 하지만 (adverbia) : 내용이 서로 반대인 두 개의 문장을 이어 줄 때 쓰는 말.
tetapi
kata yang digunakan untuk menyambung dua kalimat yang isinya saling bertentangan

• 한참 (nomina) : 시간이 꽤 지나는 동안.
sekian lama
selama waktu yang telah berlalu

- 을 : 동작 대상의 수량이나 동작의 순서를 나타내는 조사.
  Tiada Penjelasan Arti
  partikel yang menyatakan kuantitas atau urutan proses suatu objek

- **기다리다** (verba) : 사람, 때가 오거나 어떤 일이 이루어질 때까지 시간을 보내다.
  tunggu, menunggu
  melewatkan waktu sampai seseorang atau sesuatu datang atau terwujud

- -어도 : 앞에 오는 말을 가정하거나 인정하지만 뒤에 오는 말에는 관계가 없거나 영향을 끼치지 않음을
  나타내는 연결 어미.
  walaupun, meskipun, biarpun, kendatipun
  akhiran penghubung untuk menyatakan bahwa tidak berhubungan atau tidak berpengaruh
  pada isi kalimat induk walaupun mengandaikan atau mengakui isi anak kalimat

- **여자** (nomina) : 여성으로 태어난 사람.
  perempuan, wanita
  orang yang lahir sebagai wanita

- 가 : 어떤 상태나 상황에 놓인 대상이나 동작의 주체를 나타내는 조사.
  Tiada Penjelasan Arti
  partikel yang menyatakan subjek sebuah keadaan atau situasi atau pelaku utama sebuah
  tindakan

- **돌아오다** (verba) : 원래 있던 곳으로 다시 오거나 다시 그 상태가 되다.
  kembali, pulang
  sesuatu datang kembali ke tempat semula atau menjadi ke situasi semula

- -지 않다 : 앞의 말이 나타내는 행위나 상태를 부정하는 뜻을 나타내는 표현.
  tidak
  ungkapan yang menyatakan arti menidakkan tindakan atau keadaan dalam kalimat yang
  disebutkan di depan

- -자 : 앞에 오는 말이 뒤에 오는 말의 원인이나 동기가 됨을 나타내는 연결 어미.
  karena, sebab
  akhiran penghubung untuk menyatakan isi di anak kalimat menjadi penyebab atau alasan isi
  kalimat induk

- **화** (nomina) : 몹시 못마땅하거나 노여워하는 감정.
  marah, gusar, berang
  prasan sangat tidak berkenan di hati atau marah

- 가 : 어떤 상태나 상황에 놓인 대상이나 동작의 주체를 나타내는 조사.
  Tiada Penjelasan Arti
  partikel yang menyatakan subjek sebuah keadaan atau situasi atau pelaku utama sebuah
  tindakan

· **나다 (verba)** : 어떤 감정이나 느낌이 생기다.

　muncul, timbul

　munculnya suatu emosi atau perasaan

· **-ㄴ** : 앞의 말이 관형어의 기능을 하게 만들고 사건이나 동작이 완료되어 그 상태가 유지되고 있음을 나타내는 어미.

　yang

　akhiran yang membuat kata di depannya berfungsi sebagai kata pewatas, dan menyatakan bahwa tindakan atau peristiwa sudah selesai dan menahan keadaan itu

· **택시 (nomina)** : 돈을 받고 손님이 원하는 곳까지 태워 주는 일을 하는 승용차.

　taksi

　kendaraan umum yang mengantar tamu hingga ke tempat yang dituju dengan menerima sejumlah uang sesuai yang tertera dalam argo

· **기사 (nomina)** : 직업적으로 자동차나 기계 등을 운전하는 사람.

　supir, pengendara, pengemudi

　orang yang mengendarai mobil, mesin, dsb secara langsung

· **는** : 문장 속에서 어떤 대상이 화제임을 나타내는 조사.

　Tiada Penjelasan Arti

　partikel yang menyatakan suatu subjek dalam kalimat menjadi bahan pembicaraan

· **그 (pewatas)** : 앞에서 이미 이야기한 대상을 가리킬 때 쓰는 말.

　itu

　kata yang digunakan saat menunjuk sesuatu yang sudah diceritakan di depan

· **집 (nomina)** : 사람이나 동물이 추위나 더위 등을 막고 그 속에 들어 살기 위해 지은 건물.

　rumah, tempat tinggal

　bangunan untuk orang atau hewan untuk menahan dingin atau panas dsb dan untuk ditinggali di dalamnya

· **문 (nomina)** : 사람이 안과 밖을 드나들거나 물건을 넣고 꺼낼 수 있게 하기 위해 열고 닫을 수 있도록 만든 시설.

　pintu

　fasilitas atau alat yang dapat dibuka tutup yang dibuat agar orang dapat keluar masuk atau memasukkan dan mengeluarkan sesuatu

· **을** : 동작이 직접적으로 영향을 미치는 대상을 나타내는 조사.

　Tiada Penjelasan Arti

　partikel yang menyatakan objek dari suatu gerakan yang secara langsung memberikan pengaruh

·두드리다 (verba) : 소리가 나도록 잇따라 치거나 때리다.
 memukul-mukul
 memukul atau meninju sesuatu terus-menerus agar timbul suara

·-었- : 어떤 사건이 과거에 완료되었거나 그 사건의 결과가 현재까지 지속되는 상황을 나타내는 어미.
 sudah, pasti, yakin
 akhiran kalimat yang menyatakan sebuah peristiwa sudah selesai di masa lampau atau menyatakan keadaan di mana hasil peristiwa tersebut terus berlangsung hingga sekarang

·-고 : 앞의 말과 뒤의 말이 차례대로 일어남을 나타내는 연결 어미.
 lalu
 akhiran penghubung yang menyatakan bahwa kalimat di depan dan di belakang muncul secara berturut-turut

·잠시 (nomina) : 잠깐 동안.
 sebentar, sejenak, sesaat
 selama waktu yang sebentar

·후 (nomina) : 얼마만큼 시간이 지나간 다음.
 setelah, sesudah
 setelah beberapa waktu berlalu

·안 (nomina) : 어떤 물체나 공간의 둘레에서 가운데로 향한 쪽. 또는 그러한 부분.
 dalam
 bagian yang mengarah ke tengah dalam lingkar suatu benda atau ruang, atau bagian yang demikian

·에서 : 앞말이 출발점의 뜻을 나타내는 조사.
 Tiada Penjelasan Arti
 partikel yang menyatakan arti kata di depannya adalah titik berangkat atau asal

·중년 (nomina) : 마흔 살 전후의 나이. 또는 그 나이의 사람.
 paruh baya
 usia sekitar empat puluhan, atau untuk menyebut orang yang berusia demikian

·의 : 앞의 말이 뒤의 말에 대하여 속성이나 수량을 한정하거나 같은 자격임을 나타내는 조사.
 dari
 perkataan yang menyatakan perkataan di depan membatasi karakter atau kuantitas atau kualifikasi yang sama dengan perkataan yang ada di belakang

·남자 (nomina) : 남성으로 태어난 사람.
 laki-laki
 orang yang dilahirkan dengan jenis kelamin laki-laki

• 가 : 어떤 상태나 상황에 놓인 대상이나 동작의 주체를 나타내는 조사.
  Tiada Penjelasan Arti
  partikel yang menyatakan subjek sebuah keadaan atau situasi atau pelaku utama sebuah tindakan

• **나오다 (verba)** : 안에서 밖으로 오다.
  keluar
  datang dari dalam keluar

• -았- : 어떤 사건이 과거에 완료되었거나 그 사건의 결과가 현재까지 지속되는 상황을 나타내는 어미.
  sudah, pasti, yakin
  akhiran kalimat yang menyatakan sebuah peristiwa sudah selesai di masa lampau atau menyatakan keadaan di mana hasil peristiwa tersebut terus berlangsung hingga sekarang

• -다 : 어떤 사건이나 사실, 상태를 서술함을 나타내는 종결 어미.
  Tiada Penjelasan Arti
  akhiran penutup untuk menyatakan suatu peristiwa, kenyataan, dan keadaan

---

택시 기사+가 자초지종+을 얘기하+자 남자+는 깜짝 놀라+며 안+으로 <u>들어가</u>+았+<u>다가</u> 사진 한 장+을
                                                                              들어갔다가

들+고 <u>나오</u>+아 택시 기사+한테 <u>묻(물)</u>+었+다.
      나와   **물었다**

• **택시 (nomina)** : 돈을 받고 손님이 원하는 곳까지 태워 주는 일을 하는 승용차.
  taksi
  kendaraan umum yang mengantar tamu hingga ke tempat yang dituju dengan menerima sejumlah uang sesuai yang tertera dalam argo

• **기사 (nomina)** : 직업적으로 자동차나 기계 등을 운전하는 사람.
  supir, pengendara, pengemudi
  orang yang mengendarai mobil, mesin, dsb secara langsung

• 가 : 어떤 상태나 상황에 놓인 대상이나 동작의 주체를 나타내는 조사.
  Tiada Penjelasan Arti
  partikel yang menyatakan subjek sebuah keadaan atau situasi atau pelaku utama sebuah tindakan

• **자초지종 (nomina)** : 처음부터 끝까지의 모든 과정.
  cerita lengkap, keseluruhan proses, keseluruhan alur
  seluruh proses hal/peristiwa/cerita dsb dari awal hingga akhir

• 을 : 동작이 직접적으로 영향을 미치는 대상을 나타내는 조사.
Tiada Penjelasan Arti
partikel yang menyatakan objek dari suatu gerakan yang secara langsung memberikan pengaruh

• 얘기하다 (verba) : 어떠한 사실이나 상태, 현상, 경험, 생각 등에 관해 누군가에게 말을 하다.
menceritakan, mengatakan
berbicara kepada seseorang mengenai suatu fakta, keadaan, fenomena, pengalaman, ide, dsb

• -자 : 앞에 오는 말이 뒤에 오는 말의 원인이나 동기가 됨을 나타내는 연결 어미.
karena, sebab
akhiran penghubung untuk menyatakan isi di anak kalimat menjadi penyebab atau alasan isi kalimat induk

• 남자 (nomina) : 남성으로 태어난 사람.
laki-laki
orang yang dilahirkan dengan jenis kelamin laki-laki

• 는 : 문장 속에서 어떤 대상이 화제임을 나타내는 조사.
Tiada Penjelasan Arti
partikel yang menyatakan suatu subjek dalam kalimat menjadi bahan pembicaraan

• 깜짝 (adverbia) : 갑자기 놀라는 모양.
Tiada Penjelasan Arti
bentuk tiba-tiba terkejut

• 놀라다 (verba) : 뜻밖의 일을 당하거나 무서워서 순간적으로 긴장하거나 가슴이 뛰다.
terkejut, kaget, terperanjat
sejenak tegang atau jantung berdegup karena takut atau menghadapi hal yang di luar dugaan

• -며 : 두 가지 이상의 동작이나 상태가 함께 일어남을 나타내는 연결 어미.
sambil, seraya
kata penutup sambung yang menyatakan dua atau lebih tindakan atau keadaan muncul bersamaan

• 안 (nomina) : 어떤 물체나 공간의 둘레에서 가운데로 향한 쪽. 또는 그러한 부분.
dalam
bagian yang mengarah ke tengah dalam lingkar suatu benda atau ruang, atau bagian yang demikian

• 으로 : 움직임의 방향을 나타내는 조사.
ke
partikel yang menyatakan arah gerakan

• **들어가다** (verba) : 밖에서 안으로 향하여 가다.
  masuk
  pergi mengarah ke dalam dari luar

• **-았-** : 어떤 사건이 과거에 완료되었거나 그 사건의 결과가 현재까지 지속되는 상황을 나타내는 어미.
  sudah, pasti, yakin
  akhiran kalimat yang menyatakan sebuah peristiwa sudah selesai di masa lampau atau menyatakan keadaan di mana hasil peristiwa tersebut terus berlangsung hingga sekarang

• **-다가** : 어떤 행동이나 상태 등이 중단되고 다른 행동이나 상태로 바뀜을 나타내는 연결 어미.
  lalu, kemudian
  akhiran penghubung untuk menyatakan bahwa suatu tindakan atau keadaan dsb terhenti dan diubah menjadi tindakan atau keadaan lain

• **사진** (nomina) : 사물의 모습을 오래 보존할 수 있도록 사진기로 찍어 종이나 컴퓨터 등에 나타낸 영상.
  foto
  gambar pada kertas, layar komputer, dsb, yang diambil dengan kamera untuk mengabadikan rupa suatu obyek

• **한** (pewatas) : 하나의.
  satu
  satu

• **장** (nomina) : 종이나 유리와 같이 얇고 넓적한 물건을 세는 단위.
  lembar, helai, carik
  satuan yang digunakan untuk menghitung benda yang tipis dan lebar seperti kertas atau kaca

• **을** : 동작이 직접적으로 영향을 미치는 대상을 나타내는 조사.
  Tiada Penjelasan Arti
  partikel yang menyatakan objek dari suatu gerakan yang secara langsung memberikan pengaruh

• **들다** (verba) : 손에 가지다.
  membawa, memegang
  digenggam di tangan, dikaitkan di lengan

• **-고** : 앞의 말이 나타내는 행동이나 그 결과가 뒤에 오는 행동이 일어나는 동안에 그대로 지속됨을 나타내는 연결 어미.
  dan, dengan, sambil
  akhiran penghubung yang menyatakan bahwa tindakan atau hasil di kalimat depan terus berjalan selama tindakan di kalimat belakang terjadi.

• 나오다 (verba) : 안에서 밖으로 오다.
  keluar
  datang dari dalam keluar

• -아 : 앞의 말이 뒤의 말보다 먼저 일어났거나 뒤의 말에 대한 방법이나 수단이 됨을 나타내는 연결 어
        미.
  setelah, sesudah, selepas, lalu
  akhiran penghubung untuk menyatakan bahwa anak kalimat terjadi lebih dahulu daripada
  kalimat induk atau menjadi cara atau alat terhadap kalimat induk

• 택시 (nomina) : 돈을 받고 손님이 원하는 곳까지 태워 주는 일을 하는 승용차.
  taksi
  kendaraan umum yang mengantar tamu hingga ke tempat yang dituju dengan menerima
  sejumlah uang sesuai yang tertera dalam argo

• 기사 (nomina) : 직업적으로 자동차나 기계 등을 운전하는 사람.
  supir, pengendara, pengemudi
  orang yang mengendarai mobil, mesin, dsb secara langsung

• 한테 : 어떤 행동이 미치는 대상임을 나타내는 조사.
  Tiada Penjelasan Arti
  partikel yang menyatakan sesuatu yang mendapat pengaruh dari sebuah tindakan

• 묻다 (verba) : 대답이나 설명을 요구하며 말하다.
  bertanya, menanyakan
  berbicara sambil menuntut jawaban atau penjelasan

• -었- : 어떤 사건이 과거에 완료되었거나 그 사건의 결과가 현재까지 지속되는 상황을 나타내는 어미.
  sudah, pasti, yakin
  akhiran kalimat yang menyatakan sebuah peristiwa sudah selesai di masa lampau atau
  menyatakan keadaan di mana hasil peristiwa tersebut terus berlangsung hingga sekarang

• -다 : 어떤 사건이나 사실, 상태를 서술함을 나타내는 종결 어미.
  Tiada Penjelasan Arti
  akhiran penutup untuk menyatakan suatu peristiwa, kenyataan, dan keadaan

---

남자 : 혹시 그 여자+가 이 <u>아이+이+었+습니까</u>?
             아이였습니까

• 혹시 (adverbia) : 그러리라 생각하지만 분명하지 않아 말하기를 망설일 때 쓰는 말.
apakah mungkin
kata yang digunakan ketika ragu-ragu untuk berbicara karena tidak pasti meskipun berpikir demikian

• 그 (pewatas) : 앞에서 이미 이야기한 대상을 가리킬 때 쓰는 말.
itu
kata yang digunakan saat menunjuk sesuatu yang sudah diceritakan di depan

• 여자 (nomina) : 여성으로 태어난 사람.
perempuan, wanita
orang yang lahir sebagai wanita

• 가 : 어떤 상태나 상황에 놓인 대상이나 동작의 주체를 나타내는 조사.
Tiada Penjelasan Arti
partikel yang menyatakan subjek sebuah keadaan atau situasi atau pelaku utama sebuah tindakan

• 이 (pewatas) : 말하는 사람에게 가까이 있거나 말하는 사람이 생각하고 있는 대상을 가리킬 때 쓰는 말.
ini, si ini
kata yang digunakan saat menunjuk target yang berada di dekat atau yang dipikirkan si pembicara

• 아이 (nomina) : (낮추는 말로) 자기의 자식.
anak
(dalam sebutan rendah) anak sendiri

• 이다 : 주어가 지시하는 대상의 속성이나 부류를 지정하는 뜻을 나타내는 서술격 조사.
adalah
partikel kasus predikatif yang menyatakan maksud menentukan karakter atau jenis dari objek yang diindikasikan subjek

• -었- : 어떤 사건이 과거에 완료되었거나 그 사건의 결과가 현재까지 지속되는 상황을 나타내는 어미.
sudah, pasti, yakin
akhiran kalimat yang menyatakan sebuah peristiwa sudah selesai di masa lampau atau menyatakan keadaan di mana hasil peristiwa tersebut terus berlangsung hingga sekarang

• -습니까 : (아주높임으로) 말하는 사람이 듣는 사람에게 정중하게 물음을 나타내는 종결 어미.
Apakah ~?
(dalam bentuk sangat hormat) akhiran kalimat penutup yang menyatakan bahwa pembicara bertanya dengan sopan kepada pendengar

---

택시 기사 : 네, 맞+아요.

• 네 (interjeksi) : 윗사람의 물음이나 명령 등에 긍정하여 대답할 때 쓰는 말.
ya
kata yang digunakan untuk memberikan jawaban positif, setuju terhadap pertanyaan, perintah orang yang lebih tua umurnya, atau lebih tinggi posisinya

• 맞다 (verba) : 그렇거나 옳다.
benar, betul
benar

• -아요 : (두루높임으로) 어떤 사실을 서술하거나 질문, 명령, 권유함을 나타내는 종결 어미.
cobalah, sebenarnya, apa
(dalam bentuk hormat) kata penutup final yang mengungkapkan suatu kenyataan atau menyatakan pertanyaan, perintah, atau ajakan

---

남자 : 아이고, 오늘+이 너+의 제삿날+이+[ㄴ 줄] 알+고 오+았+구나!
　　　　　　　네　　　　제삿날인 줄　　　　　왔구나

• 아이고 (interjeksi) : 절망하거나 매우 속상하여 한숨을 쉬면서 내는 소리.
ya ampun, ya tuhan, alamak, aduh, yah
suara yang dikeluarkan sambil menghembuskan nafas karena putus asa atau sangat sedih

• 오늘 (nomina) : 지금 지나가고 있는 이날.
hari ini
hari ini yang sekarang sedang dilalui sekarang

• 이 : 어떤 상태나 상황에 놓인 대상이나 동작의 주체를 나타내는 조사.
Tiada Penjelasan Arti
partikel yang menyatakan subjek sebuah keadaan atau situasi atau pelaku utama sebuah tindakan

• 너 (pronomina) : 듣는 사람이 친구나 아랫사람일 때, 그 사람을 가리키는 말.
kamu
kata untuk menunjuk lawan bicara yang merupakan teman atau orang yang lebih muda

• 의 : 앞의 말이 뒤의 말에 대하여 소유, 소속, 소재, 관계, 기원, 주체의 관계를 가짐을 나타내는 조사.
dari, milik
partikel yang menyatakan perkataan di depan memiliki hubungan kepemilikian, bagian tempat diri bekerja, bahan, hubungan, asal, topik dengan perkataan di belakang

- **제삿날 (nomina)** : 제사를 지내는 날.
  hari persembahan
  hari ketika melaksanakan jesa (upacara persembahan untuk nenek moyang)

- **이다** : 주어가 지시하는 대상의 속성이나 부류를 지정하는 뜻을 나타내는 서술격 조사.
  adalah
  partikel kasus predikatif yang menyatakan maksud menentukan karakter atau jenis dari objek yang diindikasikan subjek

- **-ㄴ 줄** : 어떤 사실이나 상태에 대해 알고 있거나 모르고 있음을 나타내는 표현.
  bahwa
  ungkapan untuk menyatakan mengetahui atau tidak mengetahui suatu kenyataan atau keadaan

- **알다 (verba)** : 교육이나 경험, 생각 등을 통해 사물이나 상황에 대한 정보 또는 지식을 갖추다.
  tahu, mengetahui
  memiliki pengetahuan tentang benda atau keadaan melalui pendidikan atau pengalaman, pemikiran, dsb

- **-고** : 앞의 말이 나타내는 행동이나 그 결과가 뒤에 오는 행동이 일어나는 동안에 그대로 지속됨을 나타내는 연결 어미.
  dan, dengan, sambil
  akhiran penghubung yang menyatakan bahwa tindakan atau hasil di kalimat depan terus berjalan selama tindakan di kalimat belakang terjadi.

- **오다 (verba)** : 무엇이 다른 곳에서 이곳으로 움직이다.
  datang,kemari, ke sini
  sesuatu bergerak dari tempat lain ke sini

- **-았-** : 어떤 사건이 과거에 완료되었거나 그 사건의 결과가 현재까지 지속되는 상황을 나타내는 어미.
  sudah, pasti, yakin
  akhiran kalimat yang menyatakan sebuah peristiwa sudah selesai di masa lampau atau menyatakan keadaan di mana hasil peristiwa tersebut terus berlangsung hingga sekarang

- **-구나** : (아주낮춤으로) 새롭게 알게 된 사실에 어떤 느낌을 실어 말함을 나타내는 종결 어미.
  ternyata
  (dalam bentuk sangat rendah) kata penutup final yang menyatakan hal terkejut karena baru meyakini atau menyadari suatu fakta

---

흐느끼+는 남자+의 모습+을 보+ㄴ 택시 기사+는 순간 무섭(무서우)+었+는지 그냥
　　　　　　　　　　　　　본　　　　　　　　　　　무서웠는지

도망가+[(아) 버리]+었+다.
　도망가 버렸다

• **흐느끼다 (verba)** : 몹시 슬프거나 감격에 겨워 흑흑 소리를 내며 울다.

  terisak-isak, tersedu-sedu

  sangat sedih atau sangat tersentuh sehingga menangis dengan terisak-isak

• **-는** : 앞의 말이 관형어의 기능을 하게 만들고 사건이나 동작이 현재 일어남을 나타내는 어미.

  yang

  akhiran untuk membuat kata di depannya berfungsi sebagai pewatas dan menyatakan kejadian atau tindakan terjadi sekarang

• **남자 (nomina)** : 남성으로 태어난 사람.

  laki-laki

  orang yang dilahirkan dengan jenis kelamin laki-laki

• **의** : 앞의 말이 뒤의 말에 대하여 소유, 소속, 소재, 관계, 기원, 주체의 관계를 가짐을 나타내는 조사.

  dari, milik

  partikel yang menyatakan perkataan di depan memiliki hubungan kepemilikian, bagian tempat diri bekerja, bahan, hubungan, asal, topik dengan perkataan di belakang

• **모습 (nomina)** : 겉으로 드러난 상태나 모양.

  rupa, penampilan, sosok

  kondisi atau bentuk yang tampak ke luar

• **을** : 동작이 직접적으로 영향을 미치는 대상을 나타내는 조사.

  Tiada Penjelasan Arti

  partikel yang menyatakan objek dari suatu gerakan yang secara langsung memberikan pengaruh

• **보다 (verba)** : 눈으로 대상의 존재나 겉모습을 알다.

  melihat

  mengetahui keberadaan atau penampilan sesuatu dengan mata

• **-ㄴ** : 앞의 말이 관형어의 기능을 하게 만들고 사건이나 동작이 완료되어 그 상태가 유지되고 있음을 나타내는 어미.

  yang

  akhiran yang membuat kata di depannya berfungsi sebagai kata pewatas, dan menyatakan bahwa tindakan atau peristiwa sudah selesai dan menahan keadaan itu

• **택시 (nomina)** : 돈을 받고 손님이 원하는 곳까지 태워 주는 일을 하는 승용차.

  taksi

  kendaraan umum yang mengantar tamu hingga ke tempat yang dituju dengan menerima sejumlah uang sesuai yang tertera dalam argo

• **기사 (nomina)** : 직업적으로 자동차나 기계 등을 운전하는 사람.

  supir, pengendara, pengemudi

  orang yang mengendarai mobil, mesin, dsb secara langsung

• 는 : 문장 속에서 어떤 대상이 화제임을 나타내는 조사.
  Tiada Penjelasan Arti
  partikel yang menyatakan suatu subjek dalam kalimat menjadi bahan pembicaraan

• 순간 (nomina) : 어떤 일이 일어나거나 어떤 행동이 이루어지는 바로 그때.
  saat, ketika, masa
  saat sebuah peristiwa terjadi atau sebuah tindakan berlangsung

• 무섭다 (adjektiva) : 어떤 사람이나 상황이 대하기 어렵거나 피하고 싶다.
  menakutkan
  sulit menghadapi atau ingin menghindari seseorang atau sebuah keadaan

• -었- : 어떤 사건이 과거에 완료되었거나 그 사건의 결과가 현재까지 지속되는 상황을 나타내는 어미.
  sudah, pasti, yakin
  akhiran kalimat yang menyatakan sebuah peristiwa sudah selesai di masa lampau atau
  menyatakan keadaan di mana hasil peristiwa tersebut terus berlangsung hingga sekarang

• -는지 : 뒤에 오는 말의 내용에 대한 막연한 이유나 판단을 나타내는 연결 어미.
  mungkin karena
  kata penutup sambung yang menyatakan alasan atau penilaian yang samar tentang isi
  kalimat di belakang

• 그냥 (adverbia) : 아무 것도 하지 않고 있는 그대로.
  begitu saja
  tanpa melakukan apa pun, dengan begitu saja

• 도망가다 (verba) : 피하거나 쫓기어 달아나다.
  melarikan diri
  kabur agar tidak tertangkap

• -아 버리다 : 앞의 말이 나타내는 행동이 완전히 끝났음을 나타내는 표현.
  sudah, telah
  ungkapan yang menyatakan bahwa tindakan dalam kalimat yang disebutkan di depan
  benar-benar selesai

• -었- : 어떤 사건이 과거에 완료되었거나 그 사건의 결과가 현재까지 지속되는 상황을 나타내는 어미.
  sudah, pasti, yakin
  akhiran kalimat yang menyatakan sebuah peristiwa sudah selesai di masa lampau atau
  menyatakan keadaan di mana hasil peristiwa tersebut terus berlangsung hingga sekarang

• -다 : 어떤 사건이나 사실, 상태를 서술함을 나타내는 종결 어미.
  Tiada Penjelasan Arti
  akhiran penutup untuk menyatakan suatu peristiwa, kenyataan, dan keadaan

---

그때 여자+가 나오+며 하+는 말.

• **그때** (nomina) : 앞에서 이야기한 어떤 때.
  waktu itu, saat itu
  suatu waktu yang telah disebut sebelumnya

• **여자** (nomina) : 여성으로 태어난 사람.
  perempuan, wanita
  orang yang lahir sebagai wanita

• **가** : 어떤 상태나 상황에 놓인 대상이나 동작의 주체를 나타내는 조사.
  Tiada Penjelasan Arti
  partikel yang menyatakan subjek sebuah keadaan atau situasi atau pelaku utama sebuah tindakan

• **나오다** (verba) : 안에서 밖으로 오다.
  keluar
  datang dari dalam keluar

• **-며** : 두 가지 이상의 동작이나 상태가 함께 일어남을 나타내는 연결 어미.
  sambil, seraya
  kata penutup sambung yang menyatakan dua atau lebih tindakan atau keadaan muncul bersamaan

• **하다** (verba) : 다른 사람의 말이나 생각 등을 나타내는 문장을 받아 뒤에 오는 단어를 꾸미는 말.
  Tiada Penjelasan Arti
  kata untuk membentuk kata yang datang di belakang setelah mendapat kalimat yang menunjukkan perkataan atau pikiran dsb dari orang lain

• **-는** : 앞의 말이 관형어의 기능을 하게 만들고 사건이나 동작이 현재 일어남을 나타내는 어미.
  yang
  akhiran untuk membuat kata di depannya berfungsi sebagai pewatas dan menyatakan kejadian atau tindakan terjadi sekarang

• **말** (nomina) : 생각이나 느낌을 표현하고 전달하는 사람의 소리.
  perkataan, kata-kata
  bunyi atau suara manusia yang merupakan ungkapan perasaan atau pikiran

---

여자 : 아빠, 나 잘하+였+지?
　　　　　잘했지

• **아빠** (nomina) : 격식을 갖추지 않아도 되는 상황에서 아버지를 이르거나 부르는 말.

  ayah, bapak

  panggilan untuk menyebutkan ayah di situasi tidak resmi

• **나** (pronomina) : 말하는 사람이 친구나 아랫사람에게 자기를 가리키는 말.

  aku

  kata yang digunakan orang yang berbicara untuk menunjuk dirinya sendiri kepada teman atau orang yang berada di bawahnya

• **잘하다** (verba) : 좋고 훌륭하게 하다.

  pintar, pandai, cerdas

  melakukan dengan baik dan hebat

• **-였-** : 어떤 사건이 과거에 완료되었거나 그 사건의 결과가 현재까지 지속되는 상황을 나타내는 어미.

  sudah, pasti, yakin

  akhiran kalimat yang menyatakan sebuah peristiwa sudah selesai di masa lampau atau menyatakan keadaan di mana hasil peristiwa tersebut terus berlangsung hingga sekarang

• **-지** : (두루낮춤으로) 말하는 사람이 듣는 사람에게 친근함을 나타내며 물을 때 쓰는 종결 어미.

  sih?

  (dalam bentuk rendah) kata penutup final yang digunakan saat pembicara bertanya sambil menunjukkan kedekatan kepada pendengar

---

> 남자 : 오냐, 다음+부터+는 모범택시+를 타+[도록 하]+여라.
>
> **타도록 해라**

• **오냐** (interjeksi) : 아랫사람의 물음이나 부탁에 긍정하여 대답할 때 하는 말.

  iya, ya

  kata untuk mengakui dan menjawab pertanyaan atau permintaan orang yang lebih muda

• **다음** (nomina) : 이번 차례의 바로 뒤.

  berikut, berikutnya

  tepat berikutnya setelah urutan pada kali ini

• **부터** : 어떤 일의 시작이나 처음을 나타내는 조사.

  Tiada Penjelasan Arti

  partikel yang menyatakan awal atau mula sebuah peristiwa

• **는** : 문장 속에서 어떤 대상이 화제임을 나타내는 조사.

  Tiada Penjelasan Arti

  partikel yang menyatakan suatu subjek dalam kalimat menjadi bahan pembicaraan

• **모범택시 (nomina)** : 일반 택시보다 시설이 좋고 더 나은 서비스를 제공하며 요금이 비싼 택시.

   taksi silver bird, taksi hitam

   taksi yang berfasilitas lebih baik dari taksi umum, memberikan pelayanan yang lebih baik dan bertarif mahal

• **를** : 동작이 직접적으로 영향을 미치는 대상을 나타내는 조사.

   Tiada Penjelasan Arti

   partikel yang menyatakan objek dari suatu gerakan yang secara langsung memberikan pengaruh

• **타다 (verba)** : 탈것이나 탈것으로 이용하는 짐승의 몸 위에 오르다

   naik

   menaiki sesuatu yang dikendarai, atau tubuh binatang

• **-도록 하다** : 듣는 사람에게 어떤 행동을 명령하거나 권유할 때 쓰는 표현.

   silakan, mari, -lah

   ungkapan untuk menyuruh atau menyarankan orang yang mendengar untuk melakukan suatu tindakan

• **-여라** : (아주낮춤으로) 명령을 나타내는 종결 어미.

   alangkah

   (dalam bentuk sangat rendah) kata penutup final yang menyatakan perintah

< 15 단원(bagian) >

제목 : 왜 아무런 응답이 없으신가요?

● 본문 (tulisan utama)

한 남자가 퇴근한 후에 매일 교회에 가서 눈물을 흘리며 기도를 했다.

남자 : 하나님, 복권에 당첨되게 해 주세요.

　　　　하나님, 제발 복권에 한 번만 당첨되게 해 주세요.

그렇게 기도한 지 육 개월이 되었지만 남자의 소원은 이뤄지지 않았다.

남자는 너무나 지쳐서 하나님이 원망스러워지기 시작했다.

남자 : 이렇게까지 기도하는데 못 들은 척하시는 무심한 하나님, 정말 너무하세요.

　　　　제가 매일 밤 애원하며 기도했는데 왜 아무런 응답이 없으신가요?

그러자 보다 못해 답답한 하나님께서 남자에게 이렇게 말씀하셨다.

하나님 : 일단 복권을 사란 말이야.

● 발음 (pelafalan)

한 남자가 퇴근한 후에 매일 교회에 가서 눈물을 흘리며 기도를 했다.
한 남자가 퇴근한 후에 매일 교회에 가서 눈무를 흘리며 기도를 핻따.
han namjaga toegeunhan hue maeil gyohoee gaseo nunmureul heullimyeo gidoreul haetda.

남자 : 하나님, 복권에 당첨되게 해 주세요.
남자 : 하나님, 복꿘네 당첨되게 해 주세요.
namja : hananim, bokgwone dangcheomdoege hae juseyo.

하나님, 제발 복권에 한 번만 당첨되게 해 주세요.
하나님, 제발 복꿘네 한 번만 당첨되게 해 주세요.
hananim, jebal bokgwone han beonman dangcheomdoege hae juseyo.

그렇게 기도한 지 육 개월이 되었지만 남자의 소원은 이뤄지지 않았다.
그러케 기도한 지 육 개워리 되얻찌만 남자에 소워는 이뤄지지 아낟따.
geureoke gidohan ji yuk gaewori doeeotjiman namjaui(namjauie) sowoneun irwojiji anatda.

남자는 너무나 지쳐서 하나님이 원망스러워지기 시작했다.
남자는 너무나 지쳐서 하나니미 원망스러워지기 시자캗따.
namjaneun neomuna jicheoseo hananimi wonmangseureowojigi sijakaetda.

남자 : 이렇게까지 기도하는데 못 들은 척하시는 무심한 하나님, 정말 너무하세요.
남자 : 이러케까지 기도하는데 몯 드른 처카시는 무심한 하나님, 정말 너무하세요.
namja : ireokekkaji gidohaneunde mot deureun cheokasineun musimhan hananim, jeongmal neomuhaseyo.

제가 매일 밤 애원하며 기도했는데 왜 아무런 응답이 없으신가요?
제가 매일 밤 애원하며 기도핸는데 왜 아무런 응다비 업쓰신가요?
jega maeil bam aewonhamyeo gidohaenneunde wae amureon eungdabi eopseusingayo?

그러자 보다 못해 답답한 하나님께서 남자에게 이렇게 말씀하셨다.
그러자 보다 모태 답따판 하나님께서 남자에게 이러케 말씀하셛따.
geureoja boda motae dapdapan hananimkkeseo namjaege ireoke malsseumhasyeotda.

하나님 : 일단 복권을 사란 말이야.

하나님 : 일딴 복꿔늘 사란 마리야.

hananim : ildan bokgwoneul saran mariya.

● 어휘 (kosa kata) / 문법 (pelajaran tata bahasa)

한 남자+가 퇴근하+<u>ㄴ 후에</u> 매일 교회+에 가+(아)서 눈물+을 흘리+며 기도+를 하+였+다.

남자 : 하나님, 복권+에 당첨되+<u>게 하</u>+<u>여 주</u>+세요.

      하나님, 제발 복권+에 한 번+만 당첨되+<u>게 하</u>+<u>여 주</u>+세요.

그렇+게 기도하+<u>ㄴ 지</u> 육 개월+이 되+었+지만 남자+의 소원+은 이루어지+<u>지 않</u>+았+다.

남자+는 너무나 지치+어서 하나님+이 원망스럽(원망스러우)+어지+기 시작하+였+다.

남자 : 이렇+게+까지 기도하+는데 못 듣(들)+<u>은 척하</u>+시+는 무심하+ㄴ 하나님,

      정말 너무하+세요.

      제+가 매일 밤 애원하+며 기도하+였+는데 왜 아무런 응답+이 없+으시+ㄴ가요?

그리하+자 보+<u>다 못하</u>+여 답답하+ㄴ 하나님+께서 남자+에게 이렇+게 말씀하+시+었+다.

하나님 : 일단 복권+을 사+라는 말+이+야.

한 남자+가 <u>퇴근하</u>+[ㄴ 후에] 매일 교회+에 <u>가</u>+(아)서 눈물+을 흘리+며 기도+를 <u>하</u>+였+다.
퇴근한 후에　　　　　　　　가서　　　　　　　　　　했다

• **한 (pewatas)** : 여럿 중 하나인 어떤.
satu
suatu

• **남자 (nomina)** : 남성으로 태어난 사람.
laki-laki
orang yang dilahirkan dengan jenis kelamin laki-laki

• **가** : 어떤 상태나 상황에 놓인 대상이나 동작의 주체를 나타내는 조사.
Tiada Penjelasan Arti
partikel yang menyatakan subjek sebuah keadaan atau situasi atau pelaku utama sebuah tindakan

• **퇴근하다 (verba)** : 일터에서 일을 끝내고 집으로 돌아가거나 돌아오다.
pulang kerja
kembali atau datang ke rumah setelah menyelesaikan pekerjaan di tempat kerja

• **-ㄴ 후에** : 앞에 오는 말이 나타내는 행동을 하고 시간적으로 뒤에 다른 행동을 함을 나타내는 표현.
sesudah, setelah, seusai, sehabis
ungkapan untuk menyatakan melakukan tindakan lain setelah melakukan suatu tindakan dalam perkataan depan

• **매일 (adverbia)** : 하루하루마다 빠짐없이.
setiap hari
tiap-tiap hari tanpa ada yang terlewat

• **교회 (nomina)** : 예수 그리스도를 구세주로 믿고 따르는 사람들의 공동체. 또는 그런 사람들이 모여 종교 활동을 하는 장소.
gereja
komunitas orang-orang yang mempercayai dan mengikuti Yesus Kristus sebagai Juru Selamat, atau tempat yang demikian

• **에** : 앞말이 목적지이거나 어떤 행위의 진행 방향임을 나타내는 조사.
ke
partikel yang menyatakan kalimat di depan adalah tempat tujuan atau arah jalannya tindakan

• **가다 (verba)** : 한 곳에서 다른 곳으로 장소를 이동하다.
pergi
bergerak dari satu tempat ke tempat lain

- -아서 : 앞의 말과 뒤의 말이 순차적으로 일어남을 나타내는 연결 어미.

  lalu, kemudian

  kata penutup sambung yang menyatakan kalimat di depan dan kalimat di belakang muncul secara berurutan

- 눈물 (nomina) : 사람이나 동물의 눈에서 흘러나오는 맑은 액체.

  air mata

  cairan bening yang mengalir ke luar dari mata manusia atau hewan

- 을 : 동작이 직접적으로 영향을 미치는 대상을 나타내는 조사.

  Tiada Penjelasan Arti

  partikel yang menyatakan objek dari suatu gerakan yang secara langsung memberikan pengaruh

- 흘리다 (verba) : 몸에서 땀, 눈물, 콧물, 피, 침 등의 액체를 밖으로 내다.

  mengeluarkan, mengalirkan

  mengeluarkan keringat, air mata, ingus, darah, ludah, dsb dari tubuh ke luar

- -며 : 두 가지 이상의 동작이나 상태가 함께 일어남을 나타내는 연결 어미.

  sambil, seraya

  kata penutup sambung yang menyatakan dua atau lebih tindakan atau keadaan muncul bersamaan

- 기도 (nomina) : 바라는 바가 이루어지도록 절대적 존재 혹은 신앙의 대상에게 비는 것.

  doa

  hal memohon kepada suatu yang dipercaya atau eksistensi tertentu untuk mewujudkan sesuatu yang diharapkan

- 를 : 동작이 직접적으로 영향을 미치는 대상을 나타내는 조사.

  Tiada Penjelasan Arti

  partikel yang menyatakan objek dari suatu gerakan yang secara langsung memberikan pengaruh

- 하다 (verba) : 어떤 행동이나 동작, 활동 등을 행하다.

  melakukan, mengerjakan, menjalankan

  melaksanakan suatu tindakan atau aksi, kegiatan, dsb

- -였- : 어떤 사건이 과거에 완료되었거나 그 사건의 결과가 현재까지 지속되는 상황을 나타내는 어미.

  sudah, telah, pernah

  akhiran kalimat yang menyatakan sebuah peristiwa sudah selesai di masa lampau atau menyatakan keadaan di mana hasil peristiwa tersebut terus berlangsung hingga sekarang

- -다 : 어떤 사건이나 사실, 상태를 서술함을 나타내는 종결 어미.

  Tiada Penjelasan Arti

  akhiran penutup untuk menyatakan suatu peristiwa, kenyataan, dan keadaan

---

남자 : 하나님, 복권+에 <u>당첨되</u>+[게 하]+[여 주]+세요.
당첨되게 해 주세요

• **하나님 (nomina)** : 기독교에서 믿는 신을 개신교에서 부르는 이름.
  Tuhan
  nama panggilan untuk dewa dalam agama kristen protestan

• **복권 (nomina)** : 적혀 있는 숫자나 기호가 추첨한 것과 일치하면 상금이나 상품을 받을 수 있게 만든
  표.
  lotre, undian
  tabel yang dibuat agar bisa menerima uang tunai atau produk apabila nomor atau simbol
  yang tertulis di dalamnya sesuai dengan yang diundikan

• **에** : 앞말이 어떤 행위나 작용이 미치는 대상임을 나타내는 조사.
  ke, kepada, pada
  partikel yang menyatakan kalimat di depan adalah objek dari efek suatu tindakan
  berpengaruh

• **당첨되다 (verba)** : 여럿 가운데 어느 하나를 골라잡는 추첨에서 뽑히다.
  menang undian, terpilih
  terpilih dalam undian

• **-게 하다** : 다른 사람의 어떤 행동을 허용하거나 허락함을 나타내는 표현.
  mengizinkan, membiarkan
  ungkapan untuk membiarkan atau mengizinkan sebuah tindakan yang dilakukan orang lain

• **-여 주다** : 남을 위해 앞의 말이 나타내는 행동을 함을 나타내는 표현.
  memberi
  ungkapan yang menyatakan melakukan tindakan yang disebutkan dalam kalimat di depan
  untuk orang lain

• **-세요** : (두루높임으로) 설명, 의문, 명령, 요청의 뜻을 나타내는 종결 어미.
  apakah, silakan
  (dalam bentuk hormat) akhiran kalimat penutup yang menyatakan arti penjelasan,
  pertanyaan, perintah, permintaan, dsb

남자 : 하나님, 제발 복권+에 한 번+만 <u>당첨되</u>+[게 하]+[여 주]+세요.
당첨되게 해 주세요

• **하나님** (nomina) : 기독교에서 믿는 신을 개신교에서 부르는 이름.
  Tuhan
  nama panggilan untuk dewa dalam agama kristen protestan

• **제발** (adverbia) : 간절히 부탁하는데.
  mohon
  memohon dengan sepenuh hati

• **복권** (nomina) : 적혀 있는 숫자나 기호가 추첨한 것과 일치하면 상금이나 상품을 받을 수 있게 만든
  표.
  lotre, undian
  tabel yang dibuat agar bisa menerima uang tunai atau produk apabila nomor atau simbol
  yang tertulis di dalamnya sesuai dengan yang diundikan

• **에** : 앞말이 어떤 행위나 작용이 미치는 대상임을 나타내는 조사.
  ke, kepada, pada
  partikel yang menyatakan kalimat di depan adalah objek dari efek suatu tindakan
  berpengaruh

• **한** (pewatas) : 하나의.
  satu
  satu

• **번** (nomina) : 일의 횟수를 세는 단위.
  kali
  kata untuk menunjukkan banyaknya jumlah berulangnya suatu hal

• **만** : 다른 것은 제외하고 어느 것을 한정함을 나타내는 조사.
  hanya
  partikel yang menyatakan membatasi sesuatu di luar sesuatu yang lain

• **당첨되다** (verba) : 여럿 가운데 어느 하나를 골라잡는 추첨에서 뽑히다.
  menang undian, terpilih
  terpilih dalam undian

• **-게 하다** : 다른 사람의 어떤 행동을 허용하거나 허락함을 나타내는 표현.
  mengizinkan, membiarkan
  ungkapan untuk membiarkan atau mengizinkan sebuah tindakan yang dilakukan orang lain

• **-여 주다** : 남을 위해 앞의 말이 나타내는 행동을 함을 나타내는 표현.
  memberi
  ungkapan yang menyatakan melakukan tindakan yang disebutkan dalam kalimat di depan
  untuk orang lain

• -세요 : (두루높임으로) 설명, 의문, 명령, 요청의 뜻을 나타내는 종결 어미.

apakah, silakan

(dalam bentuk hormat) akhiran kalimat penutup yang menyatakan arti penjelasan, pertanyaan, perintah, permintaan, dsb

---

그러하+게 기도하+[ㄴ 지] 육 개월+이 되+었+지만 남자+의 소원+은 이루어지+[지 않]+았+다.
　　　　　　기도한 지　　　　　　　　　　　　　　　　　　이뤄지지 않았다

• 그렇다 (adjektiva) : 상태, 모양, 성질 등이 그와 같다.

begitu, seperti itu

keadaan, bentuk, karakter, dsb sama dengan isi kalimat di depan atau di belakang

• -게 : 앞의 말이 뒤에서 가리키는 일의 목적이나 결과, 방식, 정도 등이 됨을 나타내는 연결 어미.

dengan

kata penutup sambung yang menyatakan isi kalimat di depan dibutuhkan sementara kalimat di belakang terus dilanjutkan(formal, kedudukan penerima sangat rendah)

• 기도하다 (verba) : 바라는 바가 이루어지도록 절대적 존재 혹은 신앙의 대상에게 빌다.

berdoa, memohon

memohon kepada keberadaan atau objek yang secara mutlak dituhankan atau didewakan agar apa yang diharapkan terkabul

• -ㄴ 지 : 앞의 말이 나타내는 행동을 한 후 시간이 얼마나 지났는지를 나타내는 표현.

sejak~, sudah~, sudah sejak~

ungkapan yang menyatakan hal berapa lamakah berlalu setelah suatu tindakan yang dilakukan diperlihatkan di perkataan di depan

• 육 (pewatas) : 여섯의.

enam

angka yang berjumlah enam

• 개월 (nomina) : 달을 세는 단위.

bulan

satuan untuk menghitung banyaknya bulan

• 이 : 바뀌게 되는 대상이나 부정하는 대상임을 나타내는 조사.

Tiada Penjelasan Arti

partikel yang menyatakan pelengkap yang menjadi berubah, atau yang dianggap negatif

• 되다 (verba) : 어떤 때나 시기, 상태에 이르다.

menjadi

menjadi suatu waktu, masa, atau keadaan

• -었- : 어떤 사건이 과거에 완료되었거나 그 사건의 결과가 현재까지 지속되는 상황을 나타내는 어미.

sudah, telah, pernah

akhiran kalimat yang menyatakan sebuah peristiwa sudah selesai di masa lampau atau menyatakan keadaan di mana hasil peristiwa tersebut terus berlangsung hingga sekarang

• -지만 : 앞에 오는 말을 인정하면서 그와 반대되거나 다른 사실을 덧붙일 때 쓰는 연결 어미.

tetapi, namun, melainkan

akhiran penghubung untuk menambahkan kenyataan yang berlawanan atau berbeda sambil mengakui isi anak kalimat.

• 남자 (nomina) : 남성으로 태어난 사람.

laki-laki

orang yang dilahirkan dengan jenis kelamin laki-laki

• 의 : 앞의 말이 뒤의 말에 대하여 소유, 소속, 소재, 관계, 기원, 주체의 관계를 가짐을 나타내는 조사.

dari, milik

partikel yang menyatakan perkataan di depan memiliki hubungan kepemilikian, bagian tempat diri bekerja, bahan, hubungan, asal, topik dengan perkataan di belakang

• 소원 (nomina) : 어떤 일이 이루어지기를 바람. 또는 바라는 그 일.

harapan, keinginan

hal menginginkan sesuatu terjadi, atau sesuatu yang diinginkan tersebut

• 은 : 문장 속에서 어떤 대상이 화제임을 나타내는 조사.

Tiada Penjelasan Arti

partikel yang menyatakan suatu objek menjadi topik di dalam kalimat

• 이루어지다 (verba) : 원하거나 뜻하는 대로 되다.

terjadi, diwujudkan, terwujud

sesuatu terwujud sesuai dengan yang diinginkan atau dimaksudkan

• -지 않다 : 앞의 말이 나타내는 행위나 상태를 부정하는 뜻을 나타내는 표현.

tidak

ungkapan yang menyatakan arti menidakkan tindakan atau keadaan dalam kalimat yang disebutkan di depan

• -았- : 어떤 사건이 과거에 완료되었거나 그 사건의 결과가 현재까지 지속되는 상황을 나타내는 어미.

sudah, telah, pernah

akhiran kalimat yang menyatakan sebuah peristiwa sudah selesai di masa lampau atau menyatakan keadaan di mana hasil peristiwa tersebut terus berlangsung hingga sekarang

• -다 : 어떤 사건이나 사실, 상태를 서술함을 나타내는 종결 어미.

Tiada Penjelasan Arti

akhiran penutup untuk menyatakan suatu peristiwa, kenyataan, dan keadaan

---

남자+는 너무나 <u>지치+어서</u> 하나님+이 <u>원망스럽(원망스러우)+어지+기</u> <u>시작하+였+다</u>.
　　　　　　　지쳐서　　　　　　　　**원망스러워지기**　　　　　　**시작했다**

- **남자 (nomina)** : 남성으로 태어난 사람.
  laki-laki
  orang yang dilahirkan dengan jenis kelamin laki-laki

- **는** : 문장 속에서 어떤 대상이 화제임을 나타내는 조사.
  Tiada Penjelasan Arti
  partikel yang menyatakan suatu objek menjadi topik di dalam kalimat

- **너무나 (adverbia)** : (강조하는 말로) 너무.
  terlalu, berlebihan
  (dalam sebutan menegaskan) terlalu

- **지치다 (verba)** : 힘든 일을 하거나 어떤 일에 시달려서 힘이 없다.
  melelahkan
  tidak ada kekuatan karena melakukan pekerjaan melelahkan atau terganggu oleh suatu hal

- **-어서** : 이유나 근거를 나타내는 연결 어미.
  lalu, kemudian, karena, dengan
  kata penutup sambung yang menyatakan alasan atau landasan

- **하나님 (nomina)** : 기독교에서 믿는 신을 개신교에서 부르는 이름.
  Tuhan
  nama panggilan untuk dewa dalam agama kristen protestan

- **이** : 어떤 상태나 상황의 대상이나 동작의 주체를 나타내는 조사.
  Tiada Penjelasan Arti
  partikel yang menyatakan subjek sebuah keadaan atau situasi atau pelaku utama sebuah tindakan

- **원망스럽다 (adjektiva)** : 마음에 들지 않아서 탓하거나 미워하는 마음이 있다.
  kesal, benci, tidak suka
  mempersalahkan dan membenci seseorang karena tidak berkenan di hati

- **-어지다** : 앞에 오는 말이 나타내는 상태로 점점 되어 감을 나타내는 표현.
  menjadi
  ungkapan yang menyatakan sedikit demi sedikit menjadi keadaan dalam perkataan depan

- **-기** : 앞의 말이 명사의 기능을 하게 하는 어미.
  Tiada Penjelasan Arti
  akhiran yang membuat kata di depannya berfungsi sebagai kata benda

- **시작하다 (verba)** : 어떤 일이나 행동의 처음 단계를 이루거나 이루게 하다.
  mulai, memulai
  menjalankan atau membuat melaksanakan tahap pertama dari suatu pekerjaan atau tindakan

- **-였-** : 어떤 사건이 과거에 완료되었거나 그 사건의 결과가 현재까지 지속되는 상황을 나타내는 어미.
  sudah, telah, pernah
  akhiran kalimat yang menyatakan sebuah peristiwa sudah selesai di masa lampau atau menyatakan keadaan di mana hasil peristiwa tersebut terus berlangsung hingga sekarang

- **-다** : 어떤 사건이나 사실, 상태를 서술함을 나타내는 종결 어미.
  Tiada Penjelasan Arti
  akhiran penutup untuk menyatakan suatu peristiwa, kenyataan, dan keadaan

---

남자 : 이렇+게+까지 기도하+는데 못 듣(들)+[은 척하]+시+는 무심하+ㄴ
　　　　　　　　　　　　　　　 들은 척하시는　　　 무심한

　　　하나님, 정말 너무하+세요.

- **이렇다 (adjektiva)** : 상태, 모양, 성질 등이 이와 같다.
  demikian, begitu, begini
  keadaan, bentuk, karakter, dsb sama dengan ini

- **-게** : 앞의 말이 뒤에서 가리키는 일의 목적이나 결과, 방식, 정도 등이 됨을 나타내는 연결 어미.
  dengan
  kata penutup sambung yang menyatakan isi kalimat di depan dibutuhkan sementara kalimat di belakang terus dilanjutkan(formal, kedudukan penerima sangat rendah)

- **까지** : 정상적인 정도를 지나침을 나타내는 조사.
  sampai
  partikel yang menyatakan berlebihan dari taraf yang normal

- **기도하다 (verba)** : 바라는 바가 이루어지도록 절대적 존재 혹은 신앙의 대상에게 빌다.
  berdoa, memohon
  memohon kepada keberadaan atau objek yang secara mutlak dituhankan atau didewakan agar apa yang diharapkan terkabul

- **-는데** : 뒤의 말을 하기 위하여 그 대상과 관련이 있는 상황을 미리 말함을 나타내는 연결 어미.
  sebenarnya, nyatanya
  akhiran kalimat penyambung yang menyatakan mengatakan terlebih dahulu keadaan yang berhubungan sebelum mengatakan kalimat yang berhubungan

· 못 (adverbia) : 동사가 나타내는 동작을 할 수 없게.
 tidak bisa, tidak mampu
 tidak bisa melakukan suatu tindakan yang muncul di kata kerja

· 듣다 (verba) : 다른 사람의 말이나 소리 등에 귀를 기울이다.
 mendengarkan
 mendengarkan perkataan atau suara orang lain

· -은 척하다 : 실제로 그렇지 않은데도 어떤 행동이나 상태를 거짓으로 꾸밈을 나타내는 표현.
 berpura-pura
 ungkapan yang menyatakan berpura-pura atau membuat-buat suatu tindakan atau keadaan
 walaupun sebenarnya tidak demikian

· -시- : 어떤 동작이나 상태의 주체를 높이는 뜻을 나타내는 어미.
 Tiada Penjelasan Arti
 akhiran kalimat yang menyatakan arti meninggikan subjek atau topik suatu tindakan atau
 keadaan

· -는 : 앞의 말이 관형어의 기능을 하게 만들고 사건이나 동작이 현재 일어남을 나타내는 어미.
 yang
 akhiran untuk membuat kata di depannya berfungsi sebagai pewatas dan menyatakan
 kejadian atau tindakan terjadi sekarang

· **무심하다** (adjektiva) : 어떤 일이나 사람에 대하여 걱정하는 마음이나 관심이 없다.
 acuh tak acuh, tidak peduli
 tidak memiliki perasaan khawatir atau perhatian akan sebuah peristiwa atau seseorang

· -ㄴ : 앞의 말이 관형어의 기능을 하게 만들고 현재의 상태를 나타내는 어미.
 yang
 akhiran yang membuat kata di depannya berfungsi sebagai kata pewatas, dan menyatakan
 keadaan saat ini

· **하나님** (nomina) : 기독교에서 믿는 신을 개신교에서 부르는 이름.
 Tuhan
 nama panggilan untuk dewa dalam agama kristen protestan

· **정말** (adverbia) : 거짓이 없이 진짜로.
 benar-benar, sungguh-sungguh
 tidak ada kebohongan, yang sebenarnya

· **너무하다** (adjektiva) : 일정한 정도나 한계를 넘어서 지나치다.
 keterlaluan, kelewatan, berlebihan
 melampaui taraf atau batasan tertentu

• -세요 : (두루높임으로) 설명, 의문, 명령, 요청의 뜻을 나타내는 종결 어미.
  apakah, silakan
  (dalam bentuk hormat) akhiran kalimat penutup yang menyatakan arti penjelasan,
  pertanyaan, perintah, permintaan, dsb

남자 : 제+가 매일 밤 애원하+며 <u>기도하+였+는데</u> 왜 아무런 응답+이
기도했는데

<u>없+으시+ㄴ가요</u>?
없으신가요

• 제 (pronomina) : 말하는 사람이 자신을 낮추어 가리키는 말인 '저'에 조사 '가'가 붙을 때의 형태.
  saya
  bentuk ketika melekatkan partikel '가' ke '저' yang berarti 'saya' dalam bentuk sopan

• 가 : 어떤 상태나 상황에 놓인 대상이나 동작의 주체를 나타내는 조사.
  Tiada Penjelasan Arti
  partikel yang menyatakan subjek sebuah keadaan atau situasi atau pelaku utama sebuah
  tindakan

• 매일 (adverbia) : 하루하루마다 빠짐없이.
  setiap hari
  tiap-tiap hari tanpa ada yang terlewat

• 밤 (nomina) : 해가 진 후부터 다음 날 해가 뜨기 전까지의 어두운 동안.
  malam
  selama hari gelap setelah matahari terbenam hingga sebelum matahari terbit keesokan
  harinya

• 애원하다 (verba) : 요청이나 소원을 들어 달라고 애처롭게 사정하여 간절히 부탁하다.
  memohon
  memohon dengan sungguh-sungguh agar permohonannya dapat diterima

• -며 : 두 가지 이상의 동작이나 상태가 함께 일어남을 나타내는 연결 어미.
  sambil, seraya
  kata penutup sambung yang menyatakan dua atau lebih tindakan atau keadaan muncul
  bersamaan

• 기도하다 (verba) : 바라는 바가 이루어지도록 절대적 존재 혹은 신앙의 대상에게 빌다.
  berdoa, memohon
  memohon kepada keberadaan atau objek yang secara mutlak dituhankan atau didewakan
  agar apa yang diharapkan terkabul

• -였- : 어떤 사건이 과거에 완료되었거나 그 사건의 결과가 현재까지 지속되는 상황을 나타내는 어미.

sudah, telah, pernah

akhiran kalimat yang menyatakan sebuah peristiwa sudah selesai di masa lampau atau menyatakan keadaan di mana hasil peristiwa tersebut terus berlangsung hingga sekarang

• -는데 : 뒤의 말을 하기 위하여 그 대상과 관련이 있는 상황을 미리 말함을 나타내는 연결 어미.

sebenarnya, nyatanya

akhiran kalimat penyambung yang menyatakan mengatakan terlebih dahulu keadaan yang berhubungan sebelum mengatakan kalimat yang berhubungan

• 왜 (adverbia) : 무슨 이유로. 또는 어째서.

kenapa, mengapa

untuk alasan apa, atau bagaimana bisa

• 아무런 (pewatas) : 전혀 어떠한.

apapun, sedikit pun

apapun

• 응답 (nomina) : 부름이나 물음에 답함.

jawaban, respon

ha yang menjawab akan panggilan atau pertanyaan

• 이 : 어떤 상태나 상황의 대상이나 동작의 주체를 나타내는 조사.

Tiada Penjelasan Arti

partikel yang menyatakan subjek sebuah keadaan atau situasi atau pelaku utama sebuah tindakan

• 없다 (adjektiva) : 어떤 사실이나 현상이 현실로 존재하지 않는 상태이다.

tidak ada

keadaan suatu kenyataan atau fenomena sebenarnya tidak ada

• -으시- : 높이고자 하는 인물과 관계된 소유물이나 신체의 일부가 문장의 주어일 때 그 인물을 높이는 뜻을 나타내는 어미.

Tiada Penjelasan Arti

akhiran kalimat yang menyatakan arti meninggikan benda milik atau bagian tubuh orang yang hendak ditinggikan jika menjadi subjek atau topik

• -ㄴ가요 : (두루높임으로) 현재의 사실에 대한 물음을 나타내는 종결 어미.

Tiada Penjelasan Arti

(dalam bentuk hormat) kata penutup final yang menyatakan pertanyaan terhadap kenyataan di masa kini

---

그리하+자 보+[다 못하]+여 답답하+ㄴ 하나님+께서 남자+에게 이렇+게 말씀하+시+었+다.

그러자　　　보다 못해　　　답답한　　　　　　　　　　　　말씀하셨다

• **그리하다** (verba) : 앞에서 일어난 일이나 말한 것과 같이 그렇게 하다.
  seperti itu, begitu
  melakukan seperti apa yang terjadi atau dikatakan sebelumnya

• **-자** : 앞의 말이 나타내는 동작이 끝난 뒤 곧 뒤의 말이 나타내는 동작이 잇따라 일어남을 나타내는 연결 어미.
  ketika
  akhiran penghubung untuk menyatakan tindakan di kalimat induk segera terjadi setelah tindakan di anak kalimat selesai.

• **보다** (verba) : 눈으로 대상의 존재나 겉모습을 알다.
  melihat
  mengetahui keberadaan atau penampilan sesuatu dengan mata

• **-다 못하다** : 앞의 말이 나타내는 행동을 더 이상 계속할 수 없음을 나타내는 표현.
  tidak tahan lagi
  ungkapan yang menyatakan tidak dapat meneruskan lagi kegiatan dalam kalimat yang disebutkan di depan

• **-여** : 앞에 오는 말이 뒤에 오는 말에 대한 원인이나 이유임을 나타내는 연결 어미.
  karena, sebab
  akhiran penghubung untuk menyatakan bahwa anak kalimat menjadi sebab atau alasan terhadap kalimat induk.

• **답답하다** (adjektiva) : 다른 사람의 태도나 상황이 마음에 차지 않아 안타깝다.
  gemas, gregetan
  merasa gemas karena tindakan atau kondisi yang tidak memuaskan

• **-ㄴ** : 앞의 말이 관형어의 기능을 하게 만들고 현재의 상태를 나타내는 어미.
  yang
  akhiran yang membuat kata di depannya berfungsi sebagai kata pewatas, dan menyatakan keadaan saat ini

• **하나님** (nomina) : 기독교에서 믿는 신을 개신교에서 부르는 이름.
  Tuhan
  nama panggilan untuk dewa dalam agama kristen protestan

• **께서** : (높임말로) 가. 이. 어떤 동작의 주체가 높여야 할 대상임을 나타내는 조사.
  Tiada Penjelasan Arti
  (dalam sebutan hormat) partikel yang menyatakan subjek yang menjadi pelaku suatu tindakan yang ditinggikan

• **남자** (nomina) : 남성으로 태어난 사람.
  laki-laki
  orang yang dilahirkan dengan jenis kelamin laki-laki

• 에게 : 어떤 행동이 미치는 대상임을 나타내는 조사.

Tiada Penjelasan Arti

partikel yang menyatakan sesuatu yang mendapat pengaruh dari sebuah tindakan

• 이렇다 (adjektiva) : 상태, 모양, 성질 등이 이와 같다.

demikian, begitu, begini

keadaan, bentuk, karakter, dsb sama dengan ini

• -게 : 앞의 말이 뒤에서 가리키는 일의 목적이나 결과, 방식, 정도 등이 됨을 나타내는 연결 어미.

dengan

kata penutup sambung yang menyatakan isi kalimat di depan dibutuhkan sementara kalimat di belakang terus dilanjutkan(formal, kedudukan penerima sangat rendah)

• 말씀하다 (verba) : (높임말로) 말하다.

bicara, berbicara

(dalam sebutan hormat) bicara

• -시- : 어떤 동작이나 상태의 주체를 높이는 뜻을 나타내는 어미.

Tiada Penjelasan Arti

akhiran kalimat yang menyatakan arti meninggikan subjek atau topik suatu tindakan atau keadaan

• -었- : 어떤 사건이 과거에 완료되었거나 그 사건의 결과가 현재까지 지속되는 상황을 나타내는 어미.

sudah, telah, pernah

akhiran kalimat yang menyatakan sebuah peristiwa sudah selesai di masa lampau atau menyatakan keadaan di mana hasil peristiwa tersebut terus berlangsung hingga sekarang

• -다 : 어떤 사건이나 사실, 상태를 서술함을 나타내는 종결 어미.

Tiada Penjelasan Arti

akhiran penutup untuk menyatakan suatu peristiwa, kenyataan, dan keadaan

---

하나님 : 일단 복권+을 <u>사+라는</u> 말+이+야.
사란

• 일단 (adverbia) : 우선 먼저.

pertama-tama

sebelumnya, lebih dahulu

• **복권 (nomina)** : 적혀 있는 숫자나 기호가 추첨한 것과 일치하면 상금이나 상품을 받을 수 있게 만든 표.

lotre, undian

tabel yang dibuat agar bisa menerima uang tunai atau produk apabila nomor atau simbol yang tertulis di dalamnya sesuai dengan yang diundikan

• **을** : 동작이 직접적으로 영향을 미치는 대상을 나타내는 조사.

Tiada Penjelasan Arti

partikel yang menyatakan objek dari suatu gerakan yang secara langsung memberikan pengaruh

• **사다 (verba)** : 돈을 주고 어떤 물건이나 권리 등을 자기 것으로 만들다.

membeli

menjadikan sesuatu atau hak dsb milik dengan memberikan sejumlah uang

• **-라는** : 명령이나 요청 등의 말을 인용하여 전달하면서 그 뒤에 오는 명사를 꾸며 줄 때 쓰는 표현.

yang disuruh, yang diperintahkan, yang diminta

ungkapan yang digunakan untuk menerangkan kata benda di belakang dengan mengutip dan menyampaikan perkataan seperti perintah dan permintaan

• **말 (nomina)** : 다시 강조하거나 확인하는 뜻을 나타내는 말.

Tiada Penjelasan Arti

kata yang menyatakan arti menekankan atau meyakinkan kembali

• **이다** : 주어가 지시하는 대상의 속성이나 부류를 지정하는 뜻을 나타내는 서술격 조사.

adalah

partikel kasus predikatif yang menyatakan maksud menentukan karakter atau jenis dari objek yang diindikasikan subjek

• **-야** : (두루낮춤으로) 어떤 사실에 대하여 서술하거나 물음을 나타내는 종결 어미.

Tiada Penjelasan Arti

(dalam bentuk rendah) kata penutup final yang mengungkapkan suatu kenyataan atau menyatakan pertanyaan

< 16 단원(bagian) >

제목 : 왜 먹지 못하지요?

● 본문 (tulisan utama)

요즘 국내에 반려동물을 키우는 사람들이 많아지면서 건강에 좋은 사료를 개발하는 회사들도 점점

늘어나고 있다.

올해 한 사료 회사에서 유기농 원료를 사용한 신제품 개발에 성공하여 투자자를 위한 모임을 개최하게

되었다.

직원 : 이것으로 신제품 사료에 대한 설명을 마치도록 하겠습니다.

　　　지금부터는 투자자분들의 질문을 받도록 하겠습니다.

투자자 : 자세한 설명 잘 들었습니다.

　　　그런데 혹시 그거 사람도 먹을 수 있습니까?

직원 : 사람은 못 먹습니다.

투자자 : 아니, 유기농 원료에 영양가 높고 위생적으로 만든 개 사료라면서

　　　왜 먹지 못하지요?

직원 : 비싸서 절대 못 먹습니다.

● 발음 (pelafalan)

요즘 국내에 반려동물을 키우는 사람들이 많아지면서 건강에 좋은 사료를 개발하는 회사들도 점점
요즘 궁내에 발려동무를 키우는 사람드리 마나지면서 건강에 조은 사료를 개발하는 회사들도 점점
yojeum gungnae ballyeodongmureul kiuneun saramdeuri manajimyeonseo geongange joeun
saryoreul gaebalhaneun hoesadeuldo jeomjeom

늘어나고 있다.
느러나고 읻따.
neureonago itda.

올해 한 사료 회사에서 유기농 원료를 사용한 신제품 개발에 성공하여 투자자를 위한 모임을 개최하게
올해 한 사료 회사에서 유기농 월료를 사용한 신제품 개바레 성공하여 투자자를 위한 모이믈 개최하게
olhae han saryo hoesaeseo yuginong wollyoreul sayonghan sinjepum gaebare seonggonghayeo
tujajareul wihan moimeul gaechoehage

되었다.
되얻따.
doeeotda.

직원 : 이것으로 신제품 사료에 대한 설명을 마치도록 하겠습니다.
지권 : 이거스로 신제품 사료에 대한 설명을 마치도록 하겓씀니다.
jigwon : igeoseuro sinjepum saryoe daehan seolmyeongeul machidorok
          hagetseumnida.

        지금부터는 투자자분들의 질문을 받도록 하겠습니다.
        지금부터는 투자자분드릐 질무늘 받또록 하겓씀니다.
        jigeumbuteoneun   tujajabundeurui(bundeure)   jilmuneul   batdorok
        hagetseumnida.

투자자 : 자세한 설명 잘 들었습니다.
투자자 : 자세한 설명 잘 드럳씀니다.
tujaja : jasehan seolmyeong jal deureotseumnida.

        그런데 혹시 그거 사람도 먹을 수 있습니까?
        그런데 혹씨 그거 사람도 머글 쑤 읻씀니까?
        geureonde hoksi geugeo saramdo meogeul su itseumnikka?

직원 : 사람은 못 먹습니다.

지권 : 사라믄 몬 먹씀니다.

jigwon : sarameun mot meokseumnida.

투자자 : 아니, 유기농 원료에 영양가 높고 위생적으로 만든 개 사료라면서

투자자 : 아니, 유기농 월료에 영양까 놉꼬 위생저그로 만든 개 사료라면서

tujaja : ani, yuginong wollyoe yeongyangga nopgo wisaengjeogeuro mandeun gae saryoramyeonseo

왜 먹지 못하지요?

왜 먹찌 모타지요?

wae meokji motajiyo?

직원 : 비싸서 절대 못 먹습니다.

지권 : 비싸서 절때 몬 먹씀니다.

jigwon : bissaseo jeoldae mot meokseumnida.

● 어휘 (kosa kata) / 문법 (pelajaran tata bahasa)

요즘 국내+에 반려동물+을 키우+는 사람+들+이 많아지+면서 건강+에 좋+은 사료+를 개발하+는

회사+들+도 점점 늘어나+<u>고 있</u>+다.

올해 한 사료 회사+에서 유기농 원료+를 사용하+ㄴ 신제품 개발+에 성공하+여 투자자+를 위하+ㄴ

모임+을 개최하+<u>게 되</u>+었+다.

직원 : 이것+으로 신제품 사료+<u>에 대한</u> 설명+을 마치+<u>도록 하</u>+겠+습니다.

　　　지금+부터+는 투자자+분+들+의 질문+을 받+<u>도록 하</u>+겠+습니다.

투자자 : 자세하+ㄴ 설명 잘 듣(들)+었+습니다.

　　　그런데 혹시 그거 사람+도 먹+<u>을 수 있</u>+습니까?

직원 : 사람+은 못 먹+습니다.

투자자 : 아니, 유기농 원료+에 영양가 높+고 위생적+으로 만들(만드)+ㄴ

　　　개 사료+(이)+라면서 왜 먹+<u>지 못하</u>+지요?

직원 : 비싸+(아)서 절대 못 먹+습니다.

요즘 국내+에 반려동물+을 키우+는 사람+들+이 많아지+면서 건강+에 좋+은 사료+를 개발하+는

회사+들+도 점점 늘어나+[고 있]+다.

- **요즘** (nomina) : 아주 가까운 과거부터 지금까지의 사이.
  akhir-akhir ini, belakangan ini
  di antara waktu sampai sekarang dari waktu yang sangat dekat dengan saat ini.

- **국내** (nomina) : 나라의 안.
  dalam negeri, domestik
  dalam negara

- **에** : 앞말이 어떤 장소나 자리임을 나타내는 조사.
  di, pada
  partikel yang menyatakan kalimat di depan adalah tempat atau lokasi

- **반려동물** (nomina)
  반려 (nomina) : 짝이 되는 사람이나 동물.
  pasangan, belahan jiwa, belahan hati
  orang atau binatang yang menjadi pasangan
  동물 (nomina) : 사람을 제외한 길짐승, 날짐승, 물짐승 등의 움직이는 생물.
  hewan, binatang
  makhluk hidup yang bergerak, seperti hewan melata, hewan bersayap, hewan air, dsb selain manusia

- **을** : 동작이 직접적으로 영향을 미치는 대상을 나타내는 조사.
  Tiada Penjelasan Arti
  partikel yang menyatakan objek dari suatu gerakan yang secara langsung memberikan pengaruh

- **키우다** (verba) : 동식물을 보살펴 자라게 하다.
  memelihara, menumbuhkan
  mengamati binatang dan tumbuhan kemudian membuatnya tumbuh

- **-는** : 앞의 말이 관형어의 기능을 하게 만들고 사건이나 동작이 현재 일어남을 나타내는 어미.
  yang
  akhiran untuk membuat kata di depannya berfungsi sebagai pewatas dan menyatakan kejadian atau tindakan terjadi sekarang

- **사람** (nomina) : 생각할 수 있으며 언어와 도구를 만들어 사용하고 사회를 이루어 사는 존재.
  manusia, orang
  keberadaan yang bisa berpikir, membuat bahasa dan alat lalu menggunakannya, dan membentuk masyarakat

• 들 : '복수'의 뜻을 더하는 접미사.

Tiada Penjelasan Arti

akhiran yang menambahkan arti "jamak"

• 이 : 어떤 상태나 상황의 대상이나 동작의 주체를 나타내는 조사.

Tiada Penjelasan Arti

partikel yang menyatakan objek dari suatu keadaan atau kondisi atau pelaku dari suatu tindakan

• 많아지다 (verba) : 수나 양 등이 적지 아니하고 일정한 기준을 넘게 되다.

meluas, meningkat

angka, jumlah, dsb tidak sedikit tetapi melampaui standar tertentu

• -면서 : 두 가지 이상의 동작이나 상태가 함께 일어남을 나타내는 연결 어미.

sambil, seraya

kata penutup sambung yang digunakan saat dua atau lebih tindakan atau keadaan muncul bersamaan

• 건강 (nomina) : 몸이나 정신이 이상이 없이 튼튼한 상태.

kesehatan

kondisi tubuh atau mental yang baik

• 에 : 앞말이 무엇의 목적이나 목표임을 나타내는 조사.

untuk, bagi, pada

partikel yang menyatakan kalimat di depan adalah tujuan sesuatu

• 좋다 (adjektiva) : 어떤 것이 몸이나 건강을 더 나아지게 하는 성질이 있다.

baik, bagus

sesuatu memilki karakter yang membuat tubuh atau kesehatan membaik

• -은 : 앞의 말이 관형어의 기능을 하게 만들고 현재의 상태를 나타내는 어미.

yang

akhiran yang membuat kata di depannya berfungsi sebagai kata pewatas, dan menyatakan keadaan saat ini

• 사료 (nomina) : 집이나 농장 등에서 기르는 동물에게 주는 먹이.

pakan, makanan ternak

makanan yang diberikan pada binatang yang dipelihara di rumah atau peternakan dsb

• 를 : 동작이 직접적으로 영향을 미치는 대상을 나타내는 조사.

Tiada Penjelasan Arti

partikel yang menyatakan objek dari suatu gerakan yang secara langsung memberikan pengaruh

· **개발하다 (verba)** : 새로운 물건을 만들거나 새로운 생각을 내놓다.
mengembangkan, mengeluarkan, mempromosikan
membuat atau berpikir untuk sesuatu yang baru

· **-는** : 앞의 말이 관형어의 기능을 하게 만들고 사건이나 동작이 현재 일어남을 나타내는 어미.
yang
akhiran untuk membuat kata di depannya berfungsi sebagai pewatas dan menyatakan kejadian atau tindakan terjadi sekarang

· **회사 (nomina)** : 사업을 통해 이익을 얻기 위해 여러 사람이 모여 만든 법인 단체.
perusahaan
organisasi legal yang dibentuk oleh beberapa orang untuk mendapatkan keuntungan melalui usaha tertentu

· **들** : '복수'의 뜻을 더하는 접미사.
Tiada Penjelasan Arti
akhiran yang menambahkan arti "jamak"

· **도** : 이미 있는 어떤 것에 다른 것을 더하거나 포함함을 나타내는 조사.
juga
partikel yang menyatakan menambahkan atau mengikutsertakan sesuatu yang lain pada sesuatu yang sudah ada

· **점점 (adverbia)** : 시간이 지남에 따라 정도가 조금씩 더.
sedikit demi sedikit, lama-kelamaan, semakin, secara bertahap
ukuran menurut berlalunya waktu sedikit demi sedikit makin

· **늘어나다 (verba)** : 부피나 수량이나 정도가 원래보다 점점 커지거나 많아지다.
membesar, meningkat, bertambah
semakin banyak atau semakin besarnya angka atau volume dsb karena bertambah dari kondisi semula

· **-고 있다** : 앞의 말이 나타내는 행동이 계속 진행됨을 나타내는 표현.
sedang
ungkapan yang menyatakan bahwa tindakan yang disebutkan dalam kalimat di depan terus berjalan

· **-다** : 어떤 사건이나 사실, 상태를 서술함을 나타내는 종결 어미.
Tiada Penjelasan Arti
akhiran penutup untuk menyatakan suatu peristiwa, kenyataan, dan keadaan

올해 한 사료 회사+에서 유기농 원료+를 <u>사용하+ㄴ</u> 신제품 개발+에 성공하+여 투자자+를 <u>위하+ㄴ</u>
　　　　　　　　　　　　　　　　사용한　　　　　　　　　　　　　　　　　　　　　**위한**

모임+을 개최하+[게 되]+었+다.

- **올해** (nomina) : 지금 지나가고 있는 이 해.
  tahun ini, tahun sekarang
  tahun ini yang sekarang sedang dilalui

- **한** (pewatas) : 여럿 중 하나인 어떤.
  satu
  suatu

- **사료** (nomina) : 집이나 농장 등에서 기르는 동물에게 주는 먹이.
  pakan, makanan ternak
  makanan yang diberikan pada binatang yang dipelihara di rumah atau peternakan dsb

- **회사** (nomina) : 사업을 통해 이익을 얻기 위해 여러 사람이 모여 만든 법인 단체.
  perusahaan
  organisasi legal yang dibentuk oleh beberapa orang untuk mendapatkan keuntungan melalui usaha tertentu

- **에서** : 앞말이 주어임을 나타내는 조사.
  Tiada Penjelasan Arti
  partikel yang menyatakan bahwa kata di depannya adalah subjek

- **유기농** (nomina) : 화학 비료나 농약을 쓰지 않고 생물의 작용으로 만들어진 것만을 사용하는 방식의
  농업.
  pertanian organik
  cara bertani dengan hanya mengandalkan kerja organisme tanpa menggunakan pupuk kimia atau pestisida

- **원료** (nomina) : 어떤 것을 만드는 데 들어가는 재료.
  bahan mentah, bahan
  bahan yang diperlukan untuk membuat sesuatu

- **를** : 동작이 직접적으로 영향을 미치는 대상을 나타내는 조사.
  Tiada Penjelasan Arti
  partikel yang menyatakan objek dari suatu gerakan yang secara langsung memberikan pengaruh

- **사용하다** (verba) : 무엇을 필요한 일이나 기능에 맞게 쓰다.
  menggunakan
  menggunakan sesuai dengan pekerjaan atau kemampuan yang membutuhkan sesuatu

- 312 -

- -ㄴ : 앞의 말이 관형어의 기능을 하게 만들고 사건이나 동작이 완료되어 그 상태가 유지되고 있음을 나타내는 어미.

yang

akhiran yang membuat kata di depannya berfungsi sebagai kata pewatas, dan menyatakan bahwa tindakan atau peristiwa sudah selesai dan menahan keadaan itu

- 신제품 (nomina) : 새로 만든 제품.

produk baru

barang keluaran terbaru

- 개발 (nomina) : 새로운 물건을 만들거나 새로운 생각을 내놓음.

pengembangan

pembuatan barang baru atau pengeluaran pemikiran baru

- 에 : 앞말이 어떤 행위나 감정 등의 대상임을 나타내는 조사.

karena, dengan, akibat, oleh

partikel yang menyatakan kalimat di depan adalah objek suatu tindakan atau perasaan dsb

- 성공하다 (verba) : 원하거나 목적하는 것을 이루다.

berhasil, sukses

mewujudkan sesuatu yang diinginkan atau dimaksudkan

- -여 : 앞에 오는 말이 뒤에 오는 말에 대한 원인이나 이유임을 나타내는 연결 어미.

karena, sebab

akhiran penghubung untuk menyatakan bahwa anak kalimat menjadi sebab atau alasan terhadap kalimat induk.

- 투자자 (nomina) : 이익을 얻기 위해 어떤 일이나 사업에 돈을 대거나 시간이나 정성을 쏟는 사람.

investor, penanam modal

orang yang mengeluarkan uang atau mengorbankan waktu dan ketulusan untuk suatu pekerjaan atau usaha untuk mendapatkan usaha

- 를 : 동작이 직접적으로 영향을 미치는 대상을 나타내는 조사.

Tiada Penjelasan Arti

partikel yang menyatakan objek dari suatu gerakan yang secara langsung memberikan pengaruh

- 위하다 (verba) : 무엇을 이롭게 하거나 도우려 하다.

demi, untuk, buat, bagi

membuat atau membantu agar sesuatu bermanfaat

• -ㄴ : 앞의 말이 관형어의 기능을 하게 만들고 사건이나 동작이 완료되어 그 상태가 유지되고 있음을
　　나타내는 어미.
　yang
　akhiran yang membuat kata di depannya berfungsi sebagai kata pewatas, dan menyatakan
　bahwa tindakan atau peristiwa sudah selesai dan menahan keadaan itu

• **모임 (nomina)** : 어떤 일을 하기 위하여 여러 사람이 모이는 일.
　pertemuan, perkumpulan
　kegiatan di mana beberapa orang berkumpul untuk melakukan suatu hal

• 을 : 동작이 직접적으로 영향을 미치는 대상을 나타내는 조사.
　Tiada Penjelasan Arti
　partikel yang menyatakan objek dari suatu gerakan yang secara langsung memberikan
　pengaruh

• **개최하다 (verba)** : 모임, 행사, 경기 등을 조직적으로 계획하여 열다.
　menyelenggarakan, membuka, mengadakan
　mengorganisasi, merencanakan, dan membuka/mengadakan pertemuan, acara, pertandingan,
　dsb

• -게 되다 : 앞의 말이 나타내는 상태나 상황이 됨을 나타내는 표현.
　menjadi
　ungkapan yang menyatakan keadaan atau situasi yang disebutkan dalam kalimat di depan
　terwujud, atau menyatakan terwujud dalam keadaan demikian

• -었- : 어떤 사건이 과거에 완료되었거나 그 사건의 결과가 현재까지 지속되는 상황을 나타내는 어미.
　sudah, pasti, yakin
　akhiran kalimat yang menyatakan sebuah peristiwa sudah selesai di masa lampau atau
　menyatakan keadaan di mana hasil peristiwa tersebut terus berlangsung hingga sekarang

• -다 : 어떤 사건이나 사실, 상태를 서술함을 나타내는 종결 어미.
　Tiada Penjelasan Arti
　akhiran penutup untuk menyatakan suatu peristiwa, kenyataan, dan keadaan

---

직원 : 이것+으로 신제품 사료+[에 대한] 설명+을 마치+[도록 하]+겠+습니다.

• **이것 (pronomina)** : 바로 앞에서 이야기한 대상을 가리키는 말.
　ini
　kata yang menunjukkan benda atau sesuatu yang telah disebutkan sebelumnya

• 으로 : 어떤 일의 방법이나 방식을 나타내는 조사.
　dengan
　partikel yang menyatakan cara atau tata cara suatu pekerjaan

- **신제품 (nomina)** : 새로 만든 제품.

  produk baru

  barang keluaran terbaru

- **사료 (nomina)** : 집이나 농장 등에서 기르는 동물에게 주는 먹이.

  pakan, makanan ternak

  makanan yang diberikan pada binatang yang dipelihara di rumah atau peternakan dsb

- **에 대한** : 뒤에 오는 명사를 수식하며 앞에 오는 명사를 뒤에 오는 명사의 대상으로 함을 나타내는 표현.

  mengenai, tentang

  ungkapan yang menunjukkan hal menerangkan kata benda di belakang kemudian menjadikan kata benda di depan sebagai objek kata benda di belakang

- **설명 (nomina)** : 어떤 것을 남에게 알기 쉽게 풀어 말함. 또는 그런 말.

  penjelasan

  hal mengatakan sesuatu dengan mudah dimengerti oleh orang lain, atau perkataan yang demikian

- **을** : 동작이 직접적으로 영향을 미치는 대상을 나타내는 조사.

  Tiada Penjelasan Arti

  partikel yang menyatakan objek dari suatu gerakan yang secara langsung memberikan pengaruh

- **마치다 (verba)** : 하던 일이나 과정이 끝나다. 또는 그렇게 하다.

  menyelesaikan

  menyelesaikan pekerjaan atau proses yang sedang dilakukan

- **-도록 하다** : 말하는 사람이 어떤 행위를 할 것이라는 의지나 다짐을 나타내는 표현.

  bertekad, berjanji, ingin

  ungkapan yang menunjukkan orang yang berbicara berniat atau bertekad untuk melakukan suatu tindakan

- **-겠-** : 완곡하게 말하는 태도를 나타내는 어미.

  bolehkah, minta

  akhiran untuk menandai pembicaraan secara halus

- **-습니다** : (아주높임으로) 현재의 동작이나 상태, 사실을 정중하게 설명함을 나타내는 종결 어미.

  Tiada Penjelasan Arti

  (dalam bentuk sangat hormat) kata penutup final yang menyatakan menjelaskan tindakan, keadaan, atau kenyataan di masa kini dengan sopan

---

직원 : 지금+부터+는 투자자+분+들+의 질문+을 받+[도록 하]+겠+습니다.

• **지금** (nomina) : 말을 하고 있는 바로 이때.

  sekarang

  saat sedang bicara

• **부터** : 어떤 일의 시작이나 처음을 나타내는 조사.

  Tiada Penjelasan Arti

  partikel yang menyatakan awal atau mula sebuah peristiwa

• **는** : 문장 속에서 어떤 대상이 화제임을 나타내는 조사.

  Tiada Penjelasan Arti

  partikel yang menyatakan suatu subjek dalam kalimat menjadi bahan pembicaraan

• **투자자** (nomina) : 이익을 얻기 위해 어떤 일이나 사업에 돈을 대거나 시간이나 정성을 쏟는 사람.

  investor, penanam modal

  orang yang mengeluarkan uang atau mengorbankan waktu dan ketulusan untuk suatu
  pekerjaan atau usaha untuk mendapatkan usaha

• **분** : '높임'의 뜻을 더하는 접미사.

  orang

  akhiran yang menambahkan arti "meninggikan"

• **들** : '복수'의 뜻을 더하는 접미사.

  Tiada Penjelasan Arti

  akhiran yang menambahkan arti "jamak"

• **의** : 앞의 말이 뒤의 말에 대하여 소유, 소속, 소재, 관계, 기원, 주체의 관계를 가짐을 나타내는 조사.

  dari, milik

  partikel yang menyatakan perkataan di depan memiliki hubungan kepemilikian, bagian
  tempat diri bekerja, bahan, hubungan, asal, topik dengan perkataan di belakang

• **질문** (nomina) : 모르는 것이나 알고 싶은 것을 물음.

  pertanyaan

  hal menanyakan sesuatu yang tidak diketahui atau yang ingin diketahui

• **을** : 동작이 직접적으로 영향을 미치는 대상을 나타내는 조사.

  Tiada Penjelasan Arti

  partikel yang menyatakan objek dari suatu gerakan yang secara langsung memberikan
  pengaruh

• **받다** (verba) : 요구나 신청, 질문, 공격, 신호 등과 같은 작용을 당하거나 그에 응하다.

  menerima, mendapat

  terkena atau memberi respon pada efek seperti permintaan atau pengajuan, pertanyaan,
  serangan, tanda, dsb

• -도록 하다 : 말하는 사람이 어떤 행위를 할 것이라는 의지나 다짐을 나타내는 표현.
bertekad, berjanji, ingin
ungkapan yang menunjukkan orang yang berbicara berniat atau bertekad untuk melakukan suatu tindakan

• -겠- : 완곡하게 말하는 태도를 나타내는 어미.
bolehkah, minta
akhiran untuk menandai pembicaraan secara halus

• -습니다 : (아주높임으로) 현재의 동작이나 상태, 사실을 정중하게 설명함을 나타내는 종결 어미.
Tiada Penjelasan Arti
(dalam bentuk sangat hormat) kata penutup final yang menyatakan menjelaskan tindakan, keadaan, atau kenyataan di masa kini dengan sopan

> 투자자 : <u>자세하+ㄴ</u> 설명 잘 <u>듣(들)+었+습니다</u>.
>   자세한   들었습니다

• **자세하다 (adjektiva)** : 아주 사소한 부분까지 구체적이고 분명하다.
dengan terperinci
dengan mendetail dan jelas sampai pada bagian yang sangat kecil

• **-ㄴ** : 앞의 말이 관형어의 기능을 하게 만들고 현재의 상태를 나타내는 어미.
yang
akhiran yang membuat kata di depannya berfungsi sebagai kata pewatas, dan menyatakan keadaan saat ini

• **설명 (nomina)** : 어떤 것을 남에게 알기 쉽게 풀어 말함. 또는 그런 말.
penjelasan
hal mengatakan sesuatu dengan mudah dimengerti oleh orang lain, atau perkataan yang demikian

• **잘 (adverbia)** : 관심을 집중해서 주의 깊게.
dengan teliti
dengan memusatkan perhatian

• **듣다 (verba)** : 다른 사람의 말이나 소리 등에 귀를 기울이다.
mendengarkan
mendengarkan perkataan atau suara orang lain

• -었- : 어떤 사건이 과거에 완료되었거나 그 사건의 결과가 현재까지 지속되는 상황을 나타내는 어미.

sudah, pasti, yakin

akhiran kalimat yang menyatakan sebuah peristiwa sudah selesai di masa lampau atau menyatakan keadaan di mana hasil peristiwa tersebut terus berlangsung hingga sekarang

• -습니다 : (아주높임으로) 현재의 동작이나 상태, 사실을 정중하게 설명함을 나타내는 종결 어미.

Tiada Penjelasan Arti

(dalam bentuk sangat hormat) kata penutup final yang menyatakan menjelaskan tindakan, keadaan, atau kenyataan di masa kini dengan sopan

---

투자자 : 그런데 혹시 그거 사람+도 먹+[을 수 있]+습니까?

• 그런데 (adverbia) : 이야기를 앞의 내용과 관련시키면서 다른 방향으로 바꿀 때 쓰는 말.

tetapi

kata yang digunakan untuk mengganti cerita ke arah lain sambil mengaitkan dengan isi cerita sebelumnya

• 혹시 (adverbia) : 그러리라 생각하지만 분명하지 않아 말하기를 망설일 때 쓰는 말.

apakah mungkin

kata yang digunakan ketika ragu-ragu untuk berbicara karena tidak pasti meskipun berpikir demikian

• 그거 (pronomina) : 앞에서 이미 이야기한 대상을 가리키는 말.

yang itu

kata untuk menunjuk kembali benda atau fakta yang telah dikatakan sebelumnya

• 사람 (nomina) : 생각할 수 있으며 언어와 도구를 만들어 사용하고 사회를 이루어 사는 존재.

manusia, orang

keberadaan yang bisa berpikir, membuat bahasa dan alat lalu menggunakannya, dan membentuk masyarakat

• 도 : 이미 있는 어떤 것에 다른 것을 더하거나 포함함을 나타내는 조사.

juga

partikel yang menyatakan menambahkan atau mengikutsertakan sesuatu yang lain pada sesuatu yang sudah ada

• 먹다 (verba) : 음식 등을 입을 통하여 배 속에 들여보내다.

makan

memasukkan makanan ke dalam mulut lalu menelannya

• -을 수 있다 : 어떤 행동이나 상태가 가능함을 나타내는 표현.

bisa, mungkin

ungkapan yang memunculkan arti bahwa suatu peristiwa atau keadaan mungkin untuk terjadi

• -습니까 : (아주높임으로) 말하는 사람이 듣는 사람에게 정중하게 물음을 나타내는 종결 어미.

Apakah ~?

(dalam bentuk sangat hormat) akhiran kalimat penutup yang menyatakan bahwa pembicara bertanya dengan sopan kepada pendengar

---

직원 : 사람+은 못 먹+습니다.

• **사람 (nomina)** : 생각할 수 있으며 언어와 도구를 만들어 사용하고 사회를 이루어 사는 존재.

manusia, orang

keberadaan yang bisa berpikir, membuat bahasa dan alat lalu menggunakannya, dan membentuk masyarakat

• **은** : 문장 속에서 어떤 대상이 화제임을 나타내는 조사.

Tiada Penjelasan Arti

partikel yang menyatakan suatu objek menjadi topik di dalam kalimat

• **못 (adverbia)** : 동사가 나타내는 동작을 할 수 없게.

tidak bisa, tidak mampu

tidak bisa melakukan suatu tindakan yang muncul di kata kerja

• **먹다 (verba)** : 음식 등을 입을 통하여 배 속에 들여보내다.

makan

memasukkan makanan ke dalam mulut lalu menelannya

• **-습니다** : (아주높임으로) 현재의 동작이나 상태, 사실을 정중하게 설명함을 나타내는 종결 어미.

Tiada Penjelasan Arti

(dalam bentuk sangat hormat) kata penutup final yang menyatakan menjelaskan tindakan, keadaan, atau kenyataan di masa kini dengan sopan

---

투자자 : 아니, 유기농 원료+에 영양가 높+고 위생적+으로 만들(만드)+ㄴ
                                                                           만든

개 사료+(이)+라면서 왜 먹+[지 못하]+지요?
        개 사료라면서

• 아니 (interjeksi) : 놀라거나 감탄스러울 때, 또는 의심스럽고 이상할 때 하는 말.

  Hah!, Masa?, Yang benar!

  kata yang digunakan saat terkejut atau terperanjat, atau saat curiga atau merasa aneh

• 유기농 (nomina) : 화학 비료나 농약을 쓰지 않고 생물의 작용으로 만들어진 것만을 사용하는 방식의
  농업.

  pertanian organik

  cara bertani dengan hanya mengandalkan kerja organisme tanpa menggunakan pupuk kimia
  atau pestisida

• 원료 (nomina) : 어떤 것을 만드는 데 들어가는 재료.

  bahan mentah, bahan

  bahan yang diperlukan untuk membuat sesuatu

• 에 : 앞말에 무엇이 더해짐을 나타내는 조사.

  pada, ke

  partikel yang menyatakan menambahkan sesuatu pada kalimat di depan

• 영양가 (nomina) : 식품이 가진 영양의 가치.

  nilai gizi, nilai nutrisi

  nilai nutrisi yang dimiliki makanan

• 높다 (adjektiva) : 품질이나 수준 또는 능력이나 가치가 보통보다 위에 있다.

  tinggi

  kualitas atau standar, kemampuan atau nilai berada di atas daripada biasanya

• -고 : 두 가지 이상의 대등한 사실을 나열할 때 쓰는 연결 어미.

  dan

  akhiran penghubung yang digunakan untuk menyusun dua atau lebih kenyataan yang setara

• 위생적 (nomina) : 건강에 이롭거나 도움이 되도록 조건을 갖춘 것.

  bersih, higienis

  hal yang memenuhi syarat agar dapat bermanfaat atau membantu kesehatan

• 으로 : 어떤 일의 방법이나 방식을 나타내는 조사.

  dengan

  partikel yang menyatakan cara atau tata cara suatu pekerjaan

• 만들다 (verba) : 힘과 기술을 써서 없던 것을 생기게 하다.

  membuat

  membuat ada sesuatu yang tadinya tidak ada dengan menggunakan kekuatan dan
  keterampilan

- -ㄴ : 앞의 말이 관형어의 기능을 하게 만들고 사건이나 동작이 완료되어 그 상태가 유지되고 있음을 나타내는 어미.

  yang

  akhiran yang membuat kata di depannya berfungsi sebagai kata pewatas, dan menyatakan bahwa tindakan atau peristiwa sudah selesai dan menahan keadaan itu

- **개 (nomina)** : 냄새를 잘 맡고 귀가 매우 밝으며 영리하고 사람을 잘 따라 사냥이나 애완 등의 목적으로 기르는 동물.

  anjing

  binatang yang pandai mencium bau dan bertelinga sangat peka, pandai, menurut pada orang, diburu atau dijadikan hewan peliharaan

- **사료 (nomina)** : 집이나 농장 등에서 기르는 동물에게 주는 먹이.

  pakan, makanan ternak

  makanan yang diberikan pada binatang yang dipelihara di rumah atau peternakan dsb

- 이다 : 주어가 지시하는 대상의 속성이나 부류를 지정하는 뜻을 나타내는 서술격 조사.

  adalah

  partikel kasus predikatif yang menyatakan maksud menentukan karakter atau jenis dari objek yang diindikasikan subjek

- -라면서 : 듣는 사람이나 다른 사람이 이전에 했던 말이 예상이나 지금의 상황과 다름을 따져 물을 때 쓰는 표현.

  katanya

  ungkapan untuk bertanya secara tegas tentang perkataan orang lain atau pendengar berbeda dengan dugaan atau keadaan sekarang.

- **왜 (adverbia)** : 무슨 이유로. 또는 어째서.

  kenapa, mengapa

  untuk alasan apa, atau bagaimana bisa

- **먹다 (verba)** : 음식 등을 입을 통하여 배 속에 들여보내다.

  makan

  memasukkan makanan ke dalam mulut lalu menelannya

- -지 못하다 : 앞의 말이 나타내는 행동을 할 능력이 없거나 주어의 의지대로 되지 않음을 나타내는 표현.

  tidak dapat, tidak bisa, tidak mampu

  ungkapan yang menyatakan tidak mampu melakukan tindakan yang disebutkan dalam kalimat di depan atau tidak dapat terjadi seperti keinginan subjek

- -지요 : (두루높임으로) 말하는 사람이 듣는 사람에게 친근함을 나타내며 물을 때 쓰는 종결 어미.

  sih?

  (dalam bentuk hormat) kata penutup final yang digunakan saat pembicara bertanya sambil menunjukkan kedekatan kepada pendengar

---

직원 : <u>비싸+(아)서</u> 절대 못 먹+습니다.
　　　　비싸서

• **비싸다 (adjektiva)** : 물건값이나 어떤 일을 하는 데 드는 비용이 보통보다 높다.
mahal
harga barang atau biaya untuk melakukan sesuatu tinggi dari yang biasa

• **-아서** : 이유나 근거를 나타내는 연결 어미.
karena, akibat
kata penutup sambung yang menyatakan alasan atau landasan

• **절대 (adverbia)** : 어떤 경우라도 반드시.
bagaimanapun
walau apa pun yang terjadi

• **못 (adverbia)** : 동사가 나타내는 동작을 할 수 없게.
tidak bisa, tidak mampu
tidak bisa melakukan suatu tindakan yang muncul di kata kerja

• **먹다 (verba)** : 음식 등을 입을 통하여 배 속에 들여보내다.
makan
memasukkan makanan ke dalam mulut lalu menelannya

• **-습니다** : (아주높임으로) 현재의 동작이나 상태, 사실을 정중하게 설명함을 나타내는 종결 어미.
Tiada Penjelasan Arti
(dalam bentuk sangat hormat) kata penutup final yang menyatakan menjelaskan tindakan, keadaan, atau kenyataan di masa kini dengan sopan

● 숫자 (angka)

- 0 (영, 공) : nol, kosong
- 1 (일, 하나) : satu
- 2 (이, 둘) : dua
- 3 (삼, 셋) : tiga
- 4 (사, 넷) : empat
- 5 (오, 다섯) : lima
- 6 (육, 여섯) : enam
- 7 (칠, 일곱) : tujuh
- 8 (팔, 여덟) : delapan
- 9 (구, 아홉) : sembilan
- 10 (십, 열) : sepuluh, puluh
- 20 (이십, 스물) : duapuluh
- 30 (삼십, 서른) : tiga puluh
- 40 (사십, 마흔) : empat puluh
- 50 (오십, 쉰) : lima puluh
- 60 (육십, 예순) : enampuluh
- 70 (칠십, 일흔) : tujuhpuluh
- 80 (팔십, 여든) : delapan puluh
- 90 (구십, 아흔) : sembilanpuluh
- 100 (백) : seratus
- 1,000 (천) : seribu
- 10,000 (만) : puluh ribu
- 100,000 (십만) : seratus ribu
- 1,000,000 (백만) : satu juta
- 10,000,000 (천만) : sepuluh juta
- 100,000,000 (억) : seratus juta
- 1,000,000,000,000 (조) : triliun

● 시간 (waktu)

• **시 (nomina)** : 하루를 스물넷으로 나누었을 때 그 하나를 나타내는 시간의 단위.
  jam, pukul
  satuan yang memperlihatkan waktu

• **분 (nomina)** : 한 시간의 60분의 1을 나타내는 시간의 단위.
  menit
  satuan waktu yang memperlihatkan 1/60 dari satu jam

• **초 (nomina)** : 일 분의 60분의 1을 나타내는 시간의 단위.
  detik
  satuan waktu yang menyatakan satu per enam puluh dari satu menit

• **새벽 (nomina)**
  1) 해가 뜰 즈음.
     subuh, fajar, dini hari
     saat matahari akan terbit
  2) 아주 이른 오전 시간을 가리키는 말.
     dini hari, subuh
     perkataan yang menunjukkan waktu sangat awal pada pagi hari

• **아침 (nomina)** : 날이 밝아올 때부터 해가 떠올라 하루의 일이 시작될 때쯤까지의 시간.
  pagi
  waktu yang dimulai dari terangnya hari sampai pada dimulainya waktu kerja

• **점심 (nomina)** : 하루 중에 해가 가장 높이 떠 있는, 아침과 저녁의 중간이 되는 시간.
  siang
  waktu yang ada di tengah-tengah pagi dan siang pada saat matahari berada paling tinggi

• **저녁 (nomina)** : 해가 지기 시작할 때부터 밤이 될 때까지의 동안.
  petang
  selama mulai dari terbenamnya matahari sampai waktu malam

• **낮 (nomina)**
  1) 해가 뜰 때부터 질 때까지의 동안.
     hari, siang, siang hari
     masa sejak matahari terbit hingga terbenam
  2) 오후 열두 시가 지나고 저녁이 되기 전까지의 동안.
     siang, siang hari
     masa setelah jam 12 siang hingga sebelum matahari terbenam

• 밤 (nomina) : 해가 진 후부터 다음 날 해가 뜨기 전까지의 어두운 동안.

malam

selama hari gelap setelah matahari terbenam hingga sebelum matahari terbit keesokan harinya

• 오전 (nomina)

1) 아침부터 낮 열두 시까지의 동안.

   pagi hari

   waktu dari pagi sampai jam 12 siang

2) 밤 열두 시부터 낮 열두 시까지의 동안.

   pagi

   jam 12 malam sampai jam 12 siang

• 오후 (nomina)

1) 정오부터 해가 질 때까지의 동안.

   siang hari, sore hari

   masa sejak pukul 12 siang hingga matahari terbenam

2) 정오부터 밤 열두 시까지의 시간.

   sore, malam

   waktu sejak pukul 12 siang hingga pukul 12 malam

• 정오 (nomina) : 낮 열두 시.

tengah hari, siang hari

jam 12 siang

• 자정 (nomina) : 밤 열두 시.

tengah malam

jam 12 malam, pertengahan malam

• 그저께 (nomina) : 어제의 전날. 즉 오늘로부터 이틀 전.

dua hari yang lalu

hari sebelum kemarin, yakni dua hari yang lalu dari hari ini

• 어제 (nomina) : 오늘의 하루 전날.

kemarin

hari sebelum hari ini

• 오늘 (nominanomina) : 지금 지나가고 있는 이날.

hari ini

hari ini yang sekarang sedang dilalui sekarang

• 내일 (nomina) : 오늘의 다음 날.

besok

hari berikutnya setelah hari ini

• **모레** (nomina) : 내일의 다음 날.
lusa, besok lusa
hari setelah besok

• **하루** (nomina) : 밤 열두 시부터 다음 날 밤 열두 시까지의 스물네 시간.
satu hari, sehari
24 jam sejak jam 12 malam hingga jam 12 malam hari berikutnya

• **이틀** (nomina) : 두 날.
dua hari
dua hari

• **사흘** (nomina) : 세 날.
Tiada Penjelasan Arti
tiga hari

• **나흘** (nomina) : 네 날.
Tiada Penjelasan Arti
empat hari

• **닷새** (nomina) : 다섯 날.
lima hari
lima hari

• **엿새** (nomina) : 여섯 날.
enam hari
enam hari

• **이레** (nomina) : 일곱 날.
tujuh hari
tujuh hari

• **여드레** (nomina) : 여덟 날.
Tiada Penjelasan Arti
delapan hari

• **아흐레** (nomina) : 아홉 날.
sembilan hari
sembilan hari

• **열흘** (nomina) : 열 날.
sepuluh hari
sepuluh hari

- 326 -

- **월요일** (nomina) : 한 주가 시작되는 첫 날.
  hari Senin
  hari pertama yang mengawali sebuah minggu

- **화요일** (nomina) : 월요일을 기준으로 한 주의 둘째 날.
  hari Selasa
  hari kedua dari seminggu yang didasarkan dari hari senin

- **수요일** (nomina) : 월요일을 기준으로 한 주의 셋째 날.
  hari Rabu
  hari ketiga dalam satu minggu

- **목요일** (nomina) : 월요일을 기준으로 한 주의 넷째 날.
  kamis, hari kamis
  hari keempat dari satu minggu yang dimulai dari hari senin

- **금요일** (nomina) : 월요일을 기준으로 한 주의 다섯째 날.
  jumat, hari jumat
  hari kelima dalam satu minggu apabila dimulai dari hari senin

- **토요일** (nomina) : 월요일을 기준으로 한 주의 여섯째 날.
  hari Sabtu
  hari keenam dalam satu minggu dengan hari Senin sebagai patokan awal minggu

- **일요일** (nomina) : 월요일을 기준으로 한 주의 마지막 날.
  hari Minggu
  hari terakhir dalam satu minggu dengan hari Senin sebagai patokan awal minggu

- **일주일** (nomina) : 월요일부터 일요일까지 칠 일. 또는 한 주일.
  seminggu, satu minggu
  tujuh hari mulai dari hari senin sampai hari minggu, satu minggu

- **일월** (nomina) : 일 년 열두 달 가운데 첫째 달.
  Januari, bulan Januari
  bulan pertama dalam satu tahun

- **이월** (nomina) : 일 년 열두 달 가운데 둘째 달.
  Februari, bulan Februari
  bulan kedua dalam satu tahun

- **삼월** (nomina) : 일 년 열두 달 가운데 셋째 달.
  bulan Maret, Maret
  bulan ketiga di antara dua belas bulan dalam satu tahun

• **사월** (nomina) : 일 년 열두 달 가운데 넷째 달.
 April, bulan keempat
 bulan keempat dari satu tahun

• **오월** (nomina) : 일 년 열두 달 가운데 다섯째 달.
 Mei, bulan Mei
 bulan kelima di antara dua belas bulan dalam setahun

• **유월** (nomina) : 일 년 열두 달 가운데 여섯째 달.
 bulan Juni, Juni
 bulan keenam dari dua belas bulan dalam setahun

• **칠월** (nomina) : 일 년 열두 달 가운데 일곱째 달.
 bulan Juli
 bulan ketujuh dari duabelas bulan dalam setahun

• **팔월** (nomina) : 일 년 열두 달 가운데 여덟째 달.
 bulan Agustus
 bulan kedelapan dari duabelas bulan dalam setahun

• **구월** (nomina) : 일 년 열두 달 가운데 아홉째 달.
 September, bulan September
 bulan kesembilan di antara dua belas bulan dalam satu tahun

• **시월** (nomina) : 일 년 열두 달 중 열 번째 달.
 Oktober
 bulan kesepuluh dari dua belas bulan dalam setahun

• **십일월** (nomina) : 일 년 열두 달 가운데 열한째 달.
 November, bulan November
 bulan kesebelas dari dua belas bulan, atau dari setahun

• **십이월** (nomina) : 일 년 열두 달 가운데 마지막 달.
 bulan Desember
 bulan terakhir dari duabelas bulan dalam setahun

• **봄** (nomina) : 네 계절 중의 하나로 겨울과 여름 사이의 계절.
 musim semi
 musim di mana cuaca mulai hangat, bunga yang kuncup mulai bermekaran, musim antara musim dingin dan musim panas

• **여름** (nomina) : 네 계절 중의 하나로 봄과 가을 사이의 더운 계절.
 musim panas
 salah satu musim yang panas dari empat musim yang ada di antara musim semi dan musim gugur

- **가을 (nomina)** : 네 계절 중의 하나로 여름과 겨울 사이의 계절.
  musim gugur
  satu dari antara 4 musim, musim di antara musim panas dan musim dingin

- **겨울 (nomina)** : 네 계절 중의 하나로 가을과 봄 사이의 추운 계절.
  musim dingin, musim salju
  musim di antara musim gugur dan musim semi, yang paling dingin di antara empat musim dalam satu tahun

- **작년 (nomina)** : 지금 지나가고 있는 해의 바로 전 해.
  tahun lalu
  tahun sebelumnya dari tahun yang sedang dilalui saat ini

- **올해 (nomina)** : 지금 지나가고 있는 이 해.
  tahun ini, tahun sekarang
  tahun ini yang sekarang sedang dilalui

- **내년 (nomina)** : 올해의 바로 다음 해.
  tahun depan
  tahun setelah tahun ini

- **과거 (nomina)** : 지나간 때.
  masa lampau, masa lalu
  hari-hari yang telah berlalu

- **현재 (nomina)** : 지금 이때.
  sekarang, saat ini
  langsung saat ini juga

- **미래 (nomina)** : 앞으로 올 때.
  masa depan
  hari yang nanti akan datang

< 참고(perujukan) 문헌(pustaka rujukan) >

고려대학교 한국어대사전, 고려대학교 민족문화연구원, 2009
우리말샘, 국립국어원, 2016
표준국어대사전, 국립국어원, 1999
한국어교육 문법 자료편, 한글파크, 2016
한국어 교육학 사전, 하우, 2014
한국어기초사전, 국립국어원, 2016
한국어 문법 총론 Ⅰ, 집문당, 2015

HANPUK

유머로 배우는 한국어 bahasa Indonesia(penerjemahan)

발　행 | 2024년 7월 15일
저　자 | 주식회사 한글2119연구소
펴낸이 | 한건희
펴낸곳 | 주식회사 부크크
출판사등록 | 2014.07.15.(제2014-16호)
주　소 | 서울특별시 금천구 가산디지털1로 119 SK트윈타워 A동 305호
전　화 | 1670-8316
이메일 | info@bookk.co.kr

ISBN | 979-11-410-9536-9

www.bookk.co.kr